Stephan Hermlin
Lebensfrist
Gesammelte Erzählungen

Verlag Klaus Wagenbach Berlin

Bitte schreiben Sie uns eine Postkarte! Wir schicken Ihnen dann jedes Jahr kosten-
los unseren Verlagsalmanach „Zwiebel"

Quartheft 110

Inhalt

Reise eines Malers in Paris

In jenem Sommer, der dem Ausbruch des Zweiten Weltkrieges voranging, betrat der Maler Hans Reichmann gegen Mittag eine Bar
am Boulevard St. Michel, schräg gegenüber dem Jardin du Luxem-
bourg, den er eben ziellos durchschritten hatte. Die Schwüle war
schon am Morgen unerträglich gewesen, die Geräusche der Straße
klangen wie zersplitterndes Glas, die wenigen Passanten in dem gewöhnlich belebten Viertel stelzten wie an Drähten gezogen. Reichmann, auf seinen Aperitif niederstarrend, fühlte in machtlosem Ärger die Unentrinnbarkeit des verlorenen Tages, der vor ihm lag.
Müde dachte er an die vergangene Woche, die er, einmal mehr Beute
einer alten und gefährlichen Gewohnheit, in übermäßigem Wein-
genuß verbracht hatte. Seit einer Reihe von Jahren gehörte Reichmann zur keineswegs seltenen Gattung Ausschweifender, die man
Quartalstrinker zu nennen pflegt. Arbeit und Genuß standen zueinander in geheimnisvoller, beglückend-quälender Wechselbezie-
hung, und zwei freiwillig unternommene Aufenthalte in Entzie-
hungsanstalten hatten ihm nur bestätigt, was er bereits geahnt hatte:
daß nämlich der Verzicht auf den Wein das Versiegen der Arbeits-
kraft nach sich zog. Später bedeutete er sich mit dem gleichen me-
lancholischen Humor, der sein Gespräch mit Freunden bestimmte,
daß Malen und Trinken nur zwei Spielarten ein und derselben Ausschweifung seien, er selbst aber, sofern er seinem Leben einen Sinn
geben wolle, zur Ausschweifung gewissermaße verurteilt: man
werde weitersehen.

Hans Reichmann stammte aus Würzburg und hatte später in München gelebt. 1914 steckte man ihn, nach vergeblichen Versuchen, einen Soldaten aus ihm zu machen, in die Militärzensur. Seinem Dienst kam er mit durch böse Indifferenz gemildertem Ekel nach, erfüllt von Gesichten der Revolte und Verzweiflung, die damals in den Zeitschriften und auf den Leinwänden Schwabings sichtbare Form annahmen. Er malte und schrieb, vorerst ohne die ausdrückliche Bestimmung für das eine oder andere. Der Zusammenbruch fand ihn immer noch in München; er empfand eine große und ungewisse Befreiung. Wie träumend bewegte er sich unter Hingerissenen und Erregten, teilte ihre wirren Hoffnungen, ohne die Bereitschaft zum tätigen Mitwirken in sich finden zu können. Als die Räteregierung die entscheidende Niederlage erlitt, entschloß er sich, den Kriegskommissar, einen von den Weißen verfolgten revolutionären Dichter, in seinem Hause zu verstecken. Doch wurde der Flüchtling bei ihm gefunden und Reichmann wegen dieser Begünstigung für ein halbes Jahr ins Gefängnis geworfen. Nach einigen Jahren verließ er Deutschland und nahm seinen Wohnsitz in Paris, nachdem er sich seit langem endgültig der Malerei zugewandt hatte. Im Kriege hatte er übrigens geheiratet, später jedoch sich gütlich von seiner Frau getrennt, mit der er sich, gemäß einer Vereinbarung, alle fünf Jahre traf. Diese wenigen Wochen des Wiedersehens, Wochen, die man einmal in Malaga, ein andermal in Neapel verbracht hatte, kamen einem vorläufigen Abschluß und einem Neubeginn gleich; sie dienten der Selbstverständigung und bewiesen die Möglichkeit menschlicher Beziehungen jenseits des Kreises von Verstellung, Ermüdung und verpflichtendem Opfer, in dem sie sich zu bewegen pflegen.

Reichmann hatte sein Atelier in einem alten Haus in der Rue de La Harpe. Er verbrachte seine Tage nicht ohne ein gewisses Glücksgefühl bei der Arbeit, mit wenigen Menschen und Gesprächen, mit unsteten Wanderungen durch die Bars des Montparnasse und in Ausstellungen. Er verdiente wenig Geld, jedenfalls genug, um nicht hungern oder der Bitterkeit anheimfallen zu müssen, die unerfüllte Wünsche allmählich in uns wachsen lassen.

Reichmanns Kunst, eine Wunderwelt von Graswäldern und submarinen Landschaften, die unter Glas den Glanz zauberkräftiger Steine annahmen, war nur einem kleinen Kreis von Kennern bekannt. Jedes Jahr veranstaltete der Maler eine Ausstellung, und die handgroßen Aquarelle bereicherten jedesmal einige private und öffentliche Sammlungen diesseits und jenseits des Ozeans. In seiner

Heimat hatten indessen politische Umwälzungen die unerfreulichsten Folgen für Leute seiner Art und Arbeitsweise gehabt, und dieser Umstand hatte ihm endgültig jeden Gedanken an eine auch nur vorübergehende Rückkehr ausgetrieben.

Die letzten im Trunk verbrachten Tage konnten der Vorbereitung der jährlichen Ausstellung gefährlich werden. Am Schanktisch stehend, dachte er finster an die bevorstehende Woche, die ihn von dem wichtigen Eröffnungstag trennte. Er verlangte einen zweiten Apéritif. Der Mann hinter der Theke klagte über die Hitze. Reichmann nickte gedankenlos. Paris glich einer evakuierten Stadt. Durch die flimmernden Ebenen pfiffen die Züge, die die lebensgierigen Ferienreisenden des letzten Vorkriegssommers nach allen Himmelsrichtungen entführten. Die Fassaden des Quartier Latin schienen wie Papier zu wallen, aus dem jeden Augenblick die Flamme schießen konnte. Ein fahles Licht brodelte in den Straßen.

Reichmann gewahrte es im Spiegel, der den Widerschein der Blätter an den Straßenbäumen ins Gelbliche färbte. Plötzlich entsann er sich eines Morgens in Neapel, der einem Erdbeben vorausgegangen war – damals hatte dieses fremde Gelb die Atmosphäre gefüllt, in der sich nicht atmen ließ und die Geräusche jede Beziehung zu ihren Urhebern verloren. Sein Blick versenkte sich in das eigene, aus tausend Selbststudien vertraute Gesicht: da war ein Fünfundvierzigjähriger, der wie ein Sechziger aussah, mit lederfarbener Haut, breitem Mund und breiter Stirn, ein fränkischer Bauer, dem das eisengraue Haar unordentlich über die Augen fiel. Diese Augen – sie waren wohl am schwersten festzuhalten; dem eigenen Blick entglitten sie immer wieder, die weit auseinandergestellten Augen eines Trinkers oder Rhapsoden von sanftem und verwirrtem Ausdruck, deren Pupillen mit der verwaschenen Iris sich leicht nach oben kehrten und das Weiße sehen ließen.

Hinter ihm sprachen zwei Männer halblaut über die Kriegsgefahr. »Diesmal ist es soweit. Diese ständigen Mobilmachungen . . . Dann ist es schon besser . . .« Reichmann drehte sich um und überblickte den Raum. Der fahle Schein, der von außen hereindrang, schien ständig stärker zu werden. Fünf, sechs Gäste saßen einzeln oder zu zweit in den tragischen Stellungen von Marionetten vor ihren Gläsern. Jetzt erst wurde Reichmann eines pausenlosen Summens gewahr, eines Zischelns und Flüsterns, von dem er nicht wußte, ob es aus dem Raum kam oder das Geräusch seines Blutes war. Mit einer jähen Wendung, die ihn einige Anstrengung kostete, kehrte er sich dem Spiegel zu. Vergeblich suchte er in ihm die Konturen wieder, denen er einen Augenblick zuvor noch im Geiste nachgegangen war. Die Gespräche, das Rücken der Stühle, das Klappern und Klingen von Flaschen und Gläsern – das alles erreichte ihn quälend hohl und ward dermaßen bedenklich, daß er in seinen Taschen nach Münzen zu suchen begann und aufstand. Ach, welch ein Tag war da noch zu verbringen! Sich und den Wein heimlich schmähend, versuchte er sich einzureden, daß er immerhin noch einiges für die Ausstellung zu tun vermöchte. Er legte das Geld auf den Tisch und wollte gehen, aber etwas hielt ihn fest und zwang ihn, sich noch einmal den beiden Männern zuzuwenden, die hinter ihm gesprochen hatten. Sein schweres, geblendetes Auge traf ihre ihm zugekehrten Blicke, die voll frechen Hohnes auf ihm ruhten. Sie mußten ihr leises Gespräch schon eine Weile unterbrochen haben. Reichmann maß sie unsicher, und in plötzlicher, ihm selbst unbegreiflicher Erregung stürzte er hinaus, wie einer, der sich ins Wasser wirft.

Die schattenlose Straße empfing ihn mit einem Licht, das die Augen wie ein Keulenschlag traf. Die Kleider hingen an ihm wie dampfende Tücher. Reichmann stöhnte leise auf und ging den Boulevard hinab. Drei- oder viermal kamen ihm Passanten entgegen, und jedesmal glaubte er, neugierig-unverschämte Blicke oder ein ironisches Lächeln zu erspähen. Wohin ging er eigentlich? Seine Wohnung war nicht weit, auch wäre es Zeit gewesen, ein Restaurant aufzusuchen, um das Mittagsmahl einzunehmen, aber der Gedanke an Speisen und Speisengeruch brachte ihm ein Würgen in die Kehle. Er fühlte sich einer Ohnmacht nahe, und immer stärker meinte er versteckten Haß und anonyme Drohung um sich zu spüren. An der Ecke des Boulevard St. Germain stieß er fast mit zwei jungen Männern zusammen, die ihm anscheinend den Weg verlegen wollten. Der eine, dunkelhäutig und mit ölig schillerndem schwarzem Haar, schnitt eine Grimasse, während sein Kumpan etwas Unverständliches rief und heiser auflachte. Sein Blut strömte dem Maler vom Herzen weg. Die Straße füllte sich Stück für Stück mit sausender Stille – nur die rätselhafte Bewegung der beiden Fremden blieb, ihre unverständlichen Worte, ihr herzbeklemmender Hohn. In diesem Augenblick erblickte Reichmann an der gegenüberliegenden Ecke einen Polizeibeamten, der, die Mütze schief auf dem Kopf, das Mäntelchen kokett um die Schultern geworfen, mit träger Grazie seinen weißen Stab kreisen ließ. Reichmann legte sich keine Rechenschaft ab über sein Tun – in aufwallender Erleichterung ging, ja lief er auf den Beamten zu und bat ihn in hartem Französisch um Schutz vor der Belästigung, deren Urheber seine zitternde Hand über die

Schulter hinweg bezeichnete. Der Polizist maß ihn, ohne sein Spiel mit dem Stab zu unterbrechen, mit jener übertrieben höflichen Aufmerksamkeit, die das gerechtfertigte Mißtrauen des Gesetzesvertreters gegenüber dem ordinären Bürger nicht verbergen, sondern unterstreichen soll. »Machen Sie, daß Sie weiterkommen«, pfiff er plötzlich durch die Zähne, und einer erneuten Beteuerung seines Notstands seitens des Malers kam er durch die nochmalige schroffe Aufforderung zum Weitergehen zuvor: »Hauen Sie ab, Herr, ehe ich mich ärgere! Allez-y, circulez!« Der Beamte faßte den Dachfirst des gegenüberliegenden Hauses ins Auge, während Reichmann, die hinter ihm aufklingende Lache noch im Ohr, blind vor Scham und Angst den Boulevard hinabtaumelte. Er erreichte die Rue de La Harpe und blieb, nach der nächsten Wand greifend, einen Moment aufatmend stehen. Die Straße brütete, tausend Abfallgerüche hingen wie ein verwesungsfarbener Schleier zwischen den schiefen Fassaden, magere Katzen strichen langsam durch die Gossen, vor den arabischen Cafés standen dunkelblickende Männer. Als Reichmann in die Moderluft des Treppenhauses einbog, das er durchqueren mußte, um in seine Wohnung zu kommen, blieb er noch einmal erleichtert stehen. Auch hier war nicht der leiseste Luftzug zu spüren, doch nach dem strömenden Gelb, das überall da draußen wie flüssiges Feuer herabregnete, tat das Halbdunkel den schmerzenden Augen wohl.

Reichmann lehnte die Wange an die verschmutzte, abgestoßene Wand, an der obszöne Kreidezeichnungen leuchteten. In den Vertiefungen der ausgetretenen Stufen lief die Finsternis wie die dunkelschäumende Spur Tausender von verlorenen Schicksalen zusammen. Auf dem ersten Treppenabsatz warf er gewohnheitsmäßig einen Blick in die Loge der Concièrge. Die Alte war nicht da. Nur ihr gelber Kater blinzelte schmal über den Tisch hinüber. Während er weiterstieg, griff Reichmann nach dem Schlüssel in seiner Tasche. Irgendwo übte jemand Tonleitern auf dem Klavier. Der Schweiß rann Reichmann in den Nacken. Auf dem obersten Treppenabsatz blickte er durch die Windungen des Geländers hindurch in die Tiefe. Das Klavier war verstummt. Zwei streitsüchtige Stimmen drangen einen Augenblick lang von der Straße her durch die Haustür. Dann war wieder völlige Ruhe. Reichmann hörte sein Herz laut schlagen. Er öffnete und dachte sogleich: Mein Gott! Mein Gott! Er dachte und rief es gleichzeitig, und der Ausruf, jeden Sinnes bar, widerhallte in seinem Kopf wie in einem Gewölbe, während er die Tür hinter sich zuzog.

Das Atelier war von geisterhafter Bewegung erfüllt. Das erste, was ihm auffiel, war wieder jenes Zischeln und Flüstern, das aus allen Ecken und Richtungen zu dringen schien. Dann erst sah er, daß eine Anzahl Unbekannter den Raum erfüllte. Sie strichen in müder, unentschlossener Haltung an der Wand hin, saßen auf Stühlen und Diwan, standen in Gruppen vor den ungerahmten Bildern, die an den Wänden lehnten. Immer noch sprach Reichmann sein »Mein Gott! Mein Gott!« zu sich selbst, während er krampfhaft drüber nachdachte, wie die Fremden in das verschlossene Zimmer gelangt sein mochten. Und doch mußte er sich voller Verwunderung gestehen, daß seine Überraschung bereits nachzulassen begann. Er trat von einem Fuß auf den andern, ging schließlich zum Waschbecken hinüber und fing an, sich die Hände zu waschen. Mit schnellem Blick bemerkte er, daß das Handtuch auf dem ungemachten Bett lag. Er empfand etwas wie Verlegenheit, als er mit nassen Händen quer durch das Zimmer zum Bett hinüberging. Selbst hier saßen einige der Fremden. Sie waren alle sichtlich bemüht, ihm nicht im Wege zu sein, und hielten sich immer in einer gewissen Entfernung. Mit ihrem wehenden Schritt kamen sie nur einige Male nahe an ihm vorüber, so daß er in ihre undeutlichen Gesichter zu sehen vermochte. Sie sprachen nicht, schienen ihn kaum zu bemerken. Ihre Unruhe drückte ein ungewisses Suchen, eine schon halb enttäuschte Erwartung aus. Die Gruppen vor den Bildern machten sich unverständliche Zeichen. Die Mützen ins Gesicht gezogen, das Kinn auf der Brust, standen andere schweigend an die Wände gelehnt und schienen Reichmann aus den Augenwinkeln zu beobachten.

Der Maler empfand keine Furcht. Seine Überraschung war geschwunden. Mit wachsendem Unbehagen sah er auf das unordentliche Bett, das schmutzige Geschirr. Er fingerte am Hahn des Gaskochers, dann ging er zu einem Fenster hinüber und öffnete es. Kaum sichtbar wölkte der Mittagsgeruch aus hundert Schornsteinen. Reichmann sah in die Straßenschlucht hinab, in der sich jetzt nichts mehr regte. Nur vom nahen Boulevard kam schwach der Lärm von Wagen herüber. Die Fenster der Häuser auf der anderen Seite waren trotz der erbarmungslosen Schwüle fest geschlossen. Reichmanns Blicke glitten suchend von Viereck zu Viereck, als erhoffte er Hilfe, Ratschlag oder auch nur ein Zeichen, das ihn an der Welt festhalten könnte. War er denn hier noch zu Hause? Er sagte sich immer wieder, daß er keine Angst habe, aber dann mußte er doch daran denken, daß die Fremden plötzlich auf ihn losgehen und ihn aus dem Fenster stürzen könnten. Ein Aufruf entfuhr ihm. Hinter einem gerafften Vorhang war eine Frau erschienen, aber ihr Bild verschwand so schnell, wie es aufgetaucht war. Er war allein mit seinen Besuchern, die sich, wie ihm zum Bewußtsein kam, hinter seinem Rücken nicht mehr rührten. Er blickte über die Schulter ins Zimmer. War es möglich? Die Zahl der unbekannten Gäste mußte sich in der kurzen Zeit, während er die Straße betrachtet hatte, vervielfacht haben. Eine dichte Menge belebte das Atelier mit der nach Bewegung drängenden Lautlosigkeit von Figuren eines Schattenspiels. Nun aber kehrten sie alle ihm ihre Gesichter zu, in denen eine zurückgedämmte schwere Drohung zu lesen war.

Reichmann schloß langsam das Fenster, ohne sie aus dem Auge zu lassen. Wie bin ich allein, dachte er, wie kann ich wissen, wo die Wirklichkeit anfängt oder wie viele Wirklichkeiten es gibt. Er griff nach der halbgeleerten Flasche auf dem Tisch und stürzte hastig zwei, drei Gläser hinab. Dann stellte er Flasche und Glas auf den Tisch zurück, wobei er sich bemühte, jedes Geräusch zu vermeiden, griff nach dem Hut und eilte mit vornübergeneigten Schultern aus dem Zimmer. Im Hausflur erst fiel ihm ein, daß er die Wohnung nicht abgeschlossen hatte. Aber er zögerte keinen Moment und trat auf die Straße, die ihn erneut mit ihrem Licht wie mit flüssigem Blei überschüttete. Nach wenigen Schritten stand er auf der Place St. Michel. Hier verweilte er eine Minute, schaute den Taxis nach, die über die Brücke enteilten, und warf sich dann in den nächsten Eingang der Métropolitain. Er wischte sich den immer wieder ausbrechenden Schweiß von der Stirn, während er die Stufen hinabstieg und gedankenlos die weißen Kacheln und metergroßen Reklamebilder betrachtete. Ein schläfriger Beamter, mit einem von der Hitze gedunsenen Gesicht über dem geöffneten Kragen, reichte ihm seinen Fahrschein. Der Maler fühlte eine so tiefe Erschöpfung, daß er sich am liebsten auf den steinernen Weg niedergelassen hätte; aber mechanisch setzte er Fuß vor Fuß – in geringer Entfernung erwartete ihn eine Bank oder der hölzerne Sitz in einem der Wagen des nächsten Zuges.

Er wußte nicht, wieviel Zeit verstrichen war, als es ihm klar wurde, daß er seinen Weg verfehlt hatte. Schon längst hätte er auf dem Bahnhof sein müssen, und er schüttelte den Kopf über seine Achtlosigkeit, die ihn auf der vertrauten, täglich benützten Station diesen Durchgang hatte übersehen lassen, in dem er sich gerade befand. Er ging jedoch in der Gewißheit weiter, daß der Tunnel, wie alle anderen auch, auf den Bahnsteig münden würde, und er empfand eine Art belustigten Ärgers, als er nach weiteren Minuten feststellen mußte, daß der Gang sich teilte: während das eine Ende in Stufen nach oben führte und den Himmel sehen ließ – der Maler wähnte das Rauschen der Fontäne auf der Place St. Michel deutlich zu vernehmen –, lief der andere Zweig, von wenigen Glühlampen da und dort beleuchtet, in ein ungewisses Halbdunkel, in das sich Reichmann nach kurzem Zögern verlor.

Er ging erstaunlich lange, ohne einem Menschen zu begegnen, und seine beinahe behagliche Selbstverspottung wich allmählich einer Betretenheit, die noch von der Ahnung vermehrt wurde, daß Ärgernis hinter ihm läge und nichts anderes ihn erwarten könne als Ärgernis. Der Gang wies einige Krümmungen auf, aber kein Zeichen deutete darauf hin, daß er ein Ende haben könne. Reichmann entzündete im Gehen eine Zigarette. Ärgernis, sagte er bei sich, Ärgernis; er nannte sich einen Narren und gedachte noch einmal der Tage beim Wein, aber unwillig und flüchtig – sein Unbehagen war so groß, daß jeder Selbstvorwurf es ins schlechthin Unerträgliche steigerte.

In diesem Augenblick hallten vor ihm Schritte, die näher kamen. Also doch, sagte er sich, als bezichtige er sich eines Mangels an Vertrauen: also doch. Der Mann, der ihm im trüben Schein der Lämpchen entgegenkam, trug Hose und Hemd und sah wie ein Arbeiter aus. Reichmann erkundigte sich nach dem Bahnsteig und begegnete einem erstaunten Blick. Die Züge würden nicht fahren, sagte ihm der andere, dem eine Fremdländischkeit die beflissen-höfliche Sprache reizvoll färbte. Italiener, dachte der Maler, oder Spanier. Der Fremde lächelte freundlich und schien keine Eile zu haben. Aber warum fahren die Züge nicht? überlegte Reichmann verwundert. Ein Jahr vorher hatten die Pariser Verkehrsarbeiter versucht, in den Streik zu treten, und die Regierung hatte Truppen eingesetzt. Inzwischen fuhr der Fremde in suchenden Worten und mit schleifendem Akzent fort, Reichmann zu bedeuten, er sei fast am Ausgang angelangt und habe bis dahin nur noch hundert Meter vor sich. Reichmann dankte und schickte sich an weiterzugehen, als der Fremde hinzufügte, er habe lange in Paris gearbeitet. Diesmal war es an Reichmann, erstaunt aufzublicken. Was sollte diese Erklärung? Ob du seit langem hier lebst oder nicht, mein Freund, dachte er, das kümmert mich wenig, allenfalls den Präfekten. Beide waren schon, ihren Weg fortsetzend, einige Schritte auseinandergeraten, da rief ihm der Fremde nochmals eifrig nach, der Ausgang zum Platz sei beinahe erreicht (er sagte »Plaza«, und Reichmann entschied sich befriedigt für den Spanier), er möge sich heute aber links halten, sonst ... Mit einer unbestimmten Gebärde verlor er sich hinter der nächsten Krümmung.

Sollte Vorsicht geboten sein? Er hatte seit Tagen keine Zeitung mehr in der Hand gehabt. Aber vor wem sollte er sich hüten? Was ihn bedrohte, war vielleicht in keiner Zeitungsspalte der Welt zu finden.

Der Fremde hatte übrigens wahr gesprochen. Reichmann näherte sich dem Ausgang dieses lächerlichen Ganges, der sich kilometerweit unter der Erde hin erstreckte, um schließlich an die Oberfläche zurückzuführen. Im Weitergehen befiel ihn eine knabenhafte Neugier, und er dachte an längst vergessene Entdeckungszüge durch die heimatliche Stadt, an Strom und Weinbergen hin. Die Stufen langsam höher steigend, war er ganz mit diesen Erinnerungen beschäftigt, so daß er die Augen erst erhob, als er auf dem Platz angekommen und schon einige Schritte weitergegangen war.

Was er sah, vermittelte ihm die Empfindung eines Sturzes aus sehr großer Höhe, eines Sturzes ohne Halt und Rettung, wie man ihn manchmal im Traum erlebt. Er schaute zum Himmel auf, der derselbe geblieben war, eine Glocke aus fahlen Flammen. Die Tageszeit war weiter vorgerückt, die Leere der Straßen noch schreckensvoller, aber dieser Platz, auf dem er stand, war weder die Place St. Michel noch irgendeine Stelle, die ihn an Paris gemahnte, die Paris war. Und doch hatte er hier schon einmal gestanden, schon einmal hatte sich die Sonne in den langen Fensterreihen der grauen, abweisenden Fassaden gespiegelt, schon einmal hatte der Geruch des Meeres, der mitleidlosen Glut vermählt, ihn so bedrängt. Das Meer? Welches Meer atmete hinter dem Feuerhauch der Mietskasernen, hinter den staubverzuckerten Straßenbäumen und stumpfblinkenden Bogenlampen?

Reichmann war, als könne er sein eigenes Gesicht sehen, wie es grau wurde hinter dem Schweiß, der zäh und bitter die Wangenfurchen hinabfloß. Wo war sein ihm entfremdetes Heim, wem konnte er noch vertrauen, wohin ging die Reise, die er nicht angetreten hatte, deren preisgegebenes Geschöpf er war, wer hatte ihn auserwählt? Die Augen schließend, spürte er das ununterbrochene Sterben in seinem Leibe, das Vergehen und gierige Werden der Zellen, aus denen sein ungetreues Bewußtsein hervorging. Die Übergänge beherrschten die Stunde. Er sprach den Namen aus, diesen unglaublichen Namen, während die Stille um ihn pfiff, dröhnte, kreischte – Barcelona. Dies war Barcelona; es gab keinen Zweifel.

Als müsse er zum zweitenmal in seinem Leben gehen lernen, bewegte er sich, von Furcht und Sonne geblendet, die nächste Straße hinab, die sich breit vor ihm auftat. Er schaute um sich, und aus den Tiefen der Vergangenheit erhoben sich blaß die Erinnerungen an diese Stadt, in der er sich einige Tage aufgehalten, ehe er damals Herta in Malaga getroffen hatte. Dabei war es, als suche sein verstörtes Bewußtsein Schutz vor dem Unbegreiflichen, schon nahm es die Nachbarschaft der beiden Städte als gegeben, die Reise als vorsätzlich, die Zukunft als ungewiß hin. Und er überraschte sich bereits dabei, die Chiffren der Schatten auf den steinernen Schwellen, der Risse in den Mauern, der Ladenschilder und Gitter enträtseln zu wollen.

Bis dahin war ihm niemand begegnet. Ein paarmal glaubte er weiter oben einige Menschen hastig dahineilen zu sehen. Männer schlüpften an den Häuserwänden entlang und verschwanden unversehens in einem Haustor; zwei Frauen, schwarze Tücher eng um den Kopf gezogen, flatterten mit eckigen Bewegungen über die Fahrbahn. Das pathetische Schweigen der Fassaden wurde nur selten von fernem Geräusch gestört: vom Gellen einer Hupe oder einem trokkenen Knacken und Prasseln, das zuweilen wie dürre Erbsen über die Dächer lief.

Die Stadt quoll in der stickigen Luft wie ein Schwamm. Er erkannte die Ramblas wieder; plötzlich befand er sich auf dem Paseo de Gracia. Wie ungeheure Tropfsteinhöhlen, über die sich sodomitisch der Himmel wölbte, brannten die Fassaden, auf denen der Stuck phantastische Blasen warf. Phosphoreszierende Schwaden zogen um Erker, Türmchen, Stelen und Karyatiden.

Näher kommender Motorenlärm ließ ihn an einer Querstraße innehalten. An dem kleinen geschlossenen Wagen, der von weitem schon durch Signale Einfahrt in die Hauptstraße forderte, war nichts Ungewöhnliches zu bemerken. Dennoch empfand Reichmann bei seinem Anblick eine unsinnige Freude, deren er sich beinahe im gleichen Moment schämte. Wie ein Schiffbrüchiger, der von seinem Floß aus dem immer höher über den Horizont emporwachsenden Dampfer zuwinkt, lächelte Reichmann dem kleinen Wagen entgegen, in dessen blauem Lack Glanzlichter flammten. Dieser Moment sollte dem Maler immer im Gedächtnis haftenbleiben; die kleine Limousine, die jetzt langsamer fuhr, in der nichts erkennbar war außer einem braunen Handschuh auf dem Lenkrad – der Retter, nach dem Reichmann der Ruf schon auf die Lippen stieg.

Das kleine blaue Auto setzte zu einer Kurve an. In diesem Augenblick dröhnte über Reichmanns Kopf eine lange Kette von Explosionen. Der Feuerstoß lief durch Eisenblech und Fensterglas wie Nadeln einer riesigen Nähmaschine. Das Maschinengewehr verstummte sofort, und Reichmann sah, wie der braune Handschuh durch das Fenster flog und vor seine Füße rollte, während der kleine Wagen in seine Kurve hineinschoß, den Bürgersteig erkletterte und mit einem dumpfen Stoß gegen die Mauer zum Stehen kam. Die Stille in der Straße war wieder vollkommen. Aus dem Innern der Limousine kam kein Laut. Unsichtbare Flammen krochen über den blauen Lack, brachten ihn zum Sieden und ließen die Luft erzittern.

Vor der andrängenden Hitze wich Reichmann zurück, ohne die Augen von dem brennenden Wagen abwenden zu können. Seine Beine bewegten sich unter ihm wie eine schleimige, gelenklose Masse. Er bebte so heftig, daß er vermeinte, eins zu sein mit der tanzenden Luft, die über der Brandstätte flackerte. So ist es also, dachte er wie im Traum. Was war das, was ihn an diese Stelle bannte? Wie durfte er diesem Schauspiel zusehen, unter dem ewig schwelenden Himmel, neben diesen gleichgültigen Fassaden, den dahindämmernden Palmen, in dieser unverwundbaren Lautlosigkeit? Er bemerkte die schwarzen Pfützen schmelzenden Asphalts, die sich auf der Straßendecke ausbreiteten. Ein Mann an der Schwelle des Alters, fühlte er, daß ihm jetzt erst unwiderruflich die Jugend entglitten war. In ungeheurer Feindseligkeit schwieg die leere Straße um ihn, lebendig und verändernd wogte nur das glühende Element, das die Maschine und ihren menschlichen Inhalt ergriff, entstellte und verzehrte. In der Ohnmacht des Alpdrucks sah der Maler, wie durch zahllose Lichtjahre von ihm getrennt, das Ende eines verwandten, gänzlich unbekannten Universums. Mit einemmal begriff er, daß der Handschuh, unter dem jetzt ein dunkler Fleck entstand und sich verbreiterte, nicht leer war. Er wankte und tastete nach einem Halt.

Jemand schrie aus dem Fenster über ihm. Reichmann begriff, stolperte in den Hausflur und zog sich die Treppe hinauf, auf der es nach Knoblauch und Katzen roch. Man hatte ihn vor dem Benzintank gewarnt, der jeden Augenblick explodieren konnte. Eine Tür im ersten Stock stand weit offen wie ein toter, schreckverzerrter Mund. Reichmann trat in ein ziemlich großes, verwahrlostes Zimmer, das fast leer war. Vorn zwischen den beiden von Sandsäcken halbverdeckten Fenstern unterhielten sich leise zwei Männer, die nachlässig die Straße beobachteten. Auf einer Kiste stand ein altes Hotchkißgewehr, dessen Mündung schräg nach unten zeigte. Ein paar Gurte lagen am Boden. Über den Rand einer Kuchenschachtel erhob sich ein kleiner Hügel runder, gerippter Handgranaten.

»Guten Tag«, sagte Reichmann und setzte hilflos auf französisch hinzu: »Ich störe doch wohl nicht ...« In diesem Augenblick flog draußen krachend der Benzintank in die Luft. Der ältere und größere der beiden Männer zog mit einer Grimasse den Kopf zwischen die Schultern.

»Na also«, sagte er zu dem Kleineren. Er wandte sich halb nach Reichmann um. »Franzose?«

Reichmann nickte. Er fühlte sich zu müde zum Erklären. Obwohl die Fenster halb verdeckt waren, erfüllte die gleiche schweflige Glut Zimmer und Straße. Der Kleinere, barhäuptig, im Monteuranzug, winkte ihn heran und trat ein wenig beiseite. Reichmann blickte kurz auf den zerfetzten Wagen hinab, über den jetzt eine brausende, kaum sichtbare Flammenfahne schlug.

Der Kleine im Monteuranzug wies auf die brennende Maschine und nickte mit vielsagendem Ernst: »Der kommt auf unser Konto. Vier Tage haben wir auf ihn gewartet.«

Der andere sah Reichmann in die Augen. »Falange. Mit einer falschen Diplomatennummer am Wagen. Mal in Figueras, mal in Gerona, mal hier.«

Reichmann schwieg. Die Schreie, die Salven der Exekutionskommandos, die Aufrufe und Anklagen belebten plötzlich den geisterhaften Mittag, um in den Schluchten der Pyrenäen zu ersterben. Berichterstatter von den Katalaunischen Feldern, fiel ihm ein, wer hat mich dazu bestimmt?

Der Kleine kauerte sich am Fenster zusammen und lauschte mit vor Anstrengung geblähten Halsadern. »Irgendwo schießen sie wieder, die Idioten, die Hurensöhne. Ich möchte wissen, wann wir endlich Schluß mit ihnen machen, ich meine, richtig Schluß.«

In unregelmäßigen Abständen knackten und rollten gigantische Erbsen über die Dächer. Reichmann sah sich um. Neben der Tür bemerkte er ein zerstoßenes Klavier. Er ging hinüber, hob den Deckel von den Tasten, schloß ihn wieder. Sein Blick streifte ein paar abgegriffene Notenhefte: La Cucaracha, Waldteufel, ein Menuett von Beethoven.

»Bist du Musiker?« fragte man hinter ihm.

»Nein, Maler«, sagte Reichmann, während er weiter Gegenstände und Tapeten musterte, in deren Verwahrlosung und Ermüdung er eine stolze Strenge, eine verborgene Schönheit wahrnehmen zu können glaubte.

»Maler? Beim Bau? Oder bist du Künstler?« fragte der Ältere.

Der Kleine, dicht am Fenster, sagte: »Schweine. Diese Schweine. Da kommen sie wieder.«

Fast im gleichen Augenblick erhoben sich die verwirrten Schreie der Sirenen über der in der Hitze geronnenen Stadt. Blaue und goldene Schatten fielen über die Dächer; ein Geschütz hustete hoffnungslos.

»Ich male Bilder«, sagte Reichmann, und ihm war, als kehre sich sein Inneres nach außen. Die Schatten liefen über die Dächer, übersprangen die Straße, flohen die Wände entlang.

»Du solltest Plakate malen«, sagte der Ältere, »ein Plakat zum Beispiel, das sie dazu bringt, uns ein paar gottverdammte ›aviones‹ zu schicken.«

»Sie kommen natürlich von der See her«, sagte der Kleine am Fenster, »zehn, zwölf, achtzehn.«

Die Sirenen murrten dumpf und verstummten. Das seidige Dröhnen eines Hummelflugs drang aus dem schwefelfarbenen Himmel.

»Caproni«, sagte der Kleine.

»Savoia«, sagte der Ältere, ohne hinauszublicken.

»Stimmt, Savoia!« sagte der Kleine und seufzte. »Wollen wir einpacken?«

Das undeutliche, blinde, planlose Laufen beschuhter und nackter Füße drang durch die Fenster. Plötzlich wußte man die Straße geisterhaft belebt. Einmal schrie eine Frau unterdrückt auf. Dann verstärkte sich das Rascheln und Huschen laufender Füße, als flüsterte ein Chor entsetzter Stimmen die Litaneien der Furcht. Reichmann stand mit dem Rücken zur Straße, und seinem Ohr entging nichts. Ein Kalender fiel ihm auf, der kalkbefleckt über der rissigen Tapete hing: er zeigte den 26. Juli 1936. In Reichmanns Innerem zerriß etwas. Ihm war, als müsse er sich sofort, ohne Verzug eines Umstandes entsinnen, der, wenn er leben wollte, so wichtig war wie das Atmen.

Dann hörte er wieder die Stimme des Älteren: »Bist du in der Gewerkschaft?« Reichmann antwortete nicht. »Wenn du Zeit hast, kannst du im Gewerkschaftshaus nach mir fragen. Du erkundigst dich nach Antonio. Zimmer 16.«

Die Luft begann sich zu rühren. Reichmanns Adern zuckten wie Fische, die eine Springflut am Strand zurückgelassen hat. Er sah nach den Fenstern hin und rang nach Atem. Die fahle Glut der Straße hatte sich dunkel verdichtet und ergoß sich wie ein tintiger Strom ins Zimmer. Ein hohles Kreischen, ähnlich dem Geräusch einer riesenhaften Säge, riß die Stadt in der Mitte auseinander, vervielfältigte sich und verstummte. Dann schmetterte ein Bündel von Explosionen hoch. Die Wände schwangen langsam vor und zurück.

Schleier aus Glas und Kalk verhüllten die tanzenden Fassaden. Nach dem Brüllen der Bomben zog sich die Stadt wieder in ihr Schweigen zurück, in ein noch tieferes Schweigen, in dem allein das Klirren von Splittern und das Knacken brennenden Holzes lebte.

Als er nach einer langen Pause zu sich kam, waren die beiden Männer verschwunden. Das insektenhafte Drohen neuer Geschwader zog vom Meere her. Reichmann stieg die Treppe hinab und schlug mechanisch die Richtung ein, aus der er gekommen war. In der Gegend des Hafens mußten Petroleumtanks brennen. Fetter Rauch erhob sich träge und formte einen gigantischen Pilz am Himmel. Kein Mensch war zu erblicken, kein Getrappel mehr zu hören. Der Maler sah nach der Uhr, die stehengeblieben war und sechs Minuten nach zwölf zeigte. Drüben auf dem Trottoir lag ein kleines Mädchen mit offenem Rücken; sein Kopf hing über die Bordschwelle, als wolle es aus der Gosse trinken.

Reichmann ging weiter. Er bemühte sich, geradeaus zu blicken. Das schluchzende Rauschen der Motoren schien gerade über seinem Scheitel zu sein. Die Schüsse der Abwehr mußten schon lange verstummt sein, und er zuckte die Achseln. Er mußte sich ganz auf das Atmen und Gehen konzentrieren. Neue Einschläge dröhnten aus größerer Entfernung. Die erstorbenen Straßen füllten sich mit Wirbeln heißer Luft, um die Ecken pfiff es in Stößen und trieb Papierfetzen und leere Blechbüchsen über die Fahrbahn. Ein aufgerissenes Haus schlug mit geblähten Vorhängen wie ein gespenstisches Schiff, das alle Segel gesetzt hat.

Später entsann er sich, daß er den Platz erreicht, den Tunnel wieder betreten hatte. Die Zahl der brennenden Lampen hatte sich noch vermindert. Schatten suchten einander mit rauhen, abgebrochenen, klagenden Rufen. Man stieg über Essende, Rauchende, Schlafende. Vor Reichmanns innerem Blick erschien die Vision eines unterirdisch lebenden Kontinents – dem Zustand ward Dauer vorhergesagt, ja bereits Dauer verliehen durch die Versuche der Vertriebenen, sich einzurichten, und hier und da wurde – heitere Stimmen und Gelächter bewiesen es – von ihnen unzweifelhaft schon etwas wie Behaglichkeit empfunden.

Es mußte inzwischen längst Nacht geworden sein. Der Maler wähnte ein paarmal das ferne Heulen der Sirenen zu hören, aber er stolperte immer weiter, ohne sich aufzuhalten, mit brennendem Blick, ermüdetem Hirn und lechzendem Mund. Irgendwo fiel er zusammen und schloß die Augen.

Er wußte nicht, wie lange er geschlafen hatte, als ihn ein beharr-liches, heftiges Rütteln an der Schulter weckte. Der Strahl einer Ta-schenlampe traf einen Moment lang sein Gesicht. Das Dunkel war einer Dämmerung gewichen. Ohne Anstrengung erkannte Reich-mann die Gesichter, die sich ihm zukehrten. Zunächst kümmerte er sich wenig um das Anliegen, das man an ihn hatte. Er war verwun-dert, sich auf einer Bank zu finden, Gebüsch, Bäume, ein Denkmal in geringer Entfernung vor sich zu erblicken. Die letzten Sterne ver-blaßten im Geäst. Weit im Osten wuchs ungewisse Helligkeit.

»Ihre Papiere!« sagte der Mann, der vor ihm stand. Die Auffor-derung hatte er wohl schon mehrere Male wiederholt, denn er blickte aus dem Augenwinkel auf seinen Kollegen, als riefe er für die bewiesene Geduld und Nachsicht seine Zeugenschaft an.

»Ihre Papiere, nom de nom!« setzte der zweite hinzu.

Reichmann, die Hand zur Tasche führend, hielt inne. Warum sprachen sie französisch? Wohin war er wieder geraten? Er erkannte jetzt die schwarze Uniform, die die beiden vor ihm trugen: eine Streife der französischen Gendarmerie. Eine Erleichterung kam über ihn: der Traum, das Abenteuer war zu Ende. Es war nicht das erste-mal, daß Polizisten ihn auf nächtlicher Straße gestellt hatten. Mit innerer Belustigung wurde er sich der Tatsache bewußt, wie tief ihn, den Ausländer, der Anblick der gefürchteten Uniform in diesem Augenblick beruhigte. Mit einer fast übermütigen Bewegung griff er in die Tasche.

»Ihre Papiere? Ja oder nein ...«

»Ich habe sie nicht«, sagte Reichmann ohne Verlegenheit, »ich muß sie verloren haben.«

»Natürlich. Man verliert sie immer, wenn man sie gerade bei sich haben sollte«, bemerkte der erste. »Ausländer?«

»Ja.«

»Sie kommen mit uns. Befehl des Präfekten.«

Reichmann überlegte, während er aufstand. Wie konnte der Prä-fekt seine Verhaftung befohlen haben, da man nicht einmal seine Identität festgestellt hatte? Er versuchte sich zu orientieren. Wo war er? Das war nicht der Bois de Boulogne. Mechanisch überzählte er bei sich die Parks von Paris, die ihm bekannt waren. Übrigens war dies hier kein Park. Im stärker werdenden Licht erschien eine kleine Anlage, umgeben von Boulevards und den Kulissen vernachlässigter Häuser. Er wollte über seine Empfindungen ins klare kommen: zweifellos fühlte er Furcht – Furcht vor einer neuen Erkenntnis, einer Wahrheit, die er nicht ertragen zu können glaubte und die sich ihm gleich in den Weg stellen würde wie ein Straßenräuber. Er stand den uniformierten Männern gegenüber, betrachtete ihre Mützen, das Riemenzeug, die mysteriösen Zeichen, die sie am Kragen trugen, das Weiße in ihren Augen. Angesichts ihrer Gegenwart begriff er, daß das Abenteuer weitergehen würde. Die Reise war nicht zu Ende.

Er folgte den Männern über den Platz. Tiefe Schatten nisteten noch in den Straßen, während sich über den Dächern ein Morgen voll grüner Kälte auftat. Hunderte von unsichtbaren Vögeln erhoben ihre grellen, unerklärlich erregten Stimmen. Die Häuser schienen zu schlafen, die Fensterläden blieben geschlossen. Aber in den Torbögen und Einfahrten blitzten Taschenlampen auf, hallten die Tritte benagelter Stiefel, wurden harte Befehle laut. Zwei Motorräder, von Behelmten gesteuert, rasten den Boulevard hinunter und füllten die Straßenschlucht mit dem Geknall der Fehlzündungen. An der nächsten Ecke hielt ein mächtiger Wagen mit laufender Maschine. Ein Offizier wies den Maler mit einer Kopfbewegung zu den übrigen Insassen, die sich unruhig, mit den zerfahrenen Bewegungen von Gelähmten, im Schatten des Verdecks bewegten. Reichmann ertastete einen freien Sitz; seine Nachbarn rückten schweigend auseinander. Im Halbdunkel weinte eine Frau auf.

Das Flüstern und Raunen, die ständige Regung dieses menschlichen Waldes nahm er mit seltsamer Wachheit in sich auf. Er begann, sich selbst als Teil dieses Waldes zu fühlen. Die Explosionen des Motors drangen als fast unhörbare Erschütterungen aus dem Boden und ließen die Leiber erzittern wie ein ferner Gebirgsstrom die Stämme der Fichten. Mit unregistrierbarer Beharrlichkeit, dachte Reichmann, würden er selbst und all diese Unbekannten an seiner Seite Wurzeln schlagen, würde sich alles Leben in ihr Innerstes zurückziehen, würden sie nun eine völlig neue Existenz beginnen, eine Existenz der Handlungslosigkeit, des pflanzenhaften Dahindämmerns. Die im Flüsterton geführten Gespräche, aus denen sich manchmal ein Wort ohne Zusammenhang erhob, waren nur die phantastische Kulisse, hinter der die Verwandlung sich vollzog.

»Wieder eine kleine Sache, die sich die Deutschen ausgedacht haben. Damit werden sie bestimmt den Krieg gewinnen.«

Das Flüstern erstarb während einer halben Minute. Reichmann horchte auf. Die Stimme hatte sich, ohne Hast, voll ruhiger Kraft aus der Ecke hinter ihm erhoben. Der Maler drehte sich nicht um. Man hätte den Sprecher nicht erkennen können. Das ohnmächtigweiche Schleifen und Flüstern der Schatten begann von neuem. Wieder war es Reichmann zumute, als zerrisse etwas in seinem Innern. Immer wieder hatte er Überraschungen hinzunehmen, mit denen er sich nicht auseinanderzusetzen, deren Berechtigung er nicht anzuerkennen vermochte. »Damit werden sie bestimmt den Krieg gewinnen.« Wie ein Ertrinkender fühlte er gleitende Wasser zwischen seinen Lidern und einer Wirklichkeit, deren Abbild sein vergehendes Bewußtsein nur gebrochen erreichte. »Damit werden sie bestimmt den Krieg gewinnen.« Der Krieg, von dem die Stimme gesprochen hatte, war vielleicht schon seit langer Zeit im Gange, während er, den gelegentlich Zeitungen und Gespräche aufmerken ließen, sich nur einer ungewissen Drohung, einer Gefahr bewußt gewesen war. Es war zu spät, Fragen zu stellen. Unaufhaltsam schlugen die Uhren, wie gerade jetzt, als von allen Türmen der unbekannten Stadt die fünfte Stunde nach Mitternacht verkündet ward.

Mit dem letzten Schlag wurde eiliges Laufen hörbar. Befehlsgewohnte Stimmen sprachen lauter; Wagentüren wurden zugeworfen. Das Automobil setzte sich in Bewegung. Nun erst schien die Straße zu erwachen und den sich Entfernenden nachzublicken. Ein paar Gendarmen waren noch auf den anfahrenden Wagen gesprungen und nahmen im Halbdunkel Platz. Man sah ihre Zigaretten aufglühen und hörte das Scharren der Karabinerkolben auf dem Boden.

Sie fuhren sehr schnell aus der erwachenden Stadt hinaus. Sobald die Häuser zurücktraten und das Band der Landstraße sich vor ihnen entrollte, wurde die Sonne sichtbar: blutig und klein stand sie über dem Horizont, ließ die Julilandschaft herbstlich erstarren und verlieh Gesträuch und Geäst die Züge prophetischer Runenschrift. Alles war voller Vorbedeutung, Schrecken, wüstenhafter Versunkenheit. Das Licht des Morgens entkleidete die Gesichter der Fahrenden, eines nach dem anderen: Müdigkeit und der Schmutz der Zeit flossen trübe die Wangenfurchen jählings gealterter Frauen hinab und hingen klebrig an den Bartstoppeln der Männer.

Die Blicke wichen einander aus. Ein tonloses Jammern kroch aus den Ecken des holpernden Wagens. Manchmal erhoben sich Stimmen durcheinander; die Leute sprachen lauter, um den Motor zu übertönen. Hilflose, idiotische Satzfetzen, hinter denen nichts als Furcht stand, drangen an Reichmanns Ohr. Man sprach französisch, ungarisch, polnisch, jiddisch:

»Was können sie uns schon tun . . .«

»Im übrigen soll es dort nicht so schlimm sein . . .«

»Du hättest mich an den Wollschal erinnern sollen . . .«

»Aber nein! Nur eine Überprüfung der Papiere . . .«

Die Stimmen erstarben im Licht, das sich unerbittlich wieder ins Fahle kehrte. Der trügerische blaßgrüne Himmel, der erfrischende Morgenkühle versprochen hatte, war verschwunden. Geruch von Asche, Öl und stehendem Wasser schlug wolkenhaft über dem Wagen zusammen. Eine böse Glut stieg auf, als habe sie, in Gras und Korn geduckt, in der Ebene genächtigt. Die Gendarmen, den Karabiner zwischen den Knien, blau rasiert, mit schlagflüssigen Gesichtern über dem engen Kragen, starrten in den gelben Dunst. Ihre Augen waren ohne jeden Ausdruck wie die Augen von toten Fischen.

Reichmann sah über die Schulter nach dem Unbekannten hin, der über den Krieg gesprochen hatte. Ein Gesicht, das unerschüttert nach vorn gekehrt war, gleichförmig wie die Straße, die es gebildet hatte, ein Gesicht, an dem nichts auffiel, außer den sehr hellen entschlossenen Augen. Der Mann trug einen grauen, sauberen Anzug ohne Form; ein zerdrückter Hut lag auf seinem Schoß. Hinter seinem Profil flog die Landschaft vorbei, Häuser, die in der Hitze schief hinsanken, staubgeschwärzte Gärten, rostige Geleise, die zusammenrannen, sich wieder trennten, Weichen aufwarfen, sich vervielfachten. Am Ende der Welt, dachte Reichmann.

Das Bahngelände zog sich von der Landstraße zurück. Ein massiger dunkler Komplex verdeckte es völlig: meterhohe Palisaden umschlossen von vier Seiten her lange, geteerte Dächer, die sich, von Unebenheiten des Bodens begünstigt, hier und da zeigten. Der Wagen verlangsamte die Fahrt. In den Palisaden, die der Straße zugekehrt waren, wurde ein Tor sichtbar, vor dem Uniformierte lungerten. Schwere Wagen waren einige Meter weiter zusammengestellt: Polizeiautos und langgestreckte, bunte Autobusse, wie man sie zu Vergnügungsfahrten verwendet.

Sie fuhren noch langsamer. Der Chauffeur schien die Breite der Straße abzuschätzen. Keiner sprach, aber alle Augen hingen voller Qual, Haß und Hoffnung an dem näher kommenden Tor. Ein Gendarm stand auf, kam auf Reichmann zu und beugte sich zu ihm hinab. Der Maler starrte in seine Augen, diese bebende, trübe Gallerte, auf der Äderchen wie eine Morgenröte schwammen. Der Mann bewegte die Lippen, und Reichmann hörte, wie er durch die Zähne stieß: »Fliehen Sie! Keiner von uns wird schießen!«

Reichmann kehrte seinen Blick nicht von ihm ab. Aus dem Augenwinkel sah er gleichzeitig, wie der Wagen dem Tor entgegenschaukelte, wie die müßigen Hüter sich den Ankömmlingen zuwandten. Mit Schauder und Wollust fühlte er, daß er in diesem Moment nur einen Wunsch hatte: hinter dem Tor zu verschwinden, einzugehen in das unbekannte Reich der schwarzen Dächer, über denen sich hölzerne Türme mit unbeweglichen Bewaffneten erhoben, und er wußte auch, daß diese Begierde ihm fremd, aber unabweisbar war – plötzlich verstand er, daß all die fremden Gefährten um ihn her unter der gleichen Verzauberung standen und einer den anderen fester in diesen Bann schloß. Die unsichtbare Sonne schlug auf die Schläfen wie mit Fäusten ein. Ein erstickender Duft von Teer und Harz kroch schwer über den knirschenden Sand: der süße Geruch der Verzweiflung, der die Herzen überwältigt und den Verdammten die Sehnsucht nach Selbstvernichtung einflößt.

Immer noch zuckten die Lippen vor ihm. Der Wagen hatte gehalten. Reichmann bewegte den Kopf von rechts nach links, von links nach rechts, noch einmal und noch einmal, als weise er eine Zumutung von sich. Er stand hastig auf. Fast alle waren bereits ausgestiegen; er durfte nicht zu spät kommen. Sie standen eng zusammengedrängt vor dem Tor, das man für sie zur Hälfte öffnete, und zwängten sich hindurch, als eine rauhe Stimme es ihnen befahl. Reichmann hatte noch einmal zu dem Gendarmen zurückgeblickt, der ihn angesprochen hatte. Er stand neben dem Wagen. Seine Lippen bewegten sich, als flüstere er ein stupides Gebet. Reichmann begegnete einem langen Blick und ging durchs Tor.

Es gab gleich wieder einen Halt. Man notierte ihre Namen. Der zehnte war der Unbekannte aus der Ecke, der einige Meter vor Reichmann stand. Eine Pause entstand. Der prüfende Beamte suchte in seinen Papieren.

»Sie heißen?«

»Herzog, Georges, geboren in Straßburg.«

Der Beamte sah auf. Er sah dem Unbekannten voll ins Gesicht, und Reichmann beobachtete, wie seine Lippen sich mit einer langsamen, schrecklichen Bewegung auseinanderzogen und die Zähne freigaben.

»Es nützt nichts, Moreau. Wir kennen uns schon. So einen guten Fang haben wir lange nicht mehr gemacht. Du bist mehr wert als alle die Jüdchen zusammengenommen.«

Das Antlitz des anderen zeigte keine Regung. Aber Reichmann wähnte es sterben zu sehen. Es starb eines allmählichen, heimlichen, strengen Todes, der vom Munde her langsam bis zur Stirn wanderte.

»Ich heiße Herzog.«

»Halt dein Maul! Raustreten! Der nächste!«

Sie wurden in die Baracken verteilt, nachdem man ihnen eine

Decke in den Arm geworfen hatte. Über die polternden Laufstege verschwanden die Männer nach links, die Frauen und Kinder nach rechts, zwei menschliche Rinnsale, die von in Abständen postierten bewaffneten Wächtern nicht ohne eine gewisse bösartige Höflichkeit in die gewünschte Richtung gelenkt wurden. Die nervöse Unruhe, die angesichts der im Vollzug befindlichen Trennung aufkam, zerstreute sich rasch, als sich herausstellte, daß der Stacheldraht, der die beiden Abteilungen voneinander trennte, an einigen Stellen durch Verbindungswege unterbrochen wurde, über die man jederzeit zu Fremden und Verwandten im anderen Teil des Lagers gelangen konnte.

Reichmann betrat eine Baracke – einen sehr langen, halbdunklen Raum aus schmutzigweißen, splittrigen Latten, die außen von schadhaftem Teerpapier überspannt waren. Das erste, was er wahrnahm, war das Summen unzähliger Fliegen, die über Wände und Scheiben krochen und in dichten Haufen auf den zum Trocknen ausgespannten Wäschestücken saßen. Die zweistöckigen hölzernen Bettstellen, in zwei Reihen mit den Kopfenden aneinandergestellt, ließen an den Längsseiten des Raumes zwei Gänge frei, über die zu jeder Tageszeit rastlose Schritte schlurften. Die fahle Glut der Außenwelt gerann hier zu einer schwerflüssigen, sich verdickenden Masse, in der zahllose Gespräche immer rätselhafter, unzusammenhängender, unverständlicher wurden, bis sie schließlich im Ohr des dahindämmernden Zuhörers eine drohende, unmenschliche Bedeutung anzunehmen begannen.

Reichmann belegte einen freien Platz in der oberen Reihe, warf seine Decke über einen fleckigen Strohsack und bemerkte mit einer von Spott gestachelten Unruhe, daß er anfing, sich wohnlich zu fühlen. Schon? dachte er erschrocken, gedenkst du denn hier zu bleiben? Und doch mußte er sich gestehen, daß die übelriechenden Kleider und Schuhe, die auf Betten und Gängen verstreut umherlagen, daß die zerstoßenen, ungesäuberten Eßgeschirre auf den Strohsäcken keinen Abscheu in ihm erweckten. Widerstände waren geschwunden, ehe sie aufgerufen werden konnten, Gewöhnung hatte Platz ergriffen, bevor Prüfung und Einspruch sie hätten rechtfertigen können. Schon hatte man Namen erfahren, sich für Zuneigung oder Ablehnung entschieden. Schon sprach man einen ganz neuen Jargon mit nachlässiger Vertrautheit, belehrte man Neuankömmlinge über den geheimnisvoll verhangenen Tagesplan der Sinnlosigkeit. Ehe man wußte, wie es geschah, war die fahle Glut dem Abend gewichen, mit brandigem Horizont, aufstrahlenden Bogenlampen, die jeden

Quadratmeter des Geländes aufmerksam bewachten, mit der Suppe, die man, an die Wand gelehnt, gierig schlürfte, und der Blechdose Wasser, die man sich vom rostigen Kran holte.

Die Nacht brach herein, eine Nacht ohne Kühle und Stille unter dem harten Licht der Bogenlampe und den trüben Barackenlichtern, die nicht erloschen. Während der letzte Schein des Tages dahinschwand, war Reichmann durch das Lager gewandert. Die Menschen standen in Gruppen zusammen, sprachen überlaut und mit weit ausholenden Gebärden, als müßten sie sich über Berge hinweg miteinander verständigen. Schrilles Gelächter, Kinderweinen, Aufschreie hingen wie eine Wolke aus Elmsfeuern über den Dächern. Junge Mädchen spazierten Arm in Arm wie in den gepflasterten Straßen der heimatlichen Kleinstadt und summten die ersten Takte eines Schlagers, wenn sie an den Burschen vorbeizogen. Überall lächelte man, während in den Augen die Panik flackerte. Reichmann glaubte plötzlich, in einem Wirbel des Entsetzens das gleißende Lächeln von tausend Gebissen zu sehen und Tausende von Augen, die der Schrecken langsam auslöschte. Er flüchtete nach der Rückseite des Lagers, wo eine breite Lücke in den Palisaden dem Blick über schräg abfallendes Gelände Raum gewährte. Hier gab es nur wenige, unbewohnte Baracken. Rostiges Gerät, halb im Sand versunken, hatte das Aussehen von Strandgut und ließ den Geist williger in die Vorstellung eintreten, da unten, jenseits des Stacheldrahts, liege ein ruhiges, nun sich verdunkelndes Meer. Irgendwo pfiffen immer wieder rangierende Lokomotiven, Lichter wechselten Farbe und Stand, und Reichmann glaubte plötzlich zu wissen, daß auf der unbekannten Station etwas Entsetzliches geschehe, etwas, wofür es keinen Namen gibt. Er spähte über den verlassenen Bereich. Niemand war in der Nähe außer den beiden Bewaffneten auf den Ecktürmen, in sich gekehrt und ohne Bewegung. Einen Moment lang dachte er an Flucht – die Drahthindernisse mußten sich ohne viel Geräusch und Mühe überwinden lassen, Schüsse von den Türmen her konnten im Halbdunkel nicht allzu gefährlich werden. Dann aber sah er, wie auf einer vergrößerten Photographie, das sich senkende Gebiet im Geist vor sich: eine tödliche, verräterische Lockung breitete sich da vor ihm aus – schwertscharfes Gras über schwankendem Land, aus dem träge Blasen quollen; Wolfsfallen und Fußangeln; Scheinwerfer, die mit einem Schlag die Gegend in blauweißes Licht zu tauchen vermochten. Drüben pfiffen und rasselten unaufhörlich die Lokomotiven. Er ging in seine Baracke, warf sich auf sein Lager und blieb bis zum Morgen im Halbschlaf, unter dem schwelenden Licht der niedrig hängenden Lampen und von Geräuschen gewiegt, die sich in der nächtlichen Schwüle umeinander zu drehen schienen wie rastloser Rauch.

Es gab keine Grenze zwischen Nacht und Tag. Einmal wurde es heller; die Menschen sahen mit fiebrigen Augen aneinander vorbei. Die gleiche rotglühende Sonne lauerte am Horizont und löste sich nur wenig später in feurigen Regen auf. Um diese Zeit flüsterte man einander zu, um Mitternacht werde ein Transport das Lager verlassen. Reichmann, der sich in einem Zustand schmerzlicher Ermüdung befand, wurde aufgefordert, in der Baracke des Kommandanten vorzusprechen, wo eine Kommission eine Anzahl von Fällen nachprüfte.

Er mußte mehrere Minuten warten und stand dann einem Beamten in Zivil gegenüber, der eine Zigarette an der anderen anzündete und Schriftstücke hin und her schob, ohne ihn dabei anzusehen. Reichmann beantwortete schließlich die in zerstreutem Ton gestellten Fragen nach Namen, Geburtsdatum und Domizil. Er betrachtete die hölzernen, mit Verordnungen und aus Zeitungen herausgetrennten Bildern beklebten Wände, als sähe er auf einer weit entfernten Bühne zum erstenmal das Schauspiel der Trostlosigkeit. Der Beamte spielte mit einem Bleistift und griff mit der Hand in die Staubsäule, die die Sonne quer durchs Zimmer legte. Reichmann hatte Zeit, ihn zu beobachten, dieses Antlitz voll unerträglicher Spannung, das gelassen, ja gelangweilt erscheinen wollte; diese Handbewegung von unüberbietbarer Traurigkeit.

»Sie sind Jude?«

»Nein«, sagte Reichmann.

Der Beamte sah ihn nicht an. »Wie wollen Sie das beweisen?« Als wolle er eine Antwort aufhalten, hob er abwehrend die Hand: »Ich mache Sie darauf aufmerksam, daß körperliche Merkmale weder in positivem noch in negativem Sinne beweiskräftig sind.«

Reichmann hatte nicht beabsichtigt zu antworten. Er hörte das Echo dieser Sätze in sich widerhallen, wie von einem unsichtbaren Klöppel niedergeläutet in die unterste Schicht seiner Existenz. In dieser Sekunde, da der Raum in Qual erstarrte, begriff er, daß jene Fragen und ihre Beantwortung, wie die Antwort auch immer ausfallen mochte, eine Katastrophe in sich schlossen, eine Katastrophe, deren Ausmaß ihm verborgen bleiben mußte. Er sah auch, daß die Spannung, die sich auf dem Antlitz hinter dem Tisch ausprägte, nur eine äußerste Erschöpfung bedeutete, den Schrecken vor der Leere, die mit gorgonischen Zügen das Zimmer, das Gelände, vielleicht den Kontinent zu durchdringen begann.

Der Beamte entließ ihn, indem er kurz bemerkte, man würde seinen Fall im Auge behalten. Reichmann hörte die Tür hinter seinem Rücken zuknarren. Die Dächer der Baracken glänzten schwarz; die unermeßlich strömende Glut riß das Lager in einen tobenden feueratmenden Strudel. Die Luft war erfüllt von Lauten, die dem Schluchzen näher waren als dem Gelächter, das sie vorstellten. Reichmann strich am Krankenrevier vorbei, aus dem das Stöhnen und Schreien von Frauen tönte. Über alle Wege kamen schief schwebend die Bahren, auf denen von Krämpfen Befallene lagen. Reichmann war Zeuge des ersten Selbstmordversuchs. Man brachte den Mann mit aufgeschnittenen Pulsadern ins Revier, von dessen niedriger Decke Fliegenschwärme sich brausend auf ihre Opfer stürzten.

Als es zu dunkeln begann, wurden die Bewohner jeder Baracke versammelt. Funktionäre des Lagers eröffneten ihnen, die Aufgerufenen hätten ihren Abtransport gegen Mitternacht zu gewärtigen. In der Stille, die jäh auf dem Lager lastete, hörte man von fern das Pfeifen der rangierenden Maschinen. Wie im Alpdruck vernahm man die gleichen Sätze, die der Mann vor einem sprach, von anderen Baracken her. Dann begann das Verlesen der Namen, endlos, mit einer sekundenlangen Pause nach jedem Namen, wie der eintönige Anruf dämonischer Gottheiten.

Reichmann spürte während der ganzen Verlesung eine hohe, schwebende Leichtigkeit. Mit Überraschung, beinahe mit Enttäuschung wurde er sich bewußt, daß sein Name zu den wenigen gehörte, die nicht aufgerufen worden waren. Die ersten Schreie gellten, die ersten Ohnmächtigen lagen im Staub: Mitglieder von Familien, die der Befehl teils zum Dableiben, teils auf den Transport zwang. Ein Taumel von kraftlosem Aufbegehren und ungehemmter Verzweiflung umfing das Lager, als die Sonne unter den Horizont hinabsank.

Die Bogenlampen brannten nicht an diesem Abend. Im Dunkel vernahm man Kommandos und den Marschtritt von Gendarmerieabteilungen, die das Lager durchzogen. Gegen elf Uhr flammten die Lampen mit einem Schlag grell auf, Signalpfeifen schrillten, und hastende Füße flogen ziellos auf den Laufstegen dahin. Hans Reichmann beobachtete, in den Schatten einer Baracke gelehnt, die Treibjagd, die den Verfolgten nicht den geringsten Ausweg ließ. Die Schreie wurden häufiger. Wie Luftwirbel sprang das Entsetzen in den Lagerstraßen, an den Eingängen, zwischen den Baracken auf. Es wurde nun offenbar, daß man Männer von den Frauen, Eltern von den Kindern zu trennen begann. Dabei lehnte sich nur eine

Minderzahl gegen das unbekannte Geschick auf: Flucht ohne Ziel bot sich dem Blick und unmittelbar daneben das Schauspiel eifrigen Gehorsams, als liege im Befolgen des Befehls die Rettung selbst. Aber auch die Schreie der Gehetzten, ihr schluchzendes Stöhnen, ihre von jähem Verstummen gleichsam dementierten Protestworte – auch dies war nur die Darstellung der Hilflosigkeit. Unter dem kreidigen Licht eines Bahnhofs oder eines Operationssaales entrollte sich ein Ballett von feierlich-grotesker Besessenheit: die Hysteriker, die verhinderten Amokläufer, die Kinder, die mit aufgerissenen Augen eine Puppe im Sand nachschleifen ließen, huldigten der medusischen Stunde. Von einem unsichtbaren Regisseur machtvoll gelenkt, stellten sie eine höllische Szene, deren Akteure sich selbst zuschauten.

Reichmann ging in seine fast leere Baracke. Ein schreckliches Zittern stieg ununterdrückbar aus seinem Innern, riß ihm die Kiefer auseinander und brach als heiseres Stöhnen aus seinem Mund. Er hatte drei Schritte über die Schwelle getan, als eine Hand ihn an der Schulter faßte und ihn zwang, sich umzudrehen. Zwei Gendarmen hatten hinter der Tür gestanden.

»Was wollen Sie hier?«

»Ich gehöre nicht zum Transport«, sagte Reichmann. Unmöglich, das Zittern zu verbergen. Sie mußten es sehen.

»Kommen Sie mit.«

Es war nicht möglich. Er hatte noch nichts sagen können, weil er seine ganze Kraft brauchte, um die Zähne aufeinanderzupressen.

»Sie kommen mit! Machen Sie keine Geschichten!«

Man führte ihn in einen kalkweiß erleuchteten Raum. Hinter einer Barriere zogen die zum Transport Bestimmten vorbei. An einem Tisch saßen mehrere Uniformierte. Eine Anzahl Männer stand vor ihnen in einer Ecke: man stellte Reichmann dazu. Der Lichtbogen einer Lampe sang schneidend.

»Die Aufgerufenen haben sich ebenfalls dem Transport anzuschließen. Sie haben fünf Minuten Zeit, um sich fertigzumachen.«

Die Stimme, unmenschlich, härter als Diamant, hart wie das Licht, dem kein Auge standhalten konnte, begann Namen zu verlesen, Namen von bisher Verschontgebliebenen. Der Raum war völlig von der Stimme beherrscht, von dem bösen Summen der Lampe, den fernen Pfiffen der rätselhaften Lokomotiven.

»Abramowitsch, Marcel!«

»Hier!«

»Raustreten! Fertigmachen!«

»Alkaley, Ernest!«

»Hier!«

»Raustreten! Transport!«

»Bernhard, Isaak!«

»Hier!«

»Raustreten! Fertigmachen!«

Die Aufgerufenen stießen Reichmann rechts und links an, wenn sie vorwärts traten. Wie im Traum hörte er ihr tonloses Schluchzen. Der leere Raum um ihn wuchs. Und durch den Nebel der Unwirklichkeit zogen, wie die Figuren eines Glockenspiels, die für den Transport Bestimmten stockenden Schrittes weiter.

»Palewski, Serge!«

»Hier!«

»Transport! Los!«

»Perlmann, Joseph!«

»Hier!«

»Fertigmachen!«

Diesmal waren es nur Männer. Der Lichtbogen schrillte. Die Puffer entfernter Lokomotiven krachten zusammen. Die Herde der Abreisenden kreiste vor seinen Augen. Reichmann atmete tief, verzweifelt, als fänden seine Lungen keinen Sauerstoff mehr. Schweiß lief in seinen trockenen Mund, er trank ihn in kleinen Schlucken.

»Reichmann!«

Keine Antwort.

»Reichmann!«

Keine Antwort.

Er fühlte neben sich noch sechs, acht, vielleicht zwölf andere. Er sah sie nicht an, aber er spürte ihre Gegenwart, ihre Gegenwart als Zahl. Ein infernalischer Irrtum. Nun, warum nicht? Man konnte nicht entrinnen, nicht dieser Stimme. Und dann: hier war man einzeln, deutlich erkennbar, dort ein Teil der Masse, ununterscheidbar von all den Getriebenen. Man würde eine Gelegenheit finden, später, später . . .

»Reichmann, David!«

Neben ihm stammelte jemand: »Hier«

»Na also! Endlich! Transport!«

Ein kleiner grauer Mann trat hinter dem Maler hervor und verschwand. Reichmann spürte eine ungeheure Kälte, die aus dem Boden hervordrang, die Knie erreichte, den Leib ergriff. Das ist der Tod, dachte er.

»Die übrigen zurück!«

Er sah undeutlich die wenigen, die neben ihm durch die Tür hinausglitten. Er entkleidete sich nicht. Er fiel auf seinen Strohsack und war eingeschlafen.

Am nächsten Morgen rief man ihn ins Büro.

»Reichmann, Hans? Sie sind entlassen.«

Reichmann blieb stehen. Aus den Ritzen quoll der Teer und benahm ihm den Atem. Die unerhörte Hitze brannte in den Handflächen und auf den Schläfen, nur die Kälte in der Brust wollte nicht weichen.

»Machen Sie, daß Sie hinauskommen! Melden Sie sich am Tor!«

Er ging mühsam hinaus. Unterhalb der Hüften begann ein Widerstand, als wate er in tiefem Wasser. Reichmann, David. Reichmann, Hans. War er nicht aufgerufen gewesen?

Aus irgendwelchen Gründen hatte er bis zum Abend zu warten. Er nahm die Mittagsmahlzeit mit den anderen ein, ging mit einigen von ihnen hin und her, lächelte ermunternd, als jemand die Nachricht brachte, der nächste Transport gehe erst in drei oder vier Tagen ab. Eine Fremdheit gegenüber diesen Leuten wuchs in ihm. Manchen erzählte er von seiner bevorstehenden Entlassung; überall drückte man Freude darüber aus. Man beglückwünschte ihn. Zwei oder drei gaben ihm unerhebliche Aufträge mit, eine Nachricht, einen Gruß. Er fühlte die wachsende Fremdheit mit einer tiefen Ungeduld, ja mit einem verzweifelten Ekel gegen sich – er sah in Gesichter, beobachtete Hände, Haare, Kleidung, Bewegungen. Plötzlich meinte er zu sehen, wie diese Haare aus der Haut fallen würden, die sie beherbergte, wie die Augen anfingen, Pfützen zu gleichen, kleinen flüssigen Monden, langsam verdunstend zwischen Kraut und Gebüsch im heißen Licht eines Tages, der sein würde wie dieser.

Er war schon lange vor Sonnenuntergang am Tor; man ließ ihn weiter warten. Er war voller Unruhe, als plage ihn das böse Gewissen. Geradeso müßte die Hölle aussehen wie diese trostlose Küstenlandschaft, die an keinem Meere lag, mit ihren geteerten Dächern, auf die Fluten fahlen Lichtes wie ein brennender Niagara herabstürzten, mit den unerkennbaren Gesichtern, die sich um ihn sammelten, ihm Glück wünschten, weiterschwebten, zurückkehrten.

Es wurde Nacht, eine heiße Nacht ohne Mond, ohne einen Stern, als er das Tor durchschritt. Er hatte fast eine Stunde zu gehen, ehe er den Bahnhof der nächsten Kleinstadt erreichte, und den ganzen Weg über hörte er das Pfeifen und Rangieren der Maschinen auf der geheimnisvollen Station, die irgendwo rechts von der Landstraße gegen die Wälder zu liegen mußte, an die er schon nicht mehr recht glaubte und die er rasch vergaß.

Auf dem Bahnhof verging noch fast eine Stunde, ehe sein Zug eintraf. Die Leute neben ihm musterten ihn betreten und scheu, als wüßten sie, wer er sei und woher er käme. Jeder schien voll Ungeduld, als gelte es, so schnell wie möglich weiterzukommen. Die Nacht war von ungewisser Gefahr erfüllt. Einmal glaubte Reichmann das Wort »Razzia« gehört zu haben. Unwillkürlich griff er nach dem Papier in seiner Tasche, das seine Überprüfung und Entlassung bestätigte. Aber nun kam schon der Zug, mit einiger Mühe fand er einen Platz, legte das Brot, das er bei sich trug, auf seinen Schoß und versank in Schlaf, kaum daß er das Knirschen der anfahrenden Räder vernommen hatte.

Er erwachte in völliger Finsternis, und eine lange Frist verstrich, ehe er sich zurechtfand: er saß in dem verlassenen, dunklen Abteil, in das kein Lichtschimmer von außen fiel. Er überlegte und schalt seine Schlaftrunkenheit. Schließlich stand er auf und verließ den Waggon. Die Nacht war von einer unirdischen Dunkelheit. Kein Anzeichen von Leben war ringsum, nur der Wind strich ab und zu durch die Landschaft und fing sich in den unsichtbaren Bäumen. Reichmann stieß einen Ruf aus. Nicht einmal ein Echo antwortete ihm. Er hätte in den Waggon zurückkehren können, um die Dämmerung abzuwarten, aber eine Art Trotz ließ ihn weitergehen, geradenwegs in das Dunkel hinein.

Er blieb nach ein paar Schritten in der Finsternis stehen, die seine Spuren tilgte. Zum erstenmal seit undenklicher Zeit fühlte er sich frei von Furcht – verlassen, doch nicht verloren. Nur der Wind war um ihn, der Wind, der wie ein Tier voranlief, umkehrte und an seinen Knien entlangstrich, wenn er ihn überholte. Ein paarmal wich er noch rechtzeitig Bäumen aus, die in der Nacht standen, nicht unvertraut und ohne Drohung. Einmal vernahm er das traumhaftkehlige Geräusch fließenden Wassers. Unter seinen Füßen spürte er kurzes Gras, eine Strecke weiter einen unebenen Pfad. Er hätte noch Stunden weitergehen können, keine Müdigkeit war in ihm, aber er hatte keine Eile. Die Nacht war von einer unbeschreiblichen tröstenden Wachheit. Irgendwo setzte er sich nieder und lehnte den Rücken an einen Stamm. Sein geängstigtes Herz schlug beruhigt und regelmäßig. So wollte er den Morgen erwarten.

Er war in tiefen Gedanken, als der eintönige Ruf eines Vogels ihm zum Bewußtsein brachte, daß die Nacht zu Ende war. Er lauschte bewegt dem ruhigen, fremdartigen Ruf. Aus der Ebene, die hinter ihm lag, wuchsen Wälder empor und erstiegen die Berge, über die das Dunkel sich allmählich zurückzog. Ein unsichtbarer Flußlauf verriet sich durch einen langen, tiefschleifenden Vorhang aus perlgrauem Nebel, den er über die Wiesen emporsandte. Hinter den niedrigen lehmfarbenen Hängen, die sich am anderen Ende der Ebene erhoben, erschien plötzlich in reinem, gleichsam mühelosem Aufschwung eine Sonne von mattem Gold. Tausende von Gräsern blitzten auf, ein Chor von gurrenden und flötenden Stimmen vereinigte sich mit dem gemessenen Ruf des unbekannten Tagverkünders.

Reichmann stand auf. Eine wunderliche Leichtigkeit erfüllte ihn, die er nicht an sich kannte. An einem kleinen Gewässer wusch er sich und trank das kalte, scharf schmeckende Wasser. Er aß ein Stück Brot und steckte den Rest in die Tasche. Langsam begann er den Weg zu ersteigen, der in den bergwärts gelegenen Wäldern verschwand. So kam er langsam höher, ohne Anstrengung, wie ihm schien, als stieße ihn die Erde sanft weiter, dem Gebirge zu, das manchmal das körnige Grau einer Felswand durch eine Lichtung aufschimmern ließ. Die Mittagssonne konnte die goldene Kuppel der Kronen nicht durchbrechen. Er begegnete keinem Menschen, wenn er auch Spuren menschlicher Tätigkeit fand. Nachmittags rastete er neben einem mächtigen Stoß geschlagenen Holzes, fand später eine verlassene Hütte, die Holzfällern oder Hirten als Unterkunft dienen mochte, und vernahm schließlich ohne Unruhe die ersten Rufe der Waldtiere, die in der Dämmerung erwachten.

Er nächtigte am Wege, als habe er es nie anders gekannt. Ein einsamer Stern durchbrach an einer Stelle das Blätterdach, das sich hoch über ihm wölbte. Das Rauschen der Wasserfälle kam von allen Seiten wie die Stimme der Nacht.

Am nächsten Tag setzte er seinen Weg fort, der durch niedriger werdendes Gehölz unablässig nach oben stieg. Er ging den ganzen Tag über mit ein oder zwei kurzen Unterbrechungen, in einem tiefen, ruhigen Glücksgefühl, das in ihm nicht einmal die Frage nach der Art und dem Ziel seines Weges aufkommen ließ. Über einer Schlucht, in der ein Wildbach donnerte, konnte er auf die dichten Wälder hinunterschauen, die ihn wie in einer unwiderstehlich kraftvollen Bewegung eingeschlossen und auf diese Höhe emporgetragen hatten. Der Wind fing sich im niederen, zähen Gesträuch, ließ Schatten über die Moosbänke laufen und riß an den knorrigen Ästen der

Föhren. Gegen Abend setzte er sich unter einen Felsvorsprung, verzehrte den Rest seines Brotes und schlief ein.

Als er in der Morgendämmerung seine Wanderung wieder aufnehmen wollte, fand er, daß er die Höhe des Gebirges erreicht hatte. Ein mächtiges Plateau erschien jenseits des Buschwaldes, in das der Pfad, vom Tau dunkel gefärbt, gerade hineinlief. Von feierlicher Fremdartigkeit war die Landschaft; die seltenen Bäume, an deren Fuß noch Nebel hing, hielten ihre Äste im Morgenlicht mit schmerzvoll-bedeutender Geste gegen den blaßblauen Himmel. Aber eine Erinnerung reichte aus äußerster Ferne hier herüber, machte das erste Wegzeichen kenntlich, die Wagenspuren, die blauen Konturen der Hügel. Der Weg bog nach rechts und schien gerade in den Horizont laufen zu wollen, an dem weißgrüne Federwolken ins Nichts vergingen. Der Pfad überquerte einen Bach, ein eiliges, dunkles Wasser, aus dem kein Stein leuchtete. Eine hohe, hölzerne Brücke spannte sich darüber und half dem Weg weiter. War ihm nicht diese Brücke bekannt und die beiden Götterlampen, die rechts und links das Geländer schmückten? Reichmann wußte in diesem Augenblick, daß er gerettet war, und im gleichen Augenblick sah er einen Mann.

Er stand am anderen Ende der Brücke, als habe ein Windstoß ihn plötzlich hergeweht mit dem Lehmstaub, der über die Planken rieselte. Der Mann war alt und sah wie ein Bauer aus. Über der bloßen mageren Brust hing eine dünne blaue Jacke; schmutzige Hosen fielen auf die breiten, nackten Füße. Er trug ein Joch über der Schulter, wie Reichmann es noch nicht gesehen hatte, und der Maler ertappte sich dabei, daß er es im Geiste mit dem Joch verglich, mit dem die Bauern in der fränkischen Heimat zu pflügen gewohnt sind. Der Bauer stand unbeweglich im Schatten der Brücke und sah ihn an. Reichmann wußte, daß er wirklich dort stand mit den schwarzen, schrägen Augen im gelben Gesicht. Er fürchtete sich nicht. Mit einigen schnellen, behutsamen Schritten überquerte er die Brücke und stand vor dem anderen. So nahe stand er bei ihm, daß er das vogelhafte zarte Schlagen der dünnen, rauchfarbenen Schläfen sehen konnte, das Gitterwerk zahlloser Runzeln, die weißlichen, dünnen Strähnen des Bartes, der über die Mundwinkel nach unten fiel. Er versuchte nicht, zu sprechen; er wußte, daß der andere ihn nicht verstehen konnte. Vielmehr verneigte er sich vor ihm, ohne daß er vorher daran gedacht hatte, und nahm ohne Überraschung die Verneigung des Alten entgegen, der plötzlich zu lächeln begann, sich umwandte und ihm über die Schulter einen Wink gab. Reichmann folgte ihm ohne Zögern.

Nach einer halben Stunde erreichten sie die ersten Hütten eines Dorfes. Heller Rauch stieg steil in die Luft, die erfüllt war von den Zwitscherlauten halbnackter Kinder. Neben einem kleinen Tempel kämpften zwei weiße Hähne. Aus einer Schmiede kam unregelmäßiger scharfer Hammerschlag. Der Alte führte ihn in eine Hütte, vor der ein junger zeitunglesender Bursche im Staube hockte. Zwei ältere bebrillte Männer starrten auf Reichmann, hörten die Rede seines Begleiters an, lächelten und baten den Maler durch Zeichen, in den Nebenraum zu treten. Man wies ihm einen Sitz auf dem Boden an und stellte ein Tablett vor ihn hin, auf dem kleine Schalen mit Fleisch und Reis und heißem Wasser standen. Reichmann aß und wartete. Alle paar Minuten hob jemand den Türvorhang, und ein höflich erstauntes Gesicht musterte den Fremden und verschwand.

Es mußte gegen fünf Uhr sein, als vor der Hütte aufgeregte Rufe laut wurden. Der Lärm eines Automobils näherte sich und verstummte. Gleich darauf trat ein junger Mann in europäischer Tracht ins Zimmer, in das ihm die beiden Bebrillten folgten. Er sprach den Maler in englischer Sprache an, und als dieser zögernd antwortete, nannte er lächelnd seinen Namen. Er hieß Feng und erbot sich, Reichmann zum »General« zu bringen, doch klang dies kaum wie ein Vorschlag, vielmehr wie ein höflicher, jeden Widerspruch ausschließender Befehl.

Während der Wagen über den staubigen, holpernden Weg schaukelte, hatte Reichmann Gelegenheit zu erfahren, wo er sich befand und wohin man ihn brachte. Der General war Tschou En-lai, einer der höchsten Befehlshaber im »Besonderen Gebiet« der achten chinesischen Armee. Obwohl er meist in Tschungking weile, berichtete Feng, wo er an den Regierungsarbeiten und der Kriegsführung den regsten Anteil nehme, sei er von Zeit zu Zeit in Yenan, um die hiesigen Behörden über die Pläne und Leistungen der Zentralregierung zu unterrichten.

Die letzten Worte schien Feng nicht ohne Bitterkeit zu sprechen. Doch achtete der Maler wenig darauf. Er sann darüber nach, wie einfach und überraschungslos die weltentlegenen Namen ihm ins Ohr gingen. Alles schien auf einmal die Bestätigung einer seit langem tief verborgenen Ahnung zu sein: Fengs ruhige Stimme, sein langsames, ein wenig feierliches Englisch, der an- und abschwellende Gesang des Motors, die Schläge eines Gongs, die aus einem Hain tönten. Feng fragte ihn nicht, woher er käme, was er beabsichtigte, als wisse er alles. Er zeigte auf die Bauern in den Feldern und sprach von ihrer Arbeit, als gäbe es nichts Wichtigeres. Seine Stimme wurde lauter; nicht ohne Leidenschaft erzählte er, man habe den Ertrag durch eine sinnvollere Einteilung der Arbeit, durch besseres Pflügen und andere Maßnahmen trotz der kriegerischen Verwicklungen um ein bedeutendes erhöhen können.

Yenan, dachte Reichmann, als sie die ersten einstöckigen Häuser erreichten. Er fragte sich nicht, wie er hierhergekommen war. Es genügte, zwischen dem Hier, der Zuflucht, und dem Dort, der unverständlichen und tödlichen Welt, die Ebenen zu wissen, in denen die Nacht wachte, die undurchdringlichen Wälder, das menschenleere Gebirge. Man sah im Vorbeifliegen einige beträchtliche Gebäude, eine Benzinstation, Ochsenkarren, lärmende Gruppen von Herbergen und Teehäusern, eine kleine Pagode in einem verwilderten Garten. Die Hügel waren näher gerückt, sie erschienen höher und ernster.

Tschou En-lai erwartete sie in einem Haus, das voll war von Schritten und Stimmen. Der Abend begann Schwalbenflüge und blaue Schatten in die Fenster zu zeichnen. Der General trug eine Uniform ohne Abzeichen und war barhäuptig. Reichmann hatte seinen Namen manchmal in den Zeitungen gefunden. Wann war das gewesen? In ferner, schmerzhaft ferner Zeit, in Gefahr und Wirrnis. Er hörte mit Staunen, das Tschou ihn deutsch anredete. Der General bemerkte seine Verwunderung und erklärte, als wolle er sich entschuldigen, er habe in Deutschland studiert. »Bleiben Sie ein wenig hier. Es soll Ihnen an nichts fehlen, soweit das in unserem Vermögen steht. Sie sind Maler? Vielleicht werden Sie den Drang zur Arbeit spüren.« Er unterbrach sich, und eine tiefe Ermüdung zeigte sich in seinem kurzsichtigen Blick, der voll freundlicher Strenge war.

Der Maler fand in einem Zimmer des Schulhauses ein Feldbett, einen Tisch, zwei Stühle, einen niedrigen Schrank. Das alles hatte Feng hinschaffen lassen. Tagsüber drang das chorische Summen der Schüler durch die Wände. Der Blick ging über Gärten, die abends der weiche, irre Flug der Fledermäuse erfüllte, den Hügeln zu. Manchmal ließ Tschou ihn holen, erzählte von den Sorgen des Tages, den Arbeiten, die man in diesem Teil des Landes in Angriff genommen hatte. Reichmann fiel auf, wie ungern er vom Kriege sprach, der viele Meilen entfernt tobte. Auch Feng schien diesem Gegenstand auszuweichen, wenn die Rede darauf kam. Die Menschen sprachen nicht weiter, wenn das Wort »Krieg« fiel, ihre Gesichter verdüsterten sich, tiefe Falten schnitten sich in ihre Stirnen zwischen die schrägen Augen. Doch sah man oft junge Leute sich versammeln und zu

Feldübungen ausrücken. Aus den Feldern und Häusern sah man ihnen nach, wie sie, von einer Trommel begleitet, dahinzogen – ohne Freude, doch mit einer Entschlossenheit, die etwas Furchtbares an sich hatte und den Beobachter ahnen ließ, ihr Leben werde nicht mehr lange dauern.

Und doch schien es Glück zu geben bei all diesen Menschen, ein ernstes und armes Glück allerdings, das sich weniger in äußeren Errungenschaften nachweisen ließ als in der gemeinsam empfundenen Notwendigkeit eines klarer geordneten und gerechteren Lebens. Die Aufgabe, der sich viele dieser Menschen zu widmen schienen, war für den Fremden nicht leicht zu begreifen – sofern er nicht achtlos oder stumpf dahinlebte, mußte er die Besonderheit der Atmosphäre spüren, in die er versetzt war. Reichmann entsann sich nicht, je zuvor eine derartige Teilnahme an einer Umgebung empfunden zu haben. Er liebte es, die Menschen in den Straßen, auf den Feldern bei ihren Beschäftigungen zu besuchen und sich von ihrer gelassenen Zuversicht beschwichtigen zu lassen. Feng wurde ihm unentbehrlich. Er sah ihn täglich und stellte ihm viele Fragen.

Eines Morgens brachte ein Bote ein Geschenk des Generals: Wasser- und Ölfarben, Leinwand, Papier und manches andere. Die Ruhe der vergangenen Tage hatte in Reichmann den Trieb zur Arbeit geweckt. Mit Feng war er durch die Felder gefahren, hatte er Schulen besucht und selbst Theatervorstellungen, wo Rezitatoren und Schauspieler dem aufmerksamen, Süßigkeiten verzehrenden Publikum das neue Leben erklärten. Der Maler hatte allmählich hinter all diesen Unvollkommenheiten, dieser fremdartig-vertrauten Armut eine geheime Kraft verspürt, einen unbeirrbaren Ernst, der sich unwiderstehlich auf den Beschauer übertragen wollte. Er malte ein kleines Bildnis Tschous; Bauernbrigaden bei der Arbeit – ihre Pflüge wendeten geschwadergleich die Erde um; Yenan als Traumstadt, mit hohen weißen Häusern vor abendlichen Hügeln. Tschou En-lai dankte ihm, ohne ihn zu loben. Er betrachtete lange schweigend die Bilder, nickte ein paarmal und lächelte. Es war ein schwaches, trauriges Lächeln, das Reichmann manchmal an ihm gesehen hatte; der Maler empfand eine jähe Freude, er wußte nicht, warum, aber Tschou begann von etwas anderem zu sprechen, mit klugen, nüchtern-wissenden Worten, die an Reichmanns Ohr vorbeirauschten wie das Geflüster des hohen Grases auf den Hügeln vor der Stadt, wie eine Melodie der Kindheit, die man nicht mehr singt und nie vergißt. Es waren Worte ohne große Bedeutung: Tschou sagte, überall lebten die Menschen ein grausames, qualvolles Dasein; es gäbe zwar einen Weg aus diesem sinnlosen Leben, aber dieser Weg schrecke die meisten: er sei hart, einsam und voller Kämpfe. Wenn man die Qualen der Vergangenheit in sich lebendig erhalte und an eine künftige Schönheit glaube, könne man sich der nützlichen Teilnahme an der Gegenwart nicht entziehen.

Als wisse Tschou um alles, was Reichmann widerfahren war, hatte er von der Vergangenheit gesprochen. Dabei hatte man ihm niemals Fragen nach dieser Vergangenheit gestellt. Wie in stummem Einverständnis überwand man das unbegreifliche Gewesene durch tägliche Tätigkeit. So verlor die Zeit immer mehr alle inneren Grenzen und Maße. Reichmann lebte ohne Angst, ohne Sehnsucht, ohne Zweifel. Er arbeitete und beobachtete. Die Rätsel, die seinen Weg nach Yenan begleitet hatten, beunruhigten ihn nicht. Er wußte um das Gestern, ohne seiner in Unruhe zu gedenken. Mit Eifer ging er einer neuen Arbeit nach: Feng unterrichtete ihn täglich in der Sprache und Schrift des Volkes.

Er liebte es auch, vor der Stadt zu sitzen und ins Land zu sehen, neben einem Grabhügel, an dem noch ein Brandopfer schwelte. Dann war das Treiben der Menschen hinter die Grenze des Sichtbaren gerückt und doch allgegenwärtig.

Am Tage nach dem ersten Herbstregen gellten Gongs durch die Straßen. Reichmann, vor einem Buch sitzend, schaute auf. Menschen eilten schweigend, geduckt vorbei. Über dem Schreien der Gongs füllte ein langes, schmelzendes Schluchzen den Himmel. Er stürzte hinaus: vom abendlichen Horizont, an dem der Wind die Wolken auflöste, rauschten die schwarzen Reiherzüge der japanischen Flugmaschinen heran. Als er ins Haus zurückgehen wollte, traf er Feng, der ihn ohne ein Wort an der Hand nahm und ihn die Straße hinabzog. Die ersten Bomben fielen noch ziemlich weit im Süden. Sie mußten außerhalb der Stadt niedergegangen sein. Flüchtlinge schwenkten auf ihren Weg ein: Frauen, die Kinder auf dem Rücken trugen und eine Ziege vor sich her trieben, Männer und Halbwüchsige mit Körben und Säcken. Feng zog ihn weiter, durch enge Gäßchen, an leeren, sich verdunkelnden Gärten vorbei. Die Häuser und Hütten traten zurück. Auf dem lehmigen Weg standen gelbe Lachen.

Die Flieger schienen gerade über ihnen zu sein, als sie zwischen Feldern einen Hohlweg erreichten, der die Sicht auf die Hügel versperrte. Explosionen dröhnten von unten her; Reichmann sah im Widerschein aufkommender Feuer seinen Schatten auf der Böschung. Eine schneidende, unstillbare Trauer erfaßte ihn. Der Hohlweg wurde tiefer, es war, als wachse er über ihm zusammen. Plötzlich hatte Feng seine Hand losgelassen, war von seiner Seite verschwunden. Eine nahe Explosion warf ihre Helligkeit in den Hohlweg. Er sah zwei, drei Schatten vorbeistürzen, rief Fengs Namen, erhielt keine Antwort und lief weiter. Der Hohlweg wurde finster. Er blieb stehen und rief noch einmal: »Feng!« Keine Antwort kam. Heiße Luftstöße fegten an den Wänden entlang. Langsam ging er weiter. Es war ganz dunkel geworden.

Irgendwoher kam ein Hahnenschrei: es wurde lichter. Der Schein fiel schräg von oben über eine steinerne Treppe in den Gang. Das war kein Hohlweg mehr. Sein Herz schlug heftig, ahnungsvoll, als er den Fuß auf die erste Stufe setzte. Ihm war, als müsse er etwas von sich weisen, als müsse er umkehren vor dem nächsten Schritt und zurückgehen, ohne Zögern den Weg zurückgehen, den er gekommen war. Oben erschien der Himmel, der kalte, leer gestrichene Himmel eines frühen Morgens.

Auf einmal wußte er, daß die große Woge, die ihn damals fortgerissen hatte, gleich, in diesem Augenblick noch sich am Gestade der Gegenwart brechen würde. Er atmete tief und schloß die Augen. Ausgesetzt bei sich selbst, blieb er ohne Antwort, ohne Zeichen, ohne Erlösung. Er war oben angelangt. Dies war kein Traum; diese Reise, unbeabsichtigt, ohne Vorbereitung unternommen, war zu Ende. Klar und kühl wie die Dämmerung der Kindheit lief der Windstoß des Erwachens durch seine Brust. Auch in Yenan hatte er nicht bleiben dürfen, das bedroht war wie die unbekannte Welt, wie Paris. Dies war Paris, aber ohne die Flammengüsse von Sodom, ohne die Schwefelglut des Deliriums. Der gewaltig verhaltene Ernst der Stadt belehrte ihn, wenn er es nicht schon geahnt hätte, daß kein Zufall, kein Narkotikum, kein Verhängnis die orphische Reise rechtfertigte oder erklärte.

Der Hahnenschrei erklang wieder, viel näher jetzt, über dem Fluß, der im grünlichen Morgennebel seine Toten unter den Brücken dahintrug: die Seine. Die Fontäne der Place St. Michel rauschte gläsern im letzten Schatten der Nacht. Reichmann ging langsam über den Platz, auf dem das harte Rollen und der ungleichmäßige Hufschlag früher Gespanne erscholl. Er wußte seine Wohnung nahe, sein Atelier, seine Arbeit. Ein nicht vorauszusehender Zufall könnte ihn daran hindern, an all dem wieder teilzuhaben. Von Gewalten überkommen, er wußte nicht wie, hatte er eine lange Reise beendet, die ihm nicht aufgetragen gewesen war. Nun schloß sich die Stadt wieder um ihn – was hieß Dauer an ihr, Gewißheit, Bestand, Überleben? Wie oft war sie inzwischen von Invasionen und Sintfluten erreicht, in Trümmer gelegt, wieder und wieder errichtet worden – diese Stadt, die, vom Geschrei der Hähne, vom kühnen Licht des Gestirns belebt, wie ein Schiff die Flut des Morgens teilte.

Im Schlagschatten der Einfahrt warteten vielgesichtig die Möglichkeiten. Die ersten Cafés öffneten ihre Türen. Die Kioske kleideten sich in die Zeitungen einer unentschiedenen Welt, und voller Angst griffen tausend magische Hände nach ihnen. Zwischen den schamlos fleckigen Tapeten der Hotelzimmer, in den von rasenden Telefonen erfüllten Büros, in den Hörsälen und Werkhallen tobten die Gefechte des Tages wie die durcheinanderschießenden Fäden eines gefährlichen Gewebes.

Auf Reichmann senkte sich die tiefe Müdigkeit, die der erwählten, unaufschiebbaren Arbeit vorausgeht und sie begleitet. Die Stadt, im Morgen hochgereckt, unschuldig wie die Schwalben, die ihr Himmel barg, bot der verhangenen Zukunft die steinerne Brust. Das Atelier würde leer sein, kein ungebetener Gast die Arbeit stören. Er wandte dem Fluß den Rücken. Der Hahn schrie wieder. Weiter unten rief nun auch das Horn eines Schleppers unüberhörbar nach dem neuen Tag.

Der Leutnant Yorck von Wartenburg

Im schwach erleuchteten Frühnebel des Augustmorgens sahen die zum Tode Verurteilten erblassend das Gestänge des Galgens inmitten der von Mauern umschirmten Sandfläche. Es waren einige jener Offiziere, die am 20. Juli des Jahres versucht hatten, die Diktatur, welche ihr Land seit langer Zeit in immer unerträglicher gewordene Fesseln geschlagen und es dazu schließlich in einen Vernichtungskampf gegen die ganze Welt gestoßen hatte, in jäh losbrechender und verzweifelt-ungläubiger Auflehnung zu stürzen. Einer der Verschworenen, Oberst Graf von Stauffenberg, hatte den Tyrannen selbst, der dem ganzen Regierungsgefüge den Namen gegeben, beseitigen wollen. Dies war mißlungen, der Aufstand in der Hauptstadt desgleichen, die Verschwörer, soweit sie nicht im Kampfe gefallen waren oder sich selbst entleibt hatten, standen bald vor dem grausamsten Werkzeug der Schreckensherrschaft, dem sogenannten Volksgerichtshof, dessen erbarmungslose und fanatische Richter sie allesamt zum Tode durch den Strang verurteilten.

Die acht Offiziere, die nach langen Tagen der Erniedrigung und unaussprechlicher Folter dem Tode entgegensahen, waren sehr verschieden in Rang und Alter. Der älteste, Feldmarschall, hatte hohen Ruhm gewonnen, als er die schlecht bewaffneten und von Verrat geschwächten französischen Armeen in einem wenige Wochen dauernden Feldzug niedergeworfen hatte. Vom General ging es weiter bis zum jüngsten hinab, dem in den Zwanzigern stehenden Leutnant

Graf Yorck von Wartenburg, Träger eines der berühmtesten Namen deutscher Vergangenheit, der ein junger Mensch war mit braunem Haar und schönen, jetzt aber vor unterdrücktem Grauen gänzlich leeren Augen.

Yorck, der seit dem Augenblick, da er entwaffnet und den gefürchteten schwarzen Garden des Diktators überliefert worden war, sich in eine ihm ebenso bekannte wie bekämpfenswert erscheinende Apathie hatte sinken sehen, durch die er gleichsam mit dem Tode ins geheimste und innigste Einvernehmen trat, hatte seit einer Woche in schrecklichster quälender Ungeduld und unsinniger Hoffnung gelebt. Damals hatte er frühmorgens in seinem Brot einen Zettel gefunden, den er, am ganzen Körper geschüttelt, wieder und wieder gelesen hatte. »Kopf hoch! Wir holen Dich heraus! Wernicke wird den Wagen bereithalten.« Yorck hatte die Handschrift des Freiherrn v. H., eines Freundes seines Vaters, zu erkennen geglaubt. Die folgenden Tage und Nächte vergingen ihm schnell oder langsam, während er sich ausmalte, wie die Befreiung vonstatten gehen würde. Konnte es sich um eine Amnestie handeln? Kein Gedanke war unsinnig genug, um von vornherein verworfen zu werden. Der letzte Satz auf dem Zettel schien allerdings auf einen geplanten Handstreich hinzudeuten. In Yorcks fiebrigen Träumen hallte der Gang von Schüssen und eilenden Schritten wider.

All seine Hoffnungen endeten hier, fünfzig Schritt vor dem Galgen, der im gefährlichen Licht eines sich gelblich färbenden Nebels vor ihm aufragte. Seit der Minute, da er den zerdrückten Zettel mit trockenem Munde verschlungen hatte, empörte sich sein kaum fünfundzwanzigjähriges Leben, wie von einer seltsamen Speise erregt, gegen das ihm zugedachte Geschick. Aber vergeblich rief er in dieser Minute die vergangene Lethargie zurück.

Herkunft, Erziehung und das Erleben des Krieges hatten jeden dieser Männer mit dem Tode vertraut gemacht und ihnen eine von weit her auf sie überkommene Haltung aufgenötigt. Daß sie im feuchten und geradezu tückischen Licht dieses Morgens zögerten, erschauerten, war weniger dem Anblick des Galgens zuzuschreiben, der schrecklich genug war. Vielmehr erkannten sie alle gleichzeitig, daß die Henker furchtbare Rache an ihnen zu nehmen gedachten. Maschinen, deren Bedeutung sie mehr errieten als ganz begriffen, standen wartend unter dem Mordgerüst, und zwischen ihnen bewegten sich wie Marionetten Gestalten, die vor den schreckengeschlagenen Blicken der Verurteilten undeutlich wurden. Dem Generalobersten H. entfuhr ein Ausruf, den einer der begleitenden

Henkersknechte mit einem Fluch und einem Kolbenstoß beantwortete. Man trieb sie auf die Maschinen zu, wo man ihnen einen Ring um den Hals legte, der durch Schrauben verengert und erweitert werden konnte. Ihr Tod sollte sich vertausendfachen und tausendmal die Luft und das Leben in ihre berstenden Lungen zurückströmen, ehe ihre Leichname am Galgen hängen würden.

Yorck fühlte sich in den Block gestoßen, und gleich darauf schloß sich der Ring um seine Kehle. Seine Augen sahen groß und erschrocken über den Hof hin, von dem sich der Nebel allmählich zu heben schien. Die Dinge traten in ihren Umrissen schärfer hervor, gleichzeitig aber schien das infernalische gelbrote Licht, das auf ihnen lag, stärker zu werden und ihnen eine neue, geheimnisschwere Bedeutung zu verleihen. Er fühlte sein Bewußtsein unwiderstehlich von sich weg, an sich entlanggleiten wie Sog an den Schenkeln eines Schwimmers. Dann begann ein Schmerz an seinem Halse zu zerren, er konnte nicht mehr atmen, in seinen Ohren war ein unendliches Rauschen wie Brandung an der Küste. Er hörte sich selbst tief innen schreien vor Entsetzen, aber er fühlte nicht den Speichel, der ihm aus dem offenen Munde über das Kinn floß, noch vermochte er sein Antlitz zu sehen, das, furchtbar verfärbt, Zunge und nach oben gedrehte Augäpfel zeigte, während die Lippen stumm blieben. Die Verurteilten zuckten konvulsivisch in den Blöcken, hier und da kreischte eine Schraube, die sich lockerte, und dann kam das schluchzende Keuchen eines der Gefolterten, der wie wahnsinnig die Luft einzog.

Yorck taumelte blind und taub zwischen Vorhölle und Hölle hin und zurück. Mit dem zurückkehrenden Atem kam manchmal das Bewußtsein wieder, erschreckend klar, und ließ ihn die Süße dieser wenigen Sekunden fühlen, während deren die Luft ungehindert in seine Lungen zu dringen vermochte. Er spürte nicht, daß er weinte. Durch Tränen und Schweiß hindurch sah er von Zeit zu Zeit den Hof, über dem jetzt eine frühe Sonne hing. Die Sandfläche, auf die er starrte, verschob sich dann unversehens wie ein Objekt unter der Linse des Mikroskops, bis er einige Sandkörner zu erblicken glaubte, scharf und starr, in deren Facetten das Licht sich farbig brach.

Jedesmal aber kam das Rauschen der Brandung wieder, der Schmerz am Hals, die keuchende, berstende Atemnot, aus der schließlich die gelbroten Flammen der Vernichtung züngelten. Er wußte nicht, wie lange dies alles dauerte. Jahre konnten vergangen sein, seitdem er in diesem Block stand. Sein irres, sterbendes Bewußtsein sehnte sich immer nur nach den wenigen Sekunden, da die

Schraube sich lockerte. In einem bestimmten Moment, als der Ring sich wieder schloß, aber das Atmen noch nicht völlig verweigerte, nahm sein schwindendes Bewußtsein eine Änderung wahr. Seine Augen waren geschlossen. Aber er spürte, daß ihm eine ungewöhnlich lange Zeit zum Atmen gegeben war. Eine Ewigkeit verstrich, ehe er wußte, daß sich die Schraube nicht gänzlich geschlossen hatte. Er war jetzt zu erschöpft, um die Augen zu öffnen. Durch das Rauschen der Brandung glaubte er neue, nie zuvor gehörte Laute zu vernehmen, ein flaches Hallen und Knirschen, unverständlich geschriene Worte dazwischen. Er erschrak bis ins tiefste, als dicht neben seinem Ohr eine Stimme heulte. Es war eine menschliche Stimme, wenn sie gleichwohl unmenschlich klang, aber er konnte noch immer nicht die Bedeutung der Worte erfassen, die jemand da schrie.

Als er mit großer Anstrengung die Augen geöffnet hatte – er fühlte eine maßlose, kaum zu überwindende Müdigkeit –, sah er, daß etwas in seiner Umgebung sich geändert hatte. – Auf der Sandfläche, in deren Mitte er stand, erblickte er einige liegende menschliche Gestalten, und nach einiger Zeit aufmerksamer Betrachtung legte er sich Rechenschaft darüber ab, daß es sich um Gefolgsmänner der Diktatur handelte. Er erkannte deutlich einzelne Uniformstücke an den reglos Daliegenden. Wenige Augenblicke später, während hinter und neben ihm noch Schüsse krachten – denn nichts anderes war jenes Hallen und Knirschen gewesen, das er in halber Ohnmacht vernommen hatte –, fühlte er sich ergriffen, aus dem Block befreit und halb getragen, halb geschleift zwischen zwei Männern, deren Gesichter er nicht zu erkennen vermochte. Der Weg über die Sandfläche schien ihm endlos, er blickte auf die Staubwölkchen, die sich unter seinen stolpernden und gleitenden Füßen erhoben, der Schmerz an seinem Hals brachte ihn einer Ohnmacht nahe, in seinen Schläfen klopfte schwer und träge das Blut, und zugleich horchte er auf die Stimmen, die, bald entfernter, bald näher, in befehlenden, abgerissenen, drohenden, doch immer unverständlichen Worten schrien und sprachen.

Neben sich hörte er auf einmal jemand deutlich: »Schnell, Herr Leutnant! Wir müssen es schaffen!« Die Stimme klang vertraut, und während er noch mit langsam erwachenden Sinnen um Erinnerung bemüht war, hatte man ihn durch ein Tor hindurchgezogen und quer über eine Straße in einen niedrigen, grauen, geschlossenen Wagen hinein, dessen Motor sogleich aufrauschte. Dann fühlte er sich weich und unwiderstehlich dahingetragen, in erneuter Gleichgültigkeit, die sich in seinen Sinnen dunkel ausbreitete wie Ringe in einem

Gewässer. Von Zeit zu Zeit erwachend, erblickte er Landstraßen, Kiefernwälder, Bauern bei der Feldarbeit. Im gelben Nachmittagslicht sah er, daß der Wagen in einen schmalen Waldweg einfuhr, über Wurzeln und Steine hinschwankte und vor einem Forsthause hielt. Wernicke und die anderen führten den Leutnant sanft ins Haus hinein, wo man ihm Kaffee und einen Imbiß bereitete. Man richtete nur wenige Worte an ihn, und er war dankbar dafür. Er erhielt eine Uniform, die die Abzeichen eines höheren Ranges trug, sowie Papiere, die auf den Namen eines Majors B. vom ... ten Artillerieregiment lauteten. In der Tasche des Waffenrocks fühlte er schwer den Kolben einer Pistole 08. Über den Tisch hinweg sah er plötzlich in einem kleinen Spiegel sein Gesicht und erschrak vor dem Abgrund in seinen Augen und dem dünnen, rätselhaften Lächeln, das seinen Mund verzog. Zutiefst gebannt, ruhte sein Blick im Glas, aber in dem schien es zu arbeiten, wie Wolken zog es drüber hin, und bald verblaßte und verschwamm alles vor seinen Augen, so daß er sich abwandte.

Im Wagen breitete Wernicke eine Decke über ihrer beider Knie, und einen Augenblick lang sah Yorck auf dem Schoß des Dieners den kalten, dunklen Stahl einer Maschinenpistole. Sie fuhren in den Abend hinein, Yorck fragte nicht, wohin. Er fühlte sich gestärkt, beruhigt, trotz der Schmerzen am Hals. Beinahe glücklich betrachtete er die Landschaft, in der die fruchttragenden Bäume bewegungslos in einen grünen und goldenen Himmel ragten, und versuchte nicht, Wegweiser oder Ortstafeln zu erkennen.

Allmählich sank die Nacht hernieder. Yorck fiel in einen leichten, fiebrigen Schlummer, in dem sanfte Worte und Gefechtslärm an sein Ohr drangen und Meerlandschaften, die schrecklichen Augen der Henker und Schatten auf kiesbestreuten Wegen vor seiner Stirn vorbeizogen. Etwas beunruhigte ihn wieder, bohrte in ihm, aber er konnte es nicht fassen, er fand kein Wort dafür, und er erwachte und fühlte kalten Schweiß auf der Stirn. Gerade waren sie durch ein Tor in einen Hof eingefahren, an dessen Rückseite die Fassade eines massigen Gebäudes aufragte. Licht fiel von einigen Fenstern auf die Freitreppe, vor der sie hielten. Yorck war wieder ganz wach und sann erregt nach, wann er schon einmal in diesem Hof gestanden hatte, als er am geöffneten Wagenschlag das Gesicht seines väterlichen Freundes, des Freiherrn v. H., erblickte. Eine unbeschreibliche Angst und Freude erfüllte ihn.

»Peter!« rief der Freiherr leise. »Willkommen in meinem Hause!« Er reichte ihm die Hand und fuhr fort: »Noch jemand ist hier, der dich erwartet«, und lächelte dem fragend zu ihm Aufblickenden gütig und verschlagen zu.

Auf den Arm des Freiherrn gestützt, stieg der Leutnant wie im Traum die Treppe empor. Ein Setter strich um seine Knie, die Ampel über der Pforte sah er durch den Nebel jäher Tränen. In einem Zimmer, das er wohl kannte, war ihm schon ein Lager bereitet, in tiefer, froher Benommenheit ging sein schweifender Blick über die Bilder an den Wänden, die Bücher, den schwarzen Stutzflügel, die Kerzen auf dem Tisch.

Ein Diener und Wernicke richteten die Tafel im Nebenzimmer. Der Freiherr sprach leise zu ihnen und verließ den Raum. Yorck stand am Fenster, in dem er undeutlich sein Spiegelbild erblickte. Die Wärme in dem schmalen, langen Gemach schläferte ihn ein, er spürte schwer und schmerzend alle Glieder, und der Kragen seines Waffenrocks beengte qualvoll seinen Hals. Er wußte, daß er nun allein war. Er sah die Gesichter seiner Gefährten vor sich, scherzend, besorgt, schreckensstarr. Das Antlitz des Generalobersten B. tauchte vor ihm auf, mit geschlossenen Augen, wachsgelb, an die Stuhllehne vor dem Schreibtisch hingesunken, während in den Korridoren des Hauses in der Bendlerstraße noch eine verspätete Handgranate krachte. Er sah genau die Rauchringe einer verglimmenden Zigarette, den Blutfaden, der unter dem kurzgeschnittenen grauen Haar des Generalobersten hervortrat. Indem er in dumpfer Betäubung die Fäuste regierungstreuer Soldaten gegen sein Gesicht spürte, hatte er noch immer in das spitz werdende Antlitz des Generalobersten gesehen. Er merkte auf die unbestimmten, erstickten Geräusche des Hauses. Vor dem Fenster, das blind in die Nacht hinausstarrte, musterte er die verletzlichen Schläfen und seine Schultern, die in der Uniform nach unten fielen. Ohne daß er sich die Ereignisse der letzten Jahre im einzelnen ins Gedächtnis zurückgerufen hätte, fühlte er in dieser Stunde, daß eine Last von Zögern, Lähmung und Unklarheit auf seinem Herzen war und seine Kraft überkommen wollte.

Yorck, dies überdenkend, spürte noch den schrägen Blick eines barhäuptigen Franzosen unbestimmten Alters, den man an ihm vorbei mit sieben anderen zum Erschießen geführt hatte. Der Augusttag war blau gewesen. Yorcks Blicke glitten über die Wälder, die in der Ferne flimmerten. Er betrachtete den bestäubten Wegerich, der aus dem Pflaster der Dorfstraße wucherte. Er hörte Schritte und wußte, daß man sie in die Lichtung hinausbrachte. Aufschauend verlor er sich in die kühlen, hellen Augen eines der Gefangenen. Der Ausdruck des scharfen, leicht schielenden Blickes war jenseits aller Verzweiflung, unbeschreiblich versunken, wägend, erkennend. Nur wenige Sekunden hindurch hatten sich ihre Blicke gekreuzt – wie kam es, daß Yorck sich dieser Augen jetzt entsann? Es schien ihm auf einmal, daß er seit dieser Sekunde durchschaut war, daß er wie nackt war vor aller Welt. Er spürte keine Bewegung in sich, nur ein ermüdendes, ja zermalmendes Bewußtwerden, und, ohne sich zu rühren, sagte er zum Fenster hin: »So kann man nicht leben!«

Ein Seufzer schien ihm zu antworten. Er warf sich herum und sah Anna an der Tür stehen. Seine unvorsichtige Bewegung jagte ihm Wellen des Schmerzes durch Kopf und Nacken. Während er sich mit beiden Händen zum Halse griff, entsann er sich der Bemerkung des Freiherrn. Anna, kaum zwanzigjährig, war Yorcks Verlobte. Sie war von süßer und schwacher Schönheit. Mit einem von weit her kommenden Blick schaute er quer durchs Zimmer zu ihr hinüber.

»Peter!« sagte sie mühsam.

Er machte ein paar langsame Schritte. Er betrachtete sie aufmerksam. Dies war Anna, die seine Frau werden sollte. Er dachte mit einer Art düsterer Ungeduld an gewisse mißbilligende Andeutungen älterer Verwandter, wie seltsam es sei, daß ein Yorck von Wartenburg eine Bürgerliche zu ehelichen gedächte, und sei es auch die Tochter eines Konsistorialrates. Sie sah auf zu ihm, der immer noch kein Wort sprach. »Peter!« wiederholte sie. Ihre Augen füllten sich sogleich mit Tränen. Er entsann sich, daß er sie liebte, und küßte sie.

»Es ist alles gut!« sagte er und lauschte seiner Stimme nach, die viel zu laut klang.

»Alles!« fuhr er fort und wandte sich ab. Langsam ging er an den Wänden hin. »Sie kamen rechtzeitig.« Dabei fiel ihm ein, daß er nichts von seinen Gefährten wußte. Bisher war es ihm nicht in den Sinn gekommen, nach ihrem Geschick zu fragen. »Und die anderen?« fragte er, innehaltend. »Was ist aus den anderen geworden?« Sie sah ihn an. Offenbar verstand sie ihn nicht.

Die Tür öffnete sich. Der Freiherr trat ein, gefolgt von dem Diener, der die Tafel gerichtet hatte.

»Darf ich bitten?«

»Was ist mit den anderen?« fragte Yorck zu ihm hinüber.

Der Freiherr, im Begriffe, sich niederzusetzen, sah auf. Er antwortete ausweichend, undeutlich. Yorck fühlte die Schmerzen in seinem Hals auf einmal sehr heftig. Die Atmosphäre über dem Tisch schien sich zu verdichten, trübe und drohend brannten die Kerzen. Der Leutnant lauschte den Worten des Freiherrn, die er nicht verstand, aber etwas hemmte ihn, seine Frage zu wiederholen. Mit ungläubigen Augen, in denen sich plötzliches Grauen regte, sah er den basiliskenhaft gewordenen Blick des anderen. Die Gesichter seiner Gegenüber verzogen sich. Er mußte an ein Stück aus den »Serapionsbrüdern« denken, wo ein Mensch plötzlich einem Fuchs und dann wieder einem Menschen ähnlich sieht. Er legte die Stirn in die Hände.

Als er wieder aufschaute, war der Spuk vorbei. Er mußte über sich lächeln. Sicherlich war seine Übermüdung zu entschuldigen. Er sehnte sich plötzlich danach, allein zu sein, die Lichter zu löschen, traumlos zu schlafen.

Sie aßen schweigend. Der Diener räumte ab und brachte eine Flasche Kirsch. Anna saß regungslos vor einem Glas Wein, das sie kaum berührt hatte. Der Freiherr sprach in kurzen, bestimmten Worten über die militärische Lage, während er eine Zigarre anzündete.

»Wir haben zu spät gehandelt. Die Entschlossenheit, die unsere Namen auf bronzene Standbilder in den Stadtgärten und auf die Seiten der Schulbücher bringt, hat uns jedesmal verlassen, wenn wir sie am notwendigsten brauchten. Ich sage dir, Peter – überall erblicke ich Abgründe. Schon einmal habe ich gesehen, wie sie Knaben schlecht bewaffnet gegen Feuerschlünde schickten. Jeden Tag zerfällt eine Stadt. Und jeden Tag verdunkeln die Schatten von zweihundert Geiseln die im Mittagslicht weißen Mauern. Wer wird uns noch glauben, daß wir das nicht gewollt haben? Ich habe nachgedacht und bin zu Schlüssen gelangt, die dir und den anderen aus deinem Kreis vielleicht unannehmbar erscheinen werden. Wir waren stumpf . . .«

Yorck sah ihn an. Der Freiherr sprach nun halblaut, mit langen Pausen zwischen den Sätzen. Seine rechte Hand fuhr gleichmäßig nach rechts und links über das Tischtuch.

»Stumpf. Oder vielleicht feige. Unter uns gibt es allzu viele Feiglinge mit EK I und Ritterkreuz. Was uns fehlt, ist die Fähigkeit, die Frage neu zu stellen.«

Yorcks Gedanken irrten ab. Er sah sich über einen Feldweg reiten, im weißen Hemd, auf »Apollon«, dem ostpreußischen Hengst, der sich später in Karlshorst das Hüftgelenk zersplittert hatte und den man erschießen mußte. Wann war das doch? Er mußte damals sechzehn oder siebzehn Jahre alt gewesen sein. Wernicke folgte auf der grauen Stute, einen Schritt zurück. »Was war da gestern abend los, Wernicke? All die Leute vor den Remonteställen?« – »Nichts weiter, Herr Graf . . .« Die leichte Verlegenheit in Wernickes Stimme. Damals sagte er noch »Herr Graf«, später nannte er ihn »Herr Leutnant«. – »Immer heraus mit der Sprache.« Yorck ahmte die Sprechweise des Vaters nach. – »Der Verwalter hatte den Folgmann entlassen.« – »Folgmann? Aha, ich weiß schon. Aber das ist doch wohl nicht alles?« Den Kopf halb zurückgewandt, spricht er in den dunkelglühenden Himmel hinein, der über Heide und braunen Roggenfeldern liegt. – »Den Folgmann haben sie geholt, Herr Graf. Er soll gehetzt haben.« – »So ... Sieh einer an ...« – Wie lange waren sie so geritten? Yorck sieht starr zwischen den spielenden Ohren des Pferdes durch. »Wernicke?« – »Herr Graf?« – »Was war eigentlich Ihr Vater?« – »Mein Vater? Heuerling beim gnädigen Herrn, er starb schon anno dreizehn. Blutvergiftung. Die Mutter wohnt ja noch drüben im Heidedorf. Die hält ihre Kate immer noch recht.«

Der Hengst strauchelt. Yorck zieht die Zügel an und wendet sich im Sattel. »Was denken Sie von den Roten, Wernicke? Sprechen Sie aufrichtig.« – »Aber, Herr Graf ... Herr Graf müssen wissen, ich und die Politik ...« – »Nein, Wernicke, das gilt nicht ... Ich hab mal was darüber gelesen, verstanden hab ich's nicht ganz ... Man müßte mehr wissen, Wernicke, wirklich ...« – »Ja, Herr Graf, ich hab noch nicht weiter über das Zeug nachgedacht. Achtzehn, als ich aus dem Felde kam, wählte ich sozialdemokratisch, das sag ich Herrn Graf ganz offen ... Später hab ich's sein lassen, da wählte ich gar nicht mehr.« – »Sagen Sie, Wernicke, glauben Sie, daß das alles einen Sinn hat? Sie und ich ... Ich meine, wozu leben wir eigentlich?« – »Herr Graf stellen schwierige Fragen ... Ich bin man bloß ein ungebildeter Mann. Man lebt, um zu arbeiten. Tut seine Pflicht, nicht? ... Und außerdem ist das alles heutzutage ja sowieso verboten, ja ...« – »Vor vier Jahren, als wir in Berlin waren, Vater und ich, sahen wir einen Kommunistenumzug ... Arbeit und Brot! schrien sie immer. Und: Nieder mit den Kriegsbrandstiftern! ... Das war so komisch für mich. Vater schimpfte. Aber ich merkte doch, wie elend die aussahen. Und so ernst ...« – »Ja, Herr Graf, davon wird es auch nicht besser.« – »Wer weiß ... Man müßte mehr wissen, Wernicke. Sprechen können mit jemand, der sich auskennt ...« Seine Augen sind verschleiert, die Reitgerte trifft den Stiefel. »Ich bin müde, Wernicke. Also, zurück ...«

Yorck sah nun wieder den Freiherrn vor sich, der immer noch sprach. Anna sagte kein Wort, sie hielt den Kopf gesenkt. Mit halbgeschlossenen Augen lauschte Yorck dem Reden seines Freundes, das wie das Rauschen eines Gewässers an sein Ohr drang.

»... die Frage neu stellen. Aber wer stellt sie neu? Bei uns hat keiner den Mut. Oder fehlt es einfach an der Erkenntnis, sagen wir, an der zur Erkenntnis notwendigen Geistesschärfe? Was wir Mut nennen, ist vielleicht nur ein gewisses Quantum an Intelligenz. Ja, bei uns gab es die Suttner, Schönaich, Gerlach ... Aber ich kann den Krieg nicht einfach verwerfen ...« Der Freiherr stand auf. »Die anderen, Peter ... Siehst du, die anderen, ich sage es, weil ich es weiß ... Die in Paris, London, Moskau: sie haben recht mit ihrem Krieg ...« Leise, mit gesenktem Haupt: »Weil wir mit dem unseren unrecht haben.«

Yorck hörte wieder kaum hin. Über seine Augen fiel Bild um Bild wie Falten eines Vorhanges, vage, wechselnd und bezaubernd wie karelisches Nordlicht. Musik tönte dazwischen. Woher kamen diese fernen Trompetenstöße? Leonorenouvertüre. In einem unbegreiflichen goldenen Nebel sah er die Karyatiden der Berliner Philharmonie, die Leuchter ...

Aber auf einmal war er in einem Zimmer. Zwei Männer saßen an einem Tisch. Von Kerzen tropft Wachs auf die ausgebreiteten Karten. Draußen knirscht der Frost in den ostpreußischen Wäldern. Alles das hatte er in Tagträumen schon hundertmal gesehen. Diebitsch beugt sich vor, seine Augen leuchteten, und er sagt (man hört die R rollen): »Ich beglückwünsche Ew. Exzellenz. Darf ich den Entschluß Ew. Exzellenz als den ersten Schritt zu einem Bündnis aller freiheitliebenden Völker Europas werten?«

Der andere wendet sich um. Im Schein des Kaminfeuers, das sein offenes, nun fast lächelndes Gesicht beleuchtet, sieht man ihn nachdrücklich nicken. »Ja, Herr General.« – Diebitsch erhebt sich, seine Augen sind verzückt, er öffnet auf feierliche und ein wenig komische Weise die Arme: »Le nom du général Yorck sera désormais lié à la chute du sanglant Bonaparte. La liberté est en marche. Permettez, que je vous embrasse ...«

Wieder die fernen Trompetenstöße. Oder war es der Beethovensche Yorckmarsch?

Aus seinen Träumen emportauchend, hörte er wie eine Antwort die Worte des Freiherrn: »*Sie* haben es gewagt. Sie gingen bis zum Letzten.«

Eine Pause. Yorck kämpfte gegen das Versinken, sein Hals schmerzte, er war unaussprechlich müde, doch zugleich wußte er, er würde nicht schlafen können.

Der Freiherr sagte: »Seydlitz.«

Yorck blieb stumm. Er lauschte begierig auf alle Laute, die an sein Ohr drangen: das schwere Atmen des Freiherrn, Schritte im Gang, die gedämpft näher kamen und vergingen, den gemächlichen, hohlen Schlag der Standuhr.

»Neu stellen, die Frage: das heißt, Vaterland, Pflicht, Ehre, Eid neu erleben, neu denken. Einmal diese verdammten Türen durchbrechen: Angst vor der Ahnung, dem Denkenmüssen, Furcht um die Privilegien ... Ich las Michelet in diesen Wochen. Der vierte August, weißt du? Diese unerhörte, welterschütternde Nacht, die Grafen und Barone in Bürger eines Landes umbricht. Söhne einer Nation, die sich zur ersten macht, weil sie für die Freiheit aller Nationen kämpft.«

Der Freiherr hatte sich halb erhoben. Yorck sah verwirrt ein unbekanntes Zucken auf seinem Gesicht.

»Das war Frankreich! ... Und wir? Unser SS-Pöbel erschießt die Kinder von Charkow. Sie haben recht, wiederhole ich. Mit Reichstagsabgeordneten, Kommunisten sich an einen Tisch setzen ... Wie weit mußte es erst kommen, daß unsereiner das natürlich fand. Ich habe sie sprechen hören. Still, hör zu ...«

Der Freiherr stand auf, ging zum Apparat hinüber und suchte eine Station. Der Empfänger rauschte, dann kam plötzlich schwach und deutlich das Zeichen des Senders. Der Gott, der Eisen wachsen ließ. Yorck sah die Schule vor sich. Der wollte keine Knechte. Knechte ... Man muß nachdenken. In Blut müssen wir waten bis an die Knöchel, um mit dem Denken zu beginnen.

»Sie stören wieder.« Aus dem Apparat drang Krachen und Heulen. Der Freiherr stellte ab und kam zurück. »Verzeih. Ich denke auch gar nicht an dich. Du mußt schlafen gehen. So bist du also in Sicherheit unter meinem Dache, Peter. Wer weiß, wie lange noch? Bald wirst du weiter müssen. Nun aber schlafe – und denk nicht an morgen. Gute Nacht.«

Er ging, Yorck die Hand drückend. Yorck ging durch die Verbindungstür in das ihm angewiesene Zimmer. Anna brachte ein leises »Gute Nacht« hervor, die ganze Mahlzeit über hatte sie geschwiegen. Yorck seufzte, entkleidete sich langsam, verriegelte die Tür und blies die Kerzen aus. Im Dunkel tastete er, sich erinnernd, noch nach der Pistole, entsicherte sie und legte sie auf einen Stuhl, den er ans Bett rückte. Yorck verbrachte die folgenden Tage auf dem Gut. Sein Zimmer verließ er kaum. Vor dem Fenster sitzend, ließ er seinen Blick über die Seiten des aufgeschlagenen Buches hinweg den Wäldern am Horizont entgegenfliegen. Manchmal blieb Anna bei ihm, er vermochte kaum zu ihr zu sprechen, nur ihre Hand hielt er lange in der seinen. Den Ausblick aus dem Fenster kannte er von seiner Knabenzeit her, unter dem wechselnden Tageslicht traten Stürme und Ahnungen von einst wieder mächtig in sein Herz ein. Über jene Höhen hinweg und durch die blauschattenden Wälder hindurch mußte man auf die breite Straße kommen, die durch die bienentönende Heide zum Meere zog. Er kannte sie besser als alles, was »heute« hieß, inniger als das unsägliche Entsetzen, das ihm in den letzten Jahren so nahe gewesen war. Am Bahndamm wuchs immer noch der Ginster, unter dem er den »Malte Laurids Brigge« gelesen hatte, während aus den vorbeidonnernden Zügen die schwarzen Gesichter der Heizer grüßten.

Am Waldrand abends begegnete man Unbekannten, die freundlich blickend stehenblieben und nach Neuigkeiten aus der Hauptstadt fragten. Die Dörfer lagen im Rauch des Abends, aus den offenen Türen duftete das neue Brot, im Schatten der Scheunen hämmerten die Knechte die Sensen für den morgigen Tag, und hinter den Gardinen lächelten scheu und verloren fremde Mädchen.

Dann kam man von den Straßen ab, ging nur noch auf Feldwegen, die immer heller und sandiger wurden, und als der Pfad einmal auf besondere Weise in den Horizont hinaufstieg, wußte man: das Meer, obwohl es noch nicht gleich das Meer war. Aber der Wind in den Wäldern roch anders, die ersten Dünen kamen auch bald, Brackwasser tauchte auf, und auf einmal mußte man stehenbleiben, lange, lange, und es war gut, daß man allein war. Aber es war überhaupt gut, allein am Meer zu sein, allein im ganz frühen Morgen, in dem die ersten Türme der Segelschiffe am Horizont standen, die See in ungeheuer alter, verschleierter Schönheit ruhte, allein im Mittag, wenn die letzten Badegäste über die splittrigen Laufstege zu ihren Hotels hinaufgestiegen waren, allein am späten Nachmittag, wenn ein feierlich scheidendes Licht die eisernen Verzierungen an den Landungsbrücken verzauberte und die ferne Musik von Kurkapellen ins Erhabene wuchs. Die tragische Gemessenheit des Meeres reinigte das eigene unwägbare Leid, das sonst den Knaben erschreckte und zur Klage trieb. Er empfand undeutlich dieses Leid als untersten Träger seiner Existenz und als Brücke zugleich zu jenem allgemeinen Leid, dessen bestimmte und ruhige Bejahung erst ihm seinen Platz in der Welt zuwies. Im Anblick des Meeres schien ihm die noch leise, aber gewisse Antwort auf die Frage nach dem Sinn des Lebens zu werden, dergestalt, daß er seine Einsamkeit in eine Vielzahl von Einsamkeiten gestellt und in ihr bewahrt zu wissen meinte.

Deutlich zogen die Bilder der Jugend an seiner Stirn vorbei: Ritte im klirrenden Wald, die Pferde straucheln auf dem abschüssigen Weg – plötzliches Weinen im Schoß der Mutter, die nicht fragte und alles wußte – Abende, an denen die Eltern fremd und schön in festlichen Kleidern den Knaben umarmten, während das Haus die Gäste erwartete. Im Musiksalon geht er am geöffneten Flügel vorbei, die Erzieherin bringt ihn in sein Zimmer, rasch versinkt er in Schlaf und erwacht plötzlich im Dunkel: niemals erhört, dringt süßeste Musik durch die Wände. Er weiß, sie spielen das Tschaikowski-Trio und jetzt Brahms, und in unendlicher Geborgenheit sinkt er zurück in den Traum, den noch Musik durchweht.

Und später sah er die drohende Schönheit der Städte, lauschte er dem rascheren Atem fremder Frauen, sprach die Nächte durch und hörte andere sprechen, und die Jugend wollte nie enden. Deutlicher verstand er, daß alles, was sich an ihm vollzog, ihn nur in der einen Richtung bestärken wollte: das Leben näher zu fühlen und dieses stärker Gefühlte ins Große, ja Unvergängliche zu steigern. Die Angst, mit der er in Wernickes Augen geblickt hatte, als er ihm einst auf dem Ritt jene Frage stellte, war nur die letzte Abwehr eines früheren Seins, das er von sich abfallen spürte wie eine verbrauchte Schale. »Ich habe nur ein Leben«, hörte er sich manchmal laut sagen, wenn er allein war. Er las Bücher und sprach Menschen, die er Kameraden und Eltern nicht zeigen durfte. Das Regime verachtete er zunächst stillschweigend in der Weise, die ihm Stand und Familie vorschrieb. Später erst, er war Leutnant und hatte zwei Feldzüge mitgemacht, begann er sich darüber zu verwundern, daß in all seine Überlegungen und in sein Drängen nach einem erfüllteren Leben der Gedanke an die politischen Zustände seines Landes kaum getreten war. Fast gleichzeitig fühlte er, daß er die Diktatur nicht länger aus den gleichen Gründen verachten konnte, sondern daß er sie neuer Erkenntnisse wegen haßte.

Am vierten oder fünften Tage seines Aufenthaltes teilte ihm der Freiherr mit, daß die Geheimpolizei mit ihren Nachforschungen in die Nähe des abseits gelegenen Gutes gelangt und seine schleunige Abreise geboten sei. Er fügte hinzu, daß alles getan worden wäre, um Yorck in endgültige Sicherheit zu bringen. An welchen Platz der Freiherr ihn zu senden gedenke, fragte Yorck ahnungsvoll, worauf jener erwiderte, es gäbe nur eine Rettung: die Durchquerung der deutschen Linien im Osten und die Flucht nach Rußland, wo der dem Tode Entronnene mit den aufständischen Generälen in Verbindung treten würde. Yorck fühlte sein Herz in Freude und Bedrängnis stürmisch schlagen, während er in ruhigen Worten dem Freunde dankte. Der Freiherr versicherte, alles sei aufs beste vorbereitet, die Abreise auf den kommenden Tag festgelegt, die Überquerung der Weichsel gesichert. Als einige Stunden darauf – es dämmerte schon – Anna bei ihm eintrat, schritt er ihr schnell entgegen, um sie von seiner Abreise zu unterrichten. Aber sie neigte das Haupt zum Zeichen, daß sie bereits wisse. Er führte sie zu einem Stuhl in der Nähe des Fensters. »Ich vermute, es wird das Beste sein für dich«, sagte sie förmlich. Er sah, sich vorbeugend, ihre junge und etwas hinfällige Schönheit. Der Kontrast zwischen dunklem Haar und blaugrünen, sehr leuchtenden Augen, ihr durchsichtiger Teint hatten ihn eines Tages bezaubert, ihr etwas gedrücktes, ungesprächiges Wesen belebte immer von neuem seine Teilnahme. Er betrachtete ihre abfallenden Schultern, die schön gebildete Fläche von Wange und Schläfe und fühlte sich unbegreiflich gerührt. Wieder empfand er die leise, fremde Erregung und Niedergeschlagenheit bei dem Gedanken, dieses unbekannte und nie zu erreichende, ihn nie erreichende Wesen zu lieben.

Aber während er zu ihr sprach und ihr die Notwendigkeit seiner Flucht auseinandersetzte, fühlte er, daß sie ihm entglitt. Unwiderruflich, dachte er und wußte nicht, ob er es ausgesprochen hatte. Ihm war, als löse sich ihr Antlitz vor seinen Augen in einen weißen Schaum auf, zusehends vergingen ihre Züge, ohne daß er sie in seinem Innern wiedererstehen zu lassen vermochte. Vielleicht, dachte er, ist Anna nur die Verkörperung eines Lebens, von dem ich für immer Abschied nehmen muß. Entrinnen und wieder entrinnen – nur das ist die Zukunft: Verwandlung und Vergessen.

Er war nicht erstaunt, als er plötzlich ihre Stimme hörte, lauter und erregter, als er sie je zuvor vernommen hatte. Durch den Nebel erschienen ihm ihre Züge wieder deutlicher. Er mußte eine Weile warten, bis es ihm gelang, den Sinn ihrer Worte zu verstehen. »Geh nicht hinüber, Peter!« hörte er sie sagen. »Ich weiß, du wirst mir nicht zurückkehren ... Warum nicht für eine kurze Zeit nach O ...? Dort könntest du unerkannt bleiben, und du weißt, daß du dort sorgende Freunde hast.«

»Wie soll ich dir erklären ...« Er sprach sehr langsam, als erwäge er jedes Wort. »Nicht allein, daß die Straßen nach O ... gesperrt sind, wie die Kundschafter berichten ...« Er schwieg lange. »Mein Weg hinüber zu den andern ist vielleicht die letzte Möglichkeit ...«, sagte er zögernd. Er fühlte ihren verständnislos fragenden Blick. »Das erhöhte Leben«, setzte er mühsam hinzu. Ihr Blick wich nicht von ihm, und mit geschlossenen Augen und einem halben Lächeln schien er, während seine Hand sich abwehrend ausstreckte, seine Worte auslöschen zu wollen.

Er wußte auf einmal, daß er sie verzweifelt liebte und sie verlassen mußte und sie vielleicht nicht wiedersehen dürfte und sie nicht wiedersehen würde. Ihr Gesicht war zu ihm aufgehoben wie das eines Kindes, das begreifen möchte, und sein Blick, der in dieses Gesicht stürzte wie in einen Schacht, löste wie Schichten andere Gesichter unter ihm los, junge und sehr junge, lockende, fragende, wissende, gütige und gefährliche. In ihren schönen, schwachen, ergebenen Augen sah er es sich wie Verrat erheben, und zugleich empfand er ganz sicher, daß sie einem frühen Tode bestimmt war. Aber als er in leisem Grauen, angerührt vom Flügelschlag ahnender Offenbarung, zurücktrat, fand er wieder ihr ursprüngliches Antlitz, angstvoll und ohne Verständnis und voll eines Flehens, das ihm ein tiefes Erbarmen mit ihr eingab. Er drückte sie sanft auf den Sitz nieder, von dem sie sich erhoben hatte, dann kehrte er ans offene Fenster zurück, in das er sich setzte, ein Knie in den verschränkten Händen. Auf den golden strömenden Abend schauend, fühlte er eine starke, verzichtende Ruhe in sich, und sein rückwärts über die Schulter gewendetes Antlitz suchte die Wälder. Die ersten Sterne traten aus der verdunkelten Bläue hervor. Verse gingen ihm durch den Sinn:

> ... Bei meinem Saitenspiele
> Segnet der Sterne Heer
> Die ewigen Gefühle.
> Schlafe! Was willst du mehr?

Halblaut begann er das Gedicht zu sprechen. Eine süße und schmerzende Gewißheit sagte ihm, daß sich an ihm ein Unabwendbares vollziehe und daß die verhängte Zukunft das ihm Notwendige, das Befreiende bereithalte.

> ... Bannst du mich in diese Kühle,
> Gibst kaum im Traum Gehör ...

Als er aus seinen Gedanken zurückfand, war er allein, und das Zimmer lag völlig im Dunkel. Er läutete nach dem Diener, bat um Licht und ließ sich bei dem Freiherrn entschuldigen.

Am nächsten Tag, als das Gesinde beim Essen saß und der glühende Hof im blendenden Licht des Mittags erstarrte, fuhr Yorck ab, von Wernicke und einem Vertrauten des Freiherrn begleitet. Der Freiherr umarmte ihn stumm, Annas Hand lag einen Moment lang kühl und trocken an seinen Lippen.

Man hatte ihm neuerlich falsche Papiere mitgegeben. Auch die Abzeichen an seiner Uniform waren geändert worden. Sein Ausweis lautete diesmal auf den Namen eines Oberleutnant R. im Stab eines Armeekorps, der sich von einer Dienstreise nach Berlin zu seinem Standort im Abschnitt von Sandomierz zurückbegab. Desgleichen war ihr Wagen gewechselt worden. Sie fuhren den ganzen Tag und bis in die Nacht hinein, schliefen im Wagen, den sie in einem Gehölz versteckt hatten, und waren am nächsten Abend in der Nähe der Weichsel. Yorck kannte die Gegend nicht, in ruhiger Betäubung überließ er sich seinen Begleitern und stellte kaum Fragen. Gegen zehn Uhr abends hielten sie mit gelöschten Scheinwerfern an einer Waldlichtung, über die bald zwei Männer auf sie zuschritten. Die beiden, ein Unteroffizier und ein Oberfeldwebel, salutierten straff, ohne daß Yorck in seiner Ermüdung bei der gemurmelten Vorstellung ihre Namen verstand. Sie nahmen im Wagen Platz, der Unteroffizier am Steuer, und rollten noch einige Kilometer mit abgeblendeten Lichtern. Der Vollmond trat selten durch ein bewegtes Meer schwarzer Wolken. Hier und da blinkten Sterne hervor, um gleich wieder in der Schwärze zu verschwinden. Einige Panzer klirrten an ihnen vorbei, von einer Ambulanz gefolgt. In der Ferne hämmerten MGs (wie Spechte, mußte Yorck denken). Weit vorn stampfte russische Artillerie. Ab und zu erschien über fernen Baumwipfeln, die in der Nacht versanken, der Widerschein von Leuchtkugeln.

Sie bogen von der Straße ab, fuhren über holprige Wege. Einmal sah Yorck in der Schwärze Geschützrohre, hörte im Wind den gedehnten Schrei: »Battriee!« und zuckte gleich darauf unter dem Schlag der Abschüsse zusammen. Dann verließen sie den Wagen, Yorck verabschiedete sich von seinen Begleitern und tastete sich, vom Unteroffizier begleitet, das Ufer hinab. Im Dunkel fanden sie das Boot, stießen ab und hörten nach wenigen Minuten den Kiel auf Sand knirschen. Der Unteroffizier flüsterte Yorck einige Worte zu und verschwand mit seinem Boot. Yorck lauschte auf die schwachen Ruderschläge, stolperte hangaufwärts, glitt im nassen Lehm aus und stieß die Schulter an einem niederen Baum. Auf dem Kamm des Hügels stand er kurze Zeit still, ein starker Wind kam in Stößen aus dem Unbekannten und kühlte seine feuchte Stirn. Wie ein

Schlafwandler schritt er in die Nacht hinein. Er achtete nicht auf den Weg und erstarrte erst, als er einen Anruf aus dem Dunkel vor sich vernahm: »Stoj!« Ein gedrungener Mann mit einer Maschinenpistole im Arm schritt auf ihn zu: »Kommandant!« sagte Yorck. Er mußte plötzlich lächeln.

Im Unterstand empfing ihn der Diensthabende. An der lehmverschmierten Uniform sah Yorck im Kerzenlicht eine Reihe von Auszeichnungen. Sie sprachen englisch miteinander. Der Russe ging ans Telefon. Yorck dämmerte auf einem Sitz dahin, bis ein Unteroffizier ihn in die zweite Stellung brachte. Nach kurzem Verhör wies man ihm einen Platz zu.

Die nächsten Tage vergingen mit Fahrt und Aufenthalt. Yorck fühlte sich befreit und ermüdet, eine merkwürdige Schlafsucht war in ihm. Mitten im Gespräch vergingen vor ihm die Gesichter, aber manchmal war er ganz wach, zitternd vor Erregung, als sollte sich ihm nun ein großes Geheimnis erschließen.

Das ungeheure Land glitt an ihm vorbei mit holpernden, staubbedeckten Straßen. Niedergebrannte Kollektivwirtschaften lagen am Wege. In den weißgelben Feldern ratterten die Mähdrescher. Ein nicht abreißender Strom von Panzern, Geschützen, Pontons flutete westwärts an ihnen vorüber. An den Dorfstraßen standen winkende Kinder. Durch zerstörte Städte fuhren sie, Yorck zwischen Schlaf und Wachen, bis er eines Nachmittags, aus schwerem Traum hochfahrend, das Wort »Moskwa« vernahm.

Yorck sah Straßen und Gebäude, die ihm von Abbildungen her wohlbekannt waren. In seine Benommenheit hefteten sich Bilder: Kopftücher in einer Gruppe von Frauen, der Eingang zu einer Station der Untergrundbahn, die Schlote eines Kraftwerks, die Rubinsterne auf den Türmen des Kreml, den er aus dem vorüberfliegenden Wagen erblickte. Er hatte seit langem keine so bewegte Stadt gesehen und erinnerte sich mit zornigem Lächeln der Zeitungsberichte, die behauptet hatten, die feindliche Hauptstadt sei durch die deutschen Flieger völlig zerstört worden. In einem Zimmer stand er dem General gegenüber, dessen Ahnherr einst die Schlachten des großen Friedrich geschlagen hatte. Er sah vertraute Uniformen, gespannte Gesichter, wurde Männern vorgestellt, deren Namen er insgeheim so manches Mal vernommen hatte; Männer einer Partei, die ihm von jeher als der Inbegriff des Vaterlandslosen, des Übels, des unter keinen Umständen Annehmbaren dargestellt worden waren. Tief angerührt hörte er diese Männer Dinge beim Namen nennen, die er nur zu ahnen gewagt hatte, in grenzenlosem Erstaunen begriff er, daß sie die ganzen Jahre hindurch um das gleiche gebangt hatten wie er selbst, nur war alles von ihnen schon ganz durchdacht und entschieden worden. Er dachte an sein Zögern, seine Zweifel und verstand sich kaum mehr. Sie lauschten seinem Bericht. Es fiel ihm schwer zu sprechen, Namen zu nennen, oftmals verwirrte sich wieder alles in ihm. Die Erschöpfung wollte nicht von ihm weichen, obwohl er froh war, unendlich erleichtert. Selten gedachte er seiner Flucht, mit Anstrengung entsann er sich manchmal Annas oder des Freiherrn. Aber die Zeit verwirrte sich ihm, er zählte nicht mehr die Tage, die Wochen, die Monate, und gelegentlich hätte es ihn nicht verwundert, zu erfahren, daß seit seiner Ankunft ein ganzes Jahr verstrichen sei. Er fühlte sich von einer mächtigen Bewegung umgeben wie ein Träumender auf einer Barke. Aus dieser Bewegung leuchtete hier und da ein Antlitz hervor, ein Gespräch, eine Frage, eine Landschaft, in der er sich aufhielt. Manchmal, sich unvorsichtig umwendend, spürte er den Schmerz in seinem Hals, aber an die Umstände, unter denen er sich diese Schmerzen zugezogen hatte, erinnerte er sich nur nebelhaft und ungern.

Irgendeinmal wuchs die Bewegung um ihn ins unermeßliche. Nur allmählich teilte sich Yorck die ganze Erregung seiner Umgebung mit, und erst ungläubig, dann in erschütternder Freude, erfuhr er, die Heimat habe sich erhoben. Nach den eingetroffenen Meldungen zu urteilen, war der Aufstand gleichzeitig in fast allen Teilen des Reiches erfolgt und hatte die Unterstützung der verschiedensten Schichten der Bevölkerung. Arbeiter hatten, mit den aus dem Ausland verschleppten Arbeitssklaven verbündet, Hütten und Minen besetzt, im Odenwald und Spessart hatten sich die Bauern, mit Sensen und Hacken bewaffnet, auf die Städte in Marsch gesetzt, in der Hauptstadt war der Generalstreik erklärt und der Rundfunksender von den Aufständischen in Besitz genommen worden. Die Wehrmacht meuterte an verschiedenen Abschnitten der Front und erhob sich gegen die Prätorianergarden der Diktatur.

Das Haus hallte Tag und Nacht von eilenden Schritten und Gesprächen wider. Kurz darauf verkündeten die alliierten Oberbefehlshaber in einem gemeinsamen Aufruf an ihre Truppen den Beginn der allgemeinen Offensive an allen Fronten.

Nachts jagt Yorck mit mehreren Offizieren nach Westen. Auf den Straßen der Stadt wogen dunkel rufende Menschenmassen, während die Salven der Salutgeschütze sich vielstimmig an den Häuserwänden brechen.

Der nächste Morgen beleuchtet fahl die von jähen Regenstößen geschwärzten Vormarschwege. Durch die zerrissenen, von neuer Sonne beleuchteten Wolken ziehen Jagdgeschwader feindwärts. Links und rechts, über die abgeernteten Felder, preschen die Hundertschaften der Kosaken.

Yorck fühlte das Glück wie eine machtvolle Sicherheit. Die Müdigkeit, die nie ganz von ihm wich, trieb ihn zum Sprechen. Er wollte in diesen Stunden den anderen nahe sein, wie er das erfülltere Leben sich nahe fühlte. Sein Nachbar lächelte ihm zu. Yorck betrachtete neben seiner Wange die Fensterscheibe, an der Regentropfen sich sammelten und vom Winde weggerissen wurden.

».. . und es ergreift ihr Schicksal den, der es leidet und zusieht ...«, sagte er plötzlich laut. Der andere wendet sich zu ihm und beendet, in gedämpftem Ernste lächelnd: ».. . und ergreifet den Völkern das Herz.«

Der Wagen macht eine jähe Schwenkung. Wohin? denkt Yorck, während eine unwiderstehliche Kraft ihn nach rechts drückt. Gibt es denn keinen Halt? Er fühlt einen schrecklichen, nicht enden wollenden Sturz, der ihn blendet, der nicht aufhören will, ihn zu blenden .. .

Er war ganz wach, in dem letzten, furchtbaren Wachsein seines Lebens. Es war die weite Sandfläche, die er zuerst erkannte. Sie war nicht mehr rostrot, sondern von einem Grau, als ob es nie eine Sonne gegeben habe. So war er also nicht befreit worden, hatte nicht zu Anna und dem Freiherrn gesprochen, war nicht in das große Land entkommen, in dem man alles ganz verstanden hatte: Ehre, Treue, Pflicht, Heimat. So war er also nicht zurückgekehrt .. .

Yorck, an der Schwelle des Todes, fühlte keinen Schmerz und hatte keine Furcht mehr. Der Tod hatte ihn zu spät geweckt. Auf der mitleidlosen Fahlheit zu seinen Füßen schaukelten Schatten. Er war der letzte, den sie an den Galgen würden hissen müssen wie eine schwere, dunkle Fahne.

Mit einem unendlichen Blick maß er das Gelände. Gleich würde er den großen Schritt machen. Seitwärts schauend, gewahrte er die Hand seines Henkers, die an der Schraube lag. Wie unter einer Linse, noch einmal, hob sich die erbarmungslose Landschaft dieser Hand seinem Auge entgegen. Er sah die dunkle Behaarung wie gelichtetes Unterholz, die schmutzigen Gruben der Poren, die Schieferteiche der gebrochenen Nägel, Narben und Falten wie die Hieroglyphen der Verruchtheit und eines Lebens ohne Trost.

Aber nichts mehr erreichte ihn. Kein Schmerz war in ihm und keine Enttäuschung. Er war ganz allein, und auf die Hand, die nun die Schraube zu drehen begann, spiegelte sein ruhiger Blick den letzten Widerschein von Städten, Menschen, Gefühlen und Erkenntnissen seines geträumten Lebens.

Nur der Tod des Trägers dieser Erzählung im August 1944 sowie auch sein Name entsprechen den Tatsachen. Alle weiteren Umstände und Personen, von denen hier berichtet wird, sind erfunden. – Es sei ausdrücklich vermerkt, daß diese Erzählung von einer Novelle des Amerikaners Ambrose Bierce angeregt wurde.

Die Zeit der Einsamkeit

Neubert saß gegen zwei Uhr morgens auf seinem Stuhl immer noch in der Haltung, die er nach dem Eintreten und der Begrüßung eingenommen hatte – ein wenig zu weit vom Tisch entfernt, um sicher einschenken zu können. Das Tischtuch war fleckig vom Wein. Die Stuhlkante schnitt ihm ins Fleisch; er dachte: ›Ich bin mager geworden.‹ Die unbequeme Haltung würde ihn daran hindern, sich zu betrinken. Giacometti und der Polizeichef bemerkten es bereits nicht mehr, wenn er von drei Gläsern zwei unter den Tisch goß. ›Ich vertrage nichts. Ich habe niemals viel vertragen. Es ist nicht der Moment, mich wieder einmal selbst auf die Probe zu stellen.‹ Er hatte genug damit zu tun, auf die anderen zu achten und nach einem Ausweg zu suchen. Der Polizeichef war trotz seiner Trunkenheit höflich und nannte ihn »Monsieur Wald«. Giacometti, in Hemdsärmeln, das fettige schwarze Haar aus der Stirn wischend, sagte zu ihm »mein Lieber« und prostete ihm zu.

Vor fünf Stunden noch hatte Neubert geglaubt, er könne keinen Fehler machen. Neubert, seitdem er Dufour getötet hatte, war von einer Art lethargischer Neugier besessen. In dieser Kleinstadt, in der er niemanden kannte – außer dem Mann, bei dem er angelaufen war – und die er am nächsten Morgen zu verlassen beabsichtigte, hatte er ohne Absicht, aber auch ohne jeden Widerstand im »Café des Montagnards« die Bekanntschaft Giacomettis gemacht, der aus Toulon stammte, wie er bereitwillig erzählte, aber schon seit 1920 ein Baugeschäft am Platz betrieb. Giacometti war schwatzhaft und jovial. Jovial gab sich auch Neubert zur eigenen Verwunderung; er glaubte sich selbst zu sehen, wie er, ein wenig müde, mit nachlässiger Behaglichkeit die Fragen des anderen beantwortete; freilich auch ein wenig maulfaul. »Man merkt, daß Sie aus dem Norden sind«, sagte Giacometti und sah ihn an, wie man einen Exoten ansieht. Neubert lächelte und fragte sich, ob in Giacomettis Tonfall eine Spur von Bewunderung gewesen war. Es gab Leute zu dieser Zeit in diesem Lande – nicht viele, aber immer noch genug –, bei denen das Nordische für schick galt. Er dachte auch an die Papiere, die erst seit ein paar Stunden in seiner Tasche steckten, gute Papiere, denen zufolge er François Wald war aus Bitche in Lothringen. Die Photographie war ausgezeichnet, viel besser als das Bild, das auf dem Steckbrief sein würde. Der Steckbrief beunruhigte Neubert kaum. Es gab so viele Steckbriefe in diesem Land und zu dieser Zeit; die Leute sahen kaum noch hin. Wie Giacometti dachte, wäre schwer zu sagen gewesen. Neubert überlegte. In zwei oder drei Stunden hatte der Bauunternehmer gewiß ein paarmal von den Boches gesprochen. Das sagte sich so hin, ohne Leidenschaft, ohne irgendein Interesse, so wie man auch gelegentlich »Armes Frankreich!« sagte und einen schnellen Seufzer folgen ließ. Giacometti, mit seinem olivfarbenen Teint, seiner schwarzen Strähne unter der Baskenmütze, mit der beweglichen Fettleibigkeit eines Mannes nahe Fünfzig, war offenbar einer von denen, die der Politik nicht zugetan waren, weil es sich, alles in allem, nicht lohnte. Man war nicht veranlaßt, ihm volles Vertrauen zu schenken, aber was konnte es schaden, mit ihm im Café des Montagnards zu sitzen.

Als Giacometti ihn später eingeladen hatte, einen Freund zu besuchen, hatte er, ohne sich zu zieren, angenommen. Der 4-Uhr-Zug würde ihm nicht wegfahren. Übrigens sollte der Freund immer ein paar gute Flaschen im Schrank haben, und dazu war heute ein alkoholfreier Tag. Neubert erschrak erst, als Giacometti ihm in der Ferne das Haus zeigte und gleichzeitig von dem Freund als dem Polizeichef sprach. Die nächste halbe Minute hindurch suchte er sich Rechenschaft darüber zu geben, ob er bei der Eröffnung Giacomettis zusammengefahren war. Es war zu spät, nach Entschuldigungen zu suchen und umzukehren. Er hätte mit Sicherheit einen Verdacht erweckt, der sich immer noch vermeiden ließ.

Seit nahezu fünf Stunden saß man jetzt beisammen; man hatte eine Bellote gespielt, man trank und rauchte. Der Polizeichef erzählte von dem Geiz seiner Schwiegereltern, die ihren Wein in der Gegend von Montpellier bauten und gerade ihre Tochter als unerwünschten Besuch hatten aufnehmen müssen. Giacometti fragte den Polizeichef, wann der Krieg zu Ende sein würde. Der Polizeichef wußte es nicht; er fügte hinzu, man habe den Eindruck, daß die Gegner gleich stark seien. Neubert dachte: Diese Antwort entspricht nicht deinen Vorschriften, mein Lieber, wo bleibt da die Neue Ordnung? Er dachte das und noch anderes, nur um nicht an das Eigentliche denken zu müssen: daß er, der Gesuchte, freiwillig zu einem Polizeivorsteher gegangen war, um mit ihm zu trinken. Der Polizeichef fragte ihn jetzt nach Lothringen, wo Neubert nie gewesen war; er war vierunddreißig nach Holland geflüchtet und von da später nach Paris gegangen. Neubert sprach von Bitche und Forbach – die Namen kannte er von der Karte, außerdem waren sie zu Beginn des Krieges manchmal in den Heeresberichten aufgetaucht – und erzählte dann ein paar Schmugglergeschichten, die er irgendwo gehört hatte. Die beiden anderen waren unaufmerksam. Neubert kam es auf einmal zum Bewußtsein, wie heiß es im Zimmer war. Er saß immer noch auf der Stuhlkante, um wach zu bleiben, und spürte, daß seine Beine zitterten. Eigentlich war es lächerlich, daß Giacometti und der Polizeichef seinen norddeutschen Akzent für Lothringer Französisch hielten. Lächerlich war Giacomettis verschwitztes Gesicht, das schmutzige Tischtuch, er selbst auf der Stuhlkante, alles, nur nicht die Nacht, die ohne Laut vor den Fenstern stand.

Sie können mich nicht erkannt haben, sagte sich Neubert. Der Steckbrief ist vielleicht schon gedruckt, in dreißig Stunden kann viel geschehen, hier am Ort ist er jedenfalls noch nicht. Er sah Dufour hinter der Tür liegen, massig, mit eingeknickten Armen, mindestens so schwer wie Giacometti, aber fast einen Kopf größer. Er überraschte sich dabei, wie er die Zähne fletschte, als er an Dufour dachte, und er warf einen Blick auf die beiden Partner, die seiner nicht achteten und sich tiefsinnig-trunken in die Augen sahen. Der Polizeichef hatte begonnen, eindeutige Geschichten zu erzählen, Giacometti gluckste und rollte eine Zigarette. Neubert versuchte, bei den Pointen rechtzeitig zu lachen. Der Polizeichef quälte sich hinter dem Tisch hervor, schlurfte kichernd durchs Zimmer und begann in einer Ecke gebückt etwas zu suchen. »Monsieur Wald, das müssen Sie sehen!« Neubert dachte: Pornographische Postkarten, etwas anderes kann ihm jetzt nicht eingefallen sein. Er stand auf und schwankte auf unsicheren Beinen. Es tat gut, nicht mehr auf der Stuhlkante sitzen zu müssen. Der Polizeichef stand immer noch gebückt in der dunklen Ecke.

Neubert spürte den scharfen Stoß im Rücken und brauchte sich nicht umzudrehen, um zu wissen, daß es ein Pistolenlauf war. Er hob die Arme, noch ehe er den lauten, geschäftsmäßigen Befehl Giacomettis hörte. »Sieh seine Taschen durch. Vielleicht hat er eine Kanone bei sich«, sagte Giacometti. Der Polizeichef gehorchte, als sei er sein Untergebener. »Nein, er hat keinen Revolver«, sagte er und schneuzte sich. Giacometti ging um Neubert herum und stellte sich vor ihm auf. Neubert sah abwechselnd auf den Pistolenlauf, der ihm in den Magen stieß, und in Giacomettis Gesicht, in dem keine Spur von Trunkenheit mehr war. Giacometti riß ihm die Brieftasche aus dem Rock und warf einen Blick auf die Papiere. »Wir wissen, wer du bist!« Neubert sah ihn an. Also hatten sie Dufour schon gefunden, also gab es schon einen Steckbrief, also hatte der Zettel an der Tür nichts genützt oder hatte jemand gewußt, wohin Dufour gegangen war. »Wald, François. So etwas suchen wir doch wegen antinationaler Propaganda. Irgendein Elsässer, der sich in der Gegend herumtreibt.« In Neubert war alles unheimlich still, in seiner Brust fühlte er eine taube Stelle, die breiter wurde wie Ringe in einem Wasser, in das ein Stein gefallen ist. Dufour lag noch hinter der Tür, ein Bündel Verwesung in zerknüllten Kleidern.

»Sie irren sich«, sagte Neubert laut und hörte seine Stimme, die auch taub klang, unmenschlich, wie von einem Mechanismus erzeugt, »ich bin Lothringer.« Giacometti sah gelangweilt aus. »Elsässer, Lothringer, Lothringer, Elsässer ... Hat sich was! Bei dir sind wir richtig, oder ich will Wald heißen. Außerdem irre ich mich nie. Wir haben genug Scherereien mit deinesgleichen gehabt in den letzten Monaten, und dabei nichts wie Ärger, immer danebengegriffen. Daß ich dir das sage, beweist schon, daß du dein Testament machen kannst. Du wirst das mit der Gestapo ausmachen oder mit der Miliz. Natürlich irre ich mich ...« Seine Miene zeigte aufrichtigen Ekel. Neubert sagte zu sich selbst: ›Beinahe wünschte ich, er hätte recht. Ich brauche nur noch eine Gelegenheit, der zu sein, den Giacometti in mir sieht.‹

»Und so etwas setzt sich ins Café des Montagnards«, sagte Giacometti, »und so etwas spielt mit uns Bellote und gießt unseren Wein unter den Tisch.« Er zeigte mit dem Lauf der Waffe, daß Neubert vorangehen sollte. Draußen war es noch Nacht.

Man hatte ihm alles gelassen; ein Versteck für das Messer war gefunden. Heute früh hatte er den zweiten Strich in die Wand geritzt, neben die Monogramme und Flüche der Vagabunden und die Schreie der Verzweiflung und Zuversicht der Unbekannten, die vor ihm die Zelle bewohnt hatten: Vive la France, Es lebe die Rote Armee, Tod den Verrätern, Victoire ... Die sechsunddreißig Stunden hatten genügt, um ihn davon zu überzeugen, daß der Gendarm, der die Zelle aufschloß, kein schlechter Kerl war. Neubert hatte keinen Tabak bei sich, seine letzten Zigaretten waren auf dem Tisch des Polizeichefs liegengeblieben. Er mußte einfach etwas zu rauchen haben.

Gerade jetzt, dachte er – das hatte nichts mit dem Tabak zu tun, sondern mit seinem Vorhaben. Vier Wochen, dachte er, vier Wochen hätten genügt. Dann hätte es mir gleich sein können! Gerade jetzt! und Vier Wochen!, das wiederholte sich in seinen Schläfen, blitzte vor seinen Augen wie die Speichen eines Rades. Wenn es wieder Nacht würde, mußte Dufour wiederkommen, wie er quer vor der Tür lag, und Magdas Gesicht, weiß und fremd, in das er hineinredete, mit dem er rechtete. Das Fenster war leicht zu erreichen. Die Zelle lag im Erdgeschoß an der Rückseite des zweistöckigen Gebäudes, in dem anscheinend einige Büros der Gendarmerie untergebracht waren. Draußen wuchs hohes Gras, das Gelände lief flach über fünfzig Meter zu einer nicht sehr hohen Mauer hin, deren Kante man im Sprung vielleicht festhalten könnte. Es war nicht zu erkennen, ob sie mit Scherben besetzt war.

Der Gendarm sprach abends wieder seine drei, vier Sätze. Er sagte jedesmal irgendwelche Unerheblichkeiten, ohne sich direkt an Neubert zu wenden. Er sprach, im Ton bärbeißigen Bedauerns, gewissermaßen in die Luft hinein; es war immer etwas von den schlechten Zeiten, vom Wetter, vom Fraß. Diesmal antwortete Neubert. Er fragte einfach nach Zigaretten. Der Gendarm sah ihn an. Neubert zog den Füllfederhalter aus der Tasche, legte ihn dem anderen in die Hand, der Gendarm ging.

Neubert spürte auf der Pritsche den Abendhauch, der durchs Fenster unter der Decke hinzog und an den Wänden herabglitt. Es begann zu dunkeln. Er hörte Schritte im Freien, das Gebrüll von Rindern. Plötzlich sah er einen Wald an der Decke, massiges Gehölz, das sich in Nebel hüllte; er sah sich selbst, wie er zwischen den Stämmen verschwand. Und daneben erschien nun wie in einer Fibel, Buchstabe um Buchstabe, das Wort WALD. In welche Existenz war er da eingetreten, welches Schicksal war ihm hier auferlegt worden? Er hätte ihm recht sein können, dieser Platz, den er einnahm, dieser Tod, den er für seinen unbekannten Feind seiner Feinde sterben sollte. Aber da war noch sein Plan und etwas, was Adresse zwei hieß, und darum lag sein Messer nun in einer Vertiefung der Wand, darum hatte er die Stäbe geprüft und den Abstand zur Mauer drüben. Und bis zu diesem angeeigneten Tode die Begegnungen mit der toten Magda, das Abwägen fremder und eigener Schuld, die stummen, bitteren Gespräche, in denen es immer wieder Raum für Entgegnungen gab – das war am wenigsten zu ertragen, daß es hier keine Lösung, keine Versöhnung geben sollte. Er hatte Dufour getötet, aber die Erniedrigung war geblieben. Die Erniedrigung lebt in dieser Welt, füllt sie aus wie ein sattes Tier seine Höhle. Er entsann sich der Zeit der Verhaftung, vier Tage nach dem Reichstagsbrand. Man trieb sie mit Hetzpeitschen und Stahlruten durch die Gänge der Kaserne. Sie waren halbnackt, und Neubert riß die Augen auf, um vor seinem versagenden Blick Karls schwarzen Rücken zucken zu sehen. Orton, der Kommissar der ersten Kompanie, der später beim Rückzug von Belchite gefallen war, hatte ihm einmal erzählt, wie er den Dritten Grad erlitten hatte. Orton, ein fröhlicher blonder Vierziger, war damals Parteiorganisator in Kalifornien gewesen. Um diese Zeit verbarrikadierten sich Orton und seine Frau jede Nacht. Er schlief im Lehnstuhl neben dem Feuer, das Gewehr über den Knien. Sie hatten ihn doch gekriegt, und er mußte durch den Dritten Grad. Sie pumpten ihm Wasser in den Bauch, bis er einer Trommel glich. Der Polizist, der ihm erst den Kiefer brach und dann die Nase zuhielt, hieß Wills. Neubert dachte, wie merkwürdig es sei, daß er sich dieses Namens zu entsinnen wußte, während Orton schon seit Jahren bei Belchite verscharrt lag.

Er fuhr an einem Sommerabend mit dem Rad die Straße entlang, die von der Ferme La Barbastie, auf der er damals arbeitete, genau zweiundzwanzig Kilometer bis zum Marktplatz von V. hinunterlief. Die Straße zog sich in weiten, schönen Schwingungen durch das Hügelland, erreichte bald ihren höchsten Punkt, von dem man weit hinaussah bis über die Türme der Kathedrale von V. Neubert pflegte jedesmal auf der Höhe ein paar Minuten zu halten; dann blickte er hinüber in das blaue Auf und Ab der vulkanischen Kuppen, auf denen zerfallene Kastelle standen, hinab in die reiche, herzbewegende Ebene. Der Himmel war von tiefer, furchterregender Bläue, und dieser dunkle Glanz quoll und strömte wie aus einer mächtigen Wunde des Universums. Neubert da oben im Höhenwind hätte nicht zu sagen vermocht, was eigentlich ihn da festhielt. Er dachte an die Gegenwart der Mörder, an das, was man Heimat nennt und was der Vergangenheit angehörte, an Magda, die irgendwo da unten im Dunst der Ebene war – an Menschen und Umstände, ohne seine Gedanken ordnen zu können oder zu wollen; während des Weiterfahrens, in dem nun folgenden Selbstgespräch bezeichnete er verzerrten Mundes diese Momente als eine Übung, als die Technik der schönen Erinnerung. Er fand sich mit diesem Titel ab, obwohl er wußte, daß er das Wesen der Sache nicht traf. Die Ebene und die Höhen, deren dichte Besiedlung man mehr erriet als wahrnahm und deren unsichtbare Belebtheit eine hohe, beweiskräftige Bedeutung annehmen wollte, bildeten ein lieblich-verhängnisvolles Panorama von verräterischer Beständigkeit: auf ihm vollzog sich im Donner der Dekrete und Geschütze der Triumph der alten Gesellschaft, und jede Sekunde Erhabenheit bedeutete, wenn nicht die Hinrichtung eines lebendigen Herzens, so doch den Tod eines Gefühls. Magdas blasses Gesicht, das sich aus seinen Gedanken nicht mehr verdrängen ließ, sobald es sich gezeigt hatte, war das anklägerische Wahrzeichen dieser Vorgänge: in ihm war eingezeichnet die Furcht, die Entfremdung, die Vereinsamung.

Eine halbe Stunde später fuhr Neubert über den Marktplatz, der an solchen Abenden als Korso diente. Magda wohnte ein Stück weiter, in einem der alten Häuser, die um die Kathedrale standen. Sie war mit den ersten Flüchtlingen im Sommer 1940 nach V. gekommen und hatte ein gutes Quartier erhalten. Man erreichte das Zimmer im zweiten Stock über die kühle Hintertreppe; von seinen Fenstern sah man in eine enge, wenig belebte Gasse hinab. Die Vermieterin, eine taube, schreiende Siebzigerin, ließ sich nie blicken.

Neubert verdiente auf den Höfen und in den großen Gärtnereien der Umgebung seine dreihundert Franken im Monat, was lächerlich wenig war. Aber man hätte es schlechter treffen können – er hatte sein Essen, brachte am Wochenende stets ein paar Eier und einen Käse nach Hause, und für die Miete kam die Stadt auf; ganz davon zu schweigen, daß eben alles besser war als das Lager. Er hätte in den größeren Städten in einem Betrieb mehr verdienen können, aber er wollte nicht in ihre Kriegsmaschine einsteigen. Magda war nach zwei Operationen kränklich geblieben, sie ermüdete leicht; hier hatte sie etwas zu essen, während die Leute in den größeren Städten beim Anstehen zusammenbrachen; hier erfreute sie sich auch einer gewissen Ruhe, denn nur selten geschah es, daß die schweren Lastwagen mit Deutschen oder singender Miliz vorbeidröhnten und die Stadt vereiste. Dabei wurde Neubert das Gefühl einer bitteren Vergeblichkeit nicht los. Die Verbindung zu den Genossen war abgerissen. In dem Strudel, der das Land erfaßt hatte, fühlte er sich unablässig an ihnen vorbeigetrieben; und zugleich mußte er sich gestehen, daß er sie nicht suchte. Er lebte nicht, er lebte hin, und nicht anders stand es um Magda. Sie begrüßte ihn mit leiser, freudiger Geschäftigkeit an jedem Samstagabend, wenn er das Rad in die Küche stellte. Aber sie beide waren müde, er sah auf seine verarbeiteten Hände, in ihr weißes Gesicht, in dem sich der Mund allzuoft nach unten zog. Wenn sie durchs Zimmer ging, bemerkte er die schiefen Absätze ihrer Schuhe und kleine Nachlässigkeiten in ihrer Kleidung. Eben noch war sie eine hübsche und elegante Frau gewesen, der man auf der Straße mit den Blicken gefolgt war. Es lag nicht nur daran, daß man heutzutage kaum einen Schuhmacher fand, der nicht die Achseln zuckte, wenn man in die Werkstatt trat. Neubert atmete in dem heißen, hohen Zimmer, auf den staubigen Straßen die Luft der Selbstaufgabe, und er erschrak kaum darüber, daß seine Lungen sich mit ihr abfanden.

An jenem Abend, nachdem der Tisch abgeräumt war, sagte ihm Magda, daß sie schwanger sei. Neubert sah betroffen vor sich hin. Sie hatten nie Kinder gehabt, weil sie immer geglaubt hatten, Emigranten dürften keine haben. Viele ihrer Freunde dachten anders. Gut, diese Meinungsverschiedenheiten gehörten bereits einer fremden Zeit an; Neubert wäre heute geneigt gewesen, den anderen recht zu geben. Die hatten, wenn sie noch am Leben waren, etwas, das sich schon gekräftigt hatte an einer vier- oder acht- oder zehnjährigen Existenz ohne Erbarmen, etwas, wofür zu kämpfen sich lohnte. Neubert aber konnte in diesem Moment nur Magdas Schwangerschaft und Entbindung sich vorstellen und ein allzu verletzliches, verteidigungsloses Leben. Er sah seine Schuld. Magda sprach von ungefährlichen Mitteln. Hätte er sich nicht verwundern müssen über sie, die ohne äußeren Zwang und ohne Beeinflussung von diesem Ausweg sprach? Neubert aber widersprach nur, und er sprach in dem Bewußtsein, daß diese Minute andere Worte erforderte, die er doch nicht finden konnte. Er sagte: »Es wäre doch eigentlich schön«; er sagte: »Auf keinen Fall einen Eingriff!«; er sagte: »Du wirst sehen, wir werden auch so weiterkommen.« Auch Magda redete weiter, leise, in abgebrochenen Sätzen. Es war, als seien beide durch Kilometer getrennt oder als sprächen sie mit sich selbst. Neubert hatte eigentlich Angst. Und das, was er in Magdas Augen sah, schien ihm gerade die gleiche Angst zu sein.

Der Gendarm hatte ihm am nächsten Morgen zehn Zigaretten, ein paar Streichhölzer und ein Stück Reibfläche zugesteckt. Neubert lag rauchend auf der Pritsche. Er hatte nachts begonnen, mit dem Messer und dem aufklappbaren Pfriem die Stäbe zu lockern. Es ging langsam, aber es war möglich. Die Stäbe waren flach, von geringem Durchmesser, der Zement bröckelte. Neubert konnte nicht warten. Sie würden ihn weitertransportieren, oder die Miliz würde ihn herausholen und ein paar Kilometer weiter an einen Chausseebaum hängen. Der Tabak machte ihm den Kopf klar, er freute sich, wie ruhig und schnell zugleich er zu denken vermochte. Er drückte den Stummel aus und steckte ihn in die Tasche. Als der Schlüssel sich im Schloß rührte, sprang er auf. Diese neue Freundschaft mußte man pflegen. Aber es war nicht der Gendarm, es war Giacometti, der die Tür hinter sich zumachte. Er sah Neubert an, mit einem undeutbaren Blick, der nicht ohne Wohlwollen war.

»Sie handeln mit Füllfederhaltern, Monsieur Wald?«

Er sprach leise, ohne Spott, mit einem kaum merkbaren Zögern. Dann begann er zu lächeln.

»Oder fragen wir lieber: Sie rauchen gern?«

Neubert hätte nicht antworten können, selbst wenn er es gewollt hätte. Giacomettis Schlag kam blitzschnell, von unten her, und traf ihn in die Nieren. Neubert krümmte sich zusammen, und Giacometti brachte ihn mit einem Tritt gegen das Schienbein zu Fall. Der Tritt war schlimmer als der Schlag; Neubert hörte durch das Dröhnen in seinem Kopf, wie Giacometti im gleichen Ton, fast nachdenklich, sagte: »Nein, das war nichts; versuchen wir es einmal anders . . .«

Neubert spürte, wie man ihn hochzerrte. Giacometti hatte ihn mit einer Faust am Rock vor der Brust gepackt und stellte ihn auf die Füße. Merkwürdig stark war dieser dicke Mann. Er schlug Neubert noch einmal mit zwei Hieben gegen das Kinn zu Boden. An die Kehle, dachte Neubert, mit dem Messer; aber es war gut, daß das Messer in der Vertiefung lag. Neubert wollte nichts als leben, und darum hingen seine Hände schlaff an den Seiten, als Giacometti ihn gegen die Wand lehnte. »Von euch lassen wir nicht so viel übrig . . .«

Giacometti sprach mit unveränderter Gelassenheit. Er ging um Neubert herum wie ein Handwerker um ein Werkstück. Schließlich holte er ihm den Rest der Zigaretten aus der Tasche und ging. Neubert stand noch immer an die Wand gelehnt. Er schluckte das Blut, das ihm im Munde zusammenlief, er hatte Angst vor dem ersten Schritt. Das Bein schmerzte, als habe man es mit Eisenstangen zerschlagen. Er trat von der Wand weg und fiel wie ein Pfahl nach vorn. Es tat gut, das Gesicht an den kalten Steinboden zu legen. Einen Moment lang fürchtete er, nie mehr gehen zu können, aber er wußte, daß das Unsinn war. Er kroch zur Pritsche hinüber und zog sich an ihr hoch. »Von euch lassen wir nicht so viel übrig.« Neubert dachte an die kommende Nacht, in der er nicht untätig bleiben durfte.

»Nein, sie hat mir nicht das mindeste angedeutet«, sagte Neubert. Und er fügte hinzu, während er mit großer Anstrengung dem Arzt in die Augen sah: »Ich hätte natürlich nie meine Zustimmung gegeben.«

Der Arzt nickte und wandte sich ab. In seinem Notizbuch blätternd, erklärte er Neubert noch einmal, daß jede unmittelbare Gefahr gebannt sei, aber Magda strenger Bettruhe bedürfe. Neubert hörte, wie hinter seinem Rücken eine Nachbarin, die Frau des Photographen aus dem Erdgeschoß, sich leise mit der Kranken unterhielt.

Das war das erste, was Neubert an einem der nächsten Samstage erblickt hatte, als er sein Rad die Treppe hinauftrug – die Nachbarin, die mit einem Krug in der Hand in der offenen Tür stand, und neben ihr den Arzt. Er hatte seine Visite gerade beendet und war schon im Fortgehen begriffen gewesen.

»Übrigens, mein Lieber«, sagte er jetzt, »haben Sie beide Glück gehabt: dem Kind ist nichts geschehen.« Er stockte und sah schräg vor sich nieder. »Ich begreife Ihre Lage. Aber der Krieg kann nicht ewig dauern. Ihre ›Landsleute‹« (er dehnte das Wort und sah Neubert mit einem guten Blick ins Gesicht) »werden schneller verschwinden, als sie gekommen sind.«

Neubert war ihm dankbar. Gewiß, das Leben ging weiter, auch für Magda und ihn selbst. Er empfand mit Verwunderung, wie eine Welle von Zuversicht in ihm emporstieg. Das Zimmer erschien ihm auf einmal hell. Er setzte sich an Magdas Bett und streichelte ihre Hände.

»Du darfst das nicht noch einmal tun«, sagte er.

Sie lächelte schwach, mit herabgezogenem Mundwinkel.

Er stand auf. Er wußte nicht, was er mit sich anfangen sollte, und begann, das Abendessen zu richten. Sie sah ihm zu, auch später, als er sich an den Tisch setzte. Nein, sie sei nicht müde. Neubert fragte sie, ob er ihr ein wenig vorlesen solle. Sie nickte, und er nahm das Buch, das auf dem Stuhl neben dem Bett lag. Während er las, spürte er ihren Blick unverwandt auf sich gerichtet.

»Ich muß mit dir reden!«

Ihre Stimme klang unerwartet stark. Er schloß das Buch, aber seine Augen blieben gesenkt, auf der Höhe der Seiten. Neubert hörte, wie sein Herzschlag unerträglich laut in die gleichmäßigen, verworrenen Geräusche des Sommerabends fiel.

»Ich habe nur dich . . .«

Dieser Aufschrei war nur mehr ein Flüstern. Neubert wußte auf einmal, daß in den nächsten Minuten etwas geschehen würde, dem er nicht gewachsen sein konnte, obwohl alles in seinen Sinnen und Nerven Alarm rief.

»Ich darf dieses Kind nicht haben! Ich darf nicht, hörst du? Es ist nicht deines. Es ist nicht meines . . .«

Neubert saß bewegungslos. In einem Universum, das mit taumelnden, fallenden, aufgeschreckt stürzenden Worten gefüllt war, Worten, die er manchmal zu spät, manchmal gar nicht verstand, mußte er versuchen, aufrecht zu bleiben inmitten von Wänden auch, die zu fließen schienen mit den Schatten der an den Fenstern hinschießenden Schwalben.

Vor mehr als einem Vierteljahr hatte jemand an ihre Tür geklopft. Der Besucher, ein Beamter der Präfektur, hatte mit einigen Höflichkeitsphrasen begonnen, um dann mitzuteilen, daß die Präfektur zur Zeit gewisse Erhebungen unter den in ihrem Amtsbereich ansässigen Ausländern anstelle. Es folgten mehrere in zerstreutem Ton gestellte Fragen; wenn Magda antwortete, warf der Mann einige Notizen auf einen Zettel, öfter noch beschäftigte er sich mit dem Zeichnen von Ornamenten und Figuren. Lange Pausen entstanden. Der Beamte sah vor sich nieder, ab und zu sah er Magda ins Gesicht mit einem Blick, der zuerst ihren Augen ausgewichen war, dann aber allmählich sicherer, mit einem Ausdruck von frechmitleidiger Zudringlichkeit an ihrem Antlitz gehaftet hatte. Magda fühlte nichts außer der Beklemmung, die ein Ausländer in diesen Tagen, da jeder ohne Ausnahme schuldig war, dem Angehörigen einer Behörde gegenüber empfinden mußte. Der Mann seufzte höflich und begann, von der Schwere der Zeit zu sprechen. Magda wich aus.

»Sie, als Jüdin . . .«

Es hatte sie doch überrascht, obwohl sie seit langem sich auf diesen Moment vorbereitet hatte. Nichts in ihren Papieren wies auf ihre

Abstammung hin, die amtlichen Aufforderungen zur freiwilligen Meldung hatte sie bisher ignoriert, außerdem war sie die Frau eines nichtjüdischen Mannes. Sie mußte blaß geworden sein, denn sie hörte ihr Gegenüber sagen:

»Ah, la pauvre jolie dame ... Nun, nun, es wird schon nicht so schlimm werden.«

Magda hatte an die Gerüchte über Deportierungen gedacht, die zäh und undeutlich in das Städtchen gesickert waren. Sie dachte auch an alles, was sie zu verteidigen hatte.

»Man hat Sie ja bisher kaum belästigt. Dabei müßte Ihr Mann eigentlich woanders sein, wenn es mit rechten Dingen zuginge ...«

Seine Stimme klang gutmütig, wenn man wollte. Magda schloß eine Sekunde lang die Augen. Auch das wußten sie also, daß Neubert in Spanien gewesen war.

»Aber es geht sozusagen nicht mit rechten Dingen zu, weil Ihre Sache in meinen Händen liegt, in, ich darf es wohl sagen, guten Händen ...«

Magda sah unwillkürlich auf diese Hände, die plump, muskulös, mit kurzen, rauchverfärbten Nägeln besetzt, auf dem Tisch ruhten. Und während er im Aufstehen halblaut und galant hinzufügte: »Und versuchen Sie, ein bißchen nett zu sein«, lächelte sie wie blind in sein Gesicht hinein, weil auch er lächelte und weil es ein Lächeln war.

Sechs Tage darauf war er wiedergekommen. Er ging mit selbstverständlicher Sicherheit durch das Zimmer und setzte sich auf den Stuhl zwischen Tisch und Fenster wie beim erstenmal. Und wie beim erstenmal suchte er nach Papieren in seiner Aktentasche und erklärte, weitere Fragen stellen zu wollen.

Magda lauschte dieser gönnerhaften, gemächlichen Stimme eines Provinzschwerenöters wie unter einem Alp. Der frühe Nachmittag drang süßlich und feucht in den Raum. Magda dachte an Neubert, wie er im grillenschwirrenden Licht, die Ochsen mit eintönigen Rufen antreibend, auf der Mähmaschine saß. Der Mann am Tisch ließ sich Zeit. Er überlas zum zwanzigstenmal ein maschinegeschriebenes Dokument, rauchte eine Zigarette, sah sich im Zimmer um und ließ immer öfter sein gieriges Lächeln zu Magda hinübergehen. Wie ohne Absicht griff er nach ihrer Hand, die sie ihm entzog, und beantwortete ihre Geste mit einem erneuten Lächeln, das Vorwurf und Resignation ausdrückte.

Plötzlich war er aufgestanden, und seine Hände lagen auf ihren Schultern. Sie versuchte ihm auszuweichen, floh um den Tisch und hörte durch einen Nebel von widerstrebender Schwäche sinnlose, drohend-zärtliche Worte, die aus einem großen, geröteten, gleichsam verwischten Gesicht kamen. Sie standen neben dem offenen Fenster, als er sie umfaßte. Einen Moment lang sah sie in die leere Gassenschlucht hinab. Ich müßte nur einmal schreien, dachte sie. Aber etwas hielt sie davon zurück. Sie schloß die Augen und schlug blindlings in das Gesicht, das ihre Wange mit feuchten Lippen streifte. Dann wollte sie die Tür gewinnen, aber der Mann war schneller als sie; sie hörte wie er den Schlüssel umdrehte und ihn auf den Boden warf. Wieder mußte sie sich gegen die unsichtbaren Hände wehren, die von allen Seiten nach ihr griffen. Sie hörte nichts als ihren eigenen Atem und das zornige, beschwörende Flüstern über ihr. Nein, sie durfte nicht rufen. Skandal, dachte sie dann, Skandal, keinen Skandal . . . Und das lächerliche, verbrauchte, jeden Sinnes entleerte Wort schaukelte, stieg in ihrem schwindenden Bewußtsein hoch wie eine träge Blase in einem Wasser. Sie schlug wieder nach dem Mann, während er sie gegen das Bett drängte. Und sie hörte sein schreiendes, heiseres Flüstern, das nichts mehr war als Wut und Gier: »Judenschickse! Stell dich nicht so an, du, mit deinem Bolschewisten! Oder soll ich dich durch den Kamin schicken?«

Sie verstand die Drohungen nur zur Hälfte. Als er sie über das Bett schleuderte, sah sie Neuberts Gesicht wie am Ende einer Woche, verzweifelt, müde, ausgehöhlt von Unfrieden und Entfremdung. Sie fühlte einen unaussprechlichen, lähmenden Schmerz. Wozu, dachte sie, wozu auch. Das Wort, als sei es an die Wand da drüben geschrieben, stand vor ihrem Blick wie eine Leuchtschrift. Es blinkte auf und erlosch: wozu, wozu . . .

Neubert lag auf der Pritsche und dachte daran, wie er Ernst getroffen hatte. Er war eines Nachmittags auf dem großen Platz gewesen, zwei Wochen vielleicht nach dem Tag, da er bei Magda den Arzt angetroffen hatte. Sie hatten sich auf eine Bank gesetzt, und nach zehn Minuten wußte er, woran er mit Ernst war, daß Ernst all das vorstellte, worauf er so lange gewartet hatte. Er erfuhr von Genossen, die man verhaftet hatte, andere waren bei der Arbeit; er stellte keine überflüssigen Fragen, er wußte, daß er so viel erfuhr,

wie zu verantworten war, es war eigentlich alles natürlich und gewohnt. Ernst fragte nach Magdas, nach seinem Befinden mit der
ruhigen, herzlichen Wärme, die Neubert an ihm kannte, aber er
vermochte nur an Ernst vorbeizusehen auf den Platz, der von Kindern wimmelte. Jedesmal, wenn er eine Antwort gab, sah er über
den Platz und spürte Ernsts Blick auf seinem Gesicht.

»Weißt du, niemand will dich in etwas hineindrängen«, hörte er
Ernst sagen, »und daß du immer noch unser Vertrauen hast, das
siehst du ja. Hast du übrigens ein paar Paßphotos?« Neubert ver-
neinte. »Laß ein paar machen. Heute noch. Morgen mittag erwarte
ich dich auf dieser Bank und nehme die Photos mit. Du wirst bestimmt bald einen anderen Namen brauchen. Morgen erfährst du
die beiden Adressen und lernst sie auswendig; bei der ersten wird
dein neues Papier liegen, die zweite . . .« Neubert zündete hastig
eine Zigarette an. »Die zweite wirst du aufsuchen, wenn du dich
entschlossen haben wirst.«

Jetzt sahen sie beide den Kindern zu, und Ernst sagte nach einer
Weile und lächelte dabei: »Man müßte Zeit haben für Kinder wie
die da . . .« Neubert fingerte an seiner Zigarette und sagte, nur um
etwas zu sagen: »Die wissen gar nicht, wie gut sie es haben.«

Ernst lächelte nicht mehr. Er widersprach langsam:

»Die wissen oft noch nicht, wie schlecht sie es haben. Manchmal
wissen sie es allerdings, in diesen Zeiten.« Er schüttelte den Kopf.
»Wie schnell man sich aus den Augen verliert. Wir müssen uns schon
ein paarmal über den Weg gelaufen sein. Ich bin hier schon früher
durchgekommen.«

Er war bei diesen Worten aufgestanden. Neubert entsann sich,
daß er mit aller Kraft nur an eins dachte: Ernst zurückzuhalten,
ihm alles zu erzählen, ihn um Rat zu fragen. Aber er sagte nur:
»Also, bis morgen!« und gab Ernst die Hand.

Er sah Ernsts Gesicht vor sich, wie es damals gewesen war, als er
aufschließen hörte. Giacometti war es, der Ernsts Gesicht aus seinem
Bewußtsein löschte: er stand breitbeinig, eine Zigarre zwischen den
Zähnen, neben der Pritsche und sah auf Neubert hinab.

»Langeweile, Wald? Macht nichts, du kommst bald weiter. Dort
wird es erst interessant . . .«

Neuberts Züge blieben unbewegt. Giacometti wartete, dann bückte er sich und schlug Neubert nachlässig mit der offenen Hand ins
Gesicht. Neubert sah ihn an, und seine Blicke hakten sich in den
Blicken Giacomettis fest. Ihm war, als sähe er nicht hinauf, sondern
in irgendeine Tiefe hinab, in der andere Blicke wohnten, andere

Gesichter: Augenwülste, Tierhauer, gefletschte Gebisse, von weit her erinnert.

Giacometti zog an seiner Zigarre und blies ihm den Rauch ins Gesicht. Plötzlich packte er mit zangenhaftem Griff Neuberts Füße, klemmte sie unter die rechte Achselhöhle und drückte die Zigarre in die nackte Sohle. Neubert stemmte sich auf den Ellbogen in die Höhe. Sein ganzer zerschlagener Körper rang eine Sekunde lang gegen die Fessel, er stieß den Kopf gegen die Wand und sich selbst ins Bewußtlose.

Die Schwalben schossen vor den Fenstern immer noch hin und her. Magda lag schon tief im Schatten; undeutlich sah er ihren Kopf auf dem Kissen. Sie sprach nicht mehr, nicht einmal ihr Atem war vernehmbar, aber er wußte, daß sie weinte.

Mit kaltem Blick übersah er in dieser Minute sich selbst wie eine dürre, steinige Landschaft. Etwas warnte ihn: er ahnte, daß er sich hier und nun zu bewähren hatte: was von ihm verlangt war, hieß freilich nur Liebe – er fand kein anderes Wort. Zugleich wußte er, daß Magdas Geständnis ihn nur durch sein eigenes Wesen, in seinen eigenen Reaktionen erreichte, daß er also nicht mit Magda, sondern nur an sich litt. Nichts anderes konnten andere, Frühere, gemeint haben, wenn sie von Hölle und Verdammnis gesprochen hatten. Gandesa ist leichter gewesen, dachte er, auch die SA-Kaserne. Hatte er sich also, ohne es gewahr zu werden, verbrauchen lassen von dieser Welt, die er ändern wollte?

Er stand auf und ging zum Bett hinüber. Magda lag ohne Bewegung. Er streckte die Hand aus, um ihr Haar zu streicheln, aber er tat es nicht, sondern hörte sich sagen: »Du darfst dich nicht noch einmal in Gefahr bringen.« Nach einer Pause setzte er mühsam hinzu: »Das Kind wird unser Kind sein.« Er lauschte ins Dunkel, aus dem keine Antwort kam. Aber vielleicht wartete er auf keine Antwort, sondern lauschte nur den Worten nach, die eine unbekannte, ihm nicht zugehörige Stimme gesprochen hatte. Er wünschte mit aller Kraft, Magda möge ihm glauben, aber er wußte, daß sie ihm nicht glauben würde. Er streckte noch einmal die Hand aus, ließ sie sinken, ging lautlos durchs Zimmer. Die Tür schloß sich hinter ihm, und er ging die Treppe hinab.

Neubert stand auf dem Schemel, mit pochenden, schmerzenden Schenkeln, und lockerte den ersten Stab. Er fühlte seinen Körper kaum. Der Wind hatte sich wieder aufgemacht und trug die Schläge der Turmuhr herüber. Zwei Stunden alt war der neue Morgen. Neubert hielt vergebliche Zwiesprache mit Magda, deren weißes Gesicht er gegen die flatternden Nachtwolken sah.

Auch jetzt wieder konnte er keinen Glauben an ihren Tod finden. Sechs gemeinsam verbrachte Jahre erwiesen sich als stärker als die unwiderleglichen Bilder, die noch an der Netzhaut hafteten: ein blutleeres, ausgelöschtes Antlitz gegen eine gelbliche Schulter geneigt; und der schlechte Brettersarg, der in die Grube hinabpolterte.

Neubert hob den Stab etwas an, setzte ihn wieder in seine Vertiefung und füllte sie vorsichtig mit Mörtel- und Zementbrocken.

Der Arzt war noch zweimal wiedergekommen. Er zeigte sich zufrieden und ließ Magda wieder aufstehen. Neubert und Magda redeten wenig miteinander. Wenn Neubert zu ihr sprach, waren es leise, freundliche Worte. Er ließ sich in diesen Tagen öfters von seinem Bauern Urlaub geben; die Ernte war eingebracht, und mit dem Dreschen hatte man noch nicht begonnen. Er fuhr dann mit dem Rad hinunter in die Stadt, nicht ohne jedesmal auf der Paßhöhe anzuhalten und Gebirge und Ebene die gewohnte Reverenz zu erweisen. Magda sah ihn sanft und traurig an, wenn er ins Zimmer trat, aber manchmal schien ihm, als verberge sich eine harte, verzweifelte Entschlossenheit hinter ihrem stummen Gesicht. Neubert tat dies und jenes, spaltete Holz für den Winter, gipste einen Haken in die Wand, sah blicklos in eine Zeitung; er fürchtete sich vor den Stühlen; schon beim Hinsetzen verspürte er eine dumpfe Erschöpfung, und als zöge ihn etwas nach unten, fielen ihm die offen ineinanderliegenden Hände zwischen den Knien durch.

Einmal fragte er Magda nach dem Namen des Mannes. Sie schrie flüsternd auf: »Ich werde ihn dir nicht sagen! Ich will nicht, daß du dich unglücklich machst.«

Er war erbittert, daß diese Frau auch in diesem Moment an seinen Gedanken und Absichten teilhatte. Während er begriff, daß Magda ihm den Namen nie nennen würde, hatte er schon seinen Plan geändert und sagte sich mit einer Art belustigten Ingrimms, wie leicht er es doch habe, zu seinem Ziel zu gelangen.

Am gleichen Nachmittag ging er zur Präfektur und betrat das Vorzimmer der Ausländerabteilung, das ihm bekannt war. Er ließ sich auf einer Bank nieder. An der Wand hingen fleckige Verfügungen neben einem Bild von Pétain. Es roch nach Staub und Chlor. Als entwiche tückisch alle Luft aus dem Raum, rang Neubert nach Atem. Sechs oder acht Wartende scharrten mit den Füßen, starrten gelangweilt auf die Plakate und sprachen das langsame Französisch der Belgier.

Neubert ließ zehn Minuten verstreichen und fragte den ihm zunächst Sitzenden, wie viele Beamte hier arbeiteten. Der Belgier musterte ihn gleichmütig.

»Zwei, wie immer.« Er schwieg und setzte hinzu: »Wollen Sie zu einem bestimmten Beamten?«

Neubert antwortete zögernd, wie ratlos: »Ja. Das heißt, ich kenne seinen Namen nicht. Es ist ein jüngerer Mann . . .«

Wer sagt mir, dachte er kalt, daß es ein jüngerer Mann ist. Und wenn beide jüngere Leute sind, was dann? Magdas Bericht, diese von Schluchzen begleitete, flüsternd geschriene Beichte, hatte sich in seinem Gedächtnis eingegraben wie in eine Wachsplatte. Aus keinem Wort konnte er Physiognomisches, Identifizierbares entnehmen.

»Sie meinen sicher Dufour. Der andere – er heißt, glaube ich, Guilbaux – ist mindestens sechzig Jahre alt. Der ist es sicher nicht.«

Neubert lehnte sich an die Wand und sagte: »Ja, ich glaube, Sie haben recht. Es muß Dufour sein.«

Er hätte weggehen können, aber eine schreckliche, herzjagende Neugier zwang ihn zum Bleiben. Ab und zu öffnete sich die Tür zum Büro, jemand kam heraus, ordnete Papiere und verließ grußlos das Vorzimmer. Neubert stand auf und ging ans Fenster. Das ermüdete Grün des Laubes stand stumpf vor dem Himmel. Die Luft über den Dächern zitterte. Stimmen im Hof klangen, als kämen sie aus einem Phonographen.

Hinter seinem Rücken hörte er die Tür gehen, und eine Frauenstimme sagte: »Monsieur Dufour, ich komme noch einmal wegen der Unterstützung . . .«

Eine Männerstimme knurrte in phlegmatischer Ungeduld: »Ich habe Ihnen doch gesagt, Sie müßten eine Eingabe machen.«

Neubert, ganz um seinen Atem bemüht, sah den Mann über seine Schulter. Er war groß, schwer, von verkommener Eleganz, und trug am Rockaufschlag das Abzeichen mit der Doppelaxt. Während er der Frau, die vor ihm stand, ein Papier aus der Hand nahm, zupfte er an seinem kurzgeschnittenen Schnurrbart. Er starrte mit unschlüssigem Mißmut auf das Papier und entschloß sich zu einem undeutlichen »Kommen Sie mit!«. Die Frau beeilte sich, ihm zu folgen, und schloß die Tür des Amtszimmers hinter sich.

Die Belgier, die bei Dufours Erscheinen verstummt waren, nahmen ihr Gespräch wieder auf. Neubert befahl sich, ruhig zu sein. Er machte vom Fenster her ein paar Schritte ins Zimmer und setzte sich auf seinen alten Platz. Sein Nachbar wandte sich ihm zu.

»Ja«, sagte Neubert, »Sie hatten recht.«

Er wartete noch eine Weile und steckte sich eine Zigarette an. Er überraschte sich dabei, daß er vor sich hinzählte wie ein Kind beim Versteckspielen. Als er bis fünfhundert gezählt hatte, stand er auf. »Ich habe etwas vergessen«, sagte er, »ich komme später noch einmal vorbei.«

Neubert hätte damals nicht zu sagen gewußt, worin sein Plan bestand. Er hatte nur den Namen des Mannes erfahren müssen und die Züge seines Gesichts. Eine dumpfe Befriedigung erfüllte ihn, als er die Präfektur verlassen hatte. Und in den folgenden Tagen geschah es nur selten, daß in dem unaufhörlichen Zwiegespräch, das in ihm stattfand und das er zumeist hinter die Grenze des Bewußtseins zurückzudrängen vermochte, ihm das Gesicht eines imaginären Partners deutlich wurde: es war Dufour, der mit ihm sprach, oder Magda, manchmal auch Ernst. Waren es Ernsts Züge, die er im Geist erblickte, so wurde ihm auch schon der Begriff der Rache bewußt, denn es war Ernst, der in ihm dieses Wort aussprach, in heftig verneinendem Sinne nämlich, und Ernst gerade war es, den Neubert zu vergessen suchte, teils, weil er Ernsts Widerspruch nicht ertragen konnte, teils auch, weil sein Auftauchen den fiebrig-lautlosen Dialog aus dem Bereich des Automatischen ins Überlegte, Verstandhafte hob. Zuweilen wollte es Neubert scheinen, als übersehe er inmitten der verworrenen Unruhe, die ihn erfüllte, Entwicklungen und Möglichkeiten, denen all seine Aufmerksamkeit zu gelten hatte.

Er war wieder an seine Arbeit gegangen. Und die vegetative Wollust, die aus der Ebene brach, die erbarmungslose Hitze, die die Hänge und Straßen des Hochlands erstieg und unter der die Luzerne einen dritten Schnitt erwartete, ließen ihn beängstigend die ohnmächtige Unentschiedenheit empfinden, in deren Bereich er sich befand. Ich muß einen Entschluß fassen, dachte er an einem Sonnabendnachmittag, als er auf dem Rad den Hof verließ, einen Entschluß für Magda und mich. Er stellte sich einen Augenblick lang vor, wie das sein könnte: alles zurücklassen, nur Magda und er mit einem kleinen Koffer in einem Abteil, der Erniedrigung entrinnend, mit neuen Papieren in der Tasche, irgendwo auf dem Weg zwischen Adresse eins und zwei. Aber er vergaß das alles, als er die Ebene erreicht hatte und, angestrengt die Pedale tretend, gegen einen glühenden Wind kämpfte, der plötzlich in den Maisfeldern raschelte und Staubsäulen schräg über die Straße drehte.

Die Sonne stand hinter den Dächern, als er um die Kathedrale bog. Da war das Haus, und in dem Moment sah er Magda, die mit einem Fahrrad aus dem Tor kam. Er bemerkte, daß sie kräftiger aussah; eine schwache Röte stieg ihr ins Gesicht, als sie ihn erblickte.

»Ich habe dir das Abendbrot hingestellt«, sagte sie, »ich muß noch einer Freundin etwas ausrichten. Gegen zehn Uhr werde ich zurück sein.«

Neubert konnte sich später nicht erinnern, was er erwidert hatte; ein paar freundlich-gleichgültige Worte ohne Zweifel, aber er entsann sich des Gewebs aus Licht und verworrenem Lärm, das über der Stadt hing, und der Beklemmung, die er empfunden hatte, als er die Treppe emporstieg.

Er entfernte den Zettel, den Magda an die Tür gesteckt hatte und der eine Mitteilung für ihn enthielt. Während er seine Brote verzehrte, dachte er daran, wie wenig er eigentlich von Magdas Umgang in V. wußte; er kannte gerade jene Nachbarin mit Namen, die Frau des Photographen, eine lebhafte, immer lächelnde, geschäftig-hilfsbereite Dreißigerin. Neubert hörte, wenn Magda ihm an jedem Sonntag von der vergangenen Woche berichtete, den oder jenen Namen, den er gleich wieder vergaß – es waren Frauen, die Magda kennenlernte beim Anstehen vor den Läden, auf dem großen Platz, am Geländer der Brücke, von der man die Angler beobachtete. Magda traf diese Frauen auf einer Bank in den Anlagen, wo man bei einer Strickarbeit Tagessorgen und Zeitläufte erörterte. Die Frauen rückten eng zusammen in dieser Zeit, erfüllt vom Leid um die gefangenen Männer, in der haßvollen Angst vor dem Feind, dessen Soldaten kaltblickend auf grauen Lastwagen die Stadt durchrasten und dessen Befehle und Erschießungslisten feucht an den Mauern hingen, wenn der Morgenwind wehte. Magda war nicht dafür geschaffen, allein zu sein; sie brauchte einen Halt, und es konnte ihrer verführerischen Zartheit, die erhöht wurde durch die offenbare Schutzlosigkeit des gefährdeten Fremdlings, nicht schwerfallen, die Freundschaft oder doch zumindest die Teilnahme dieser herzlichen und gern sorgenden Kleinstädterinnen zu erringen. Neubert wunderte sich auf einmal, daß es ihm nie eingefallen war, Magda während ihrer Bettlägerigkeit zu befragen, ob eine oder welche ihrer Bekannten ihr bei dem gefährlichen Versuch beigestanden hatte. Wie dem auch gewesen sein mochte, er zweifelte keinen Moment, vielmehr erschien es ihm gewiß, daß Magda den tieferen, verhängnisvollen Grund für ihr Handeln niemanden außer ihm selbst anvertraut hatte.

Die Beklommenheit, die er vorhin empfunden hatte, wuchs. Er säuberte hastig Tasse und Teller und ging ans Fenster. Das letzte Tageslicht schwelte über der Gasse. In den harten Windstößen, die durchs Dunkel fegten, tat sich auf einmal der Herbst kund. Neubert ging ziellos durchs Zimmer. Ihm war auf einmal, als hätte er unter allen Umständen Magda am Fortgehen hindern müssen. Er öffnete die Tür nach der Treppe und warf sich im Dunkel aufs Bett. Dann hörte er die Uhr neun und halb zehn schlagen. Und plötzlich wußte er mit entsetzlicher Gewißheit, daß er Magda nie mehr so wiedersehen würde wie vorhin, als sie mit ihrem Rad vor dem Haus gestanden hatte. Er fühlte, wie ihm mit einem Schlag der Schweiß Gesicht und Körper entlanglief, aber er war unfähig, sich zu rühren: er lag ausgestreckt auf dem Rücken, auch als die nächste volle Stunde schlug.

Mit ungläubiger Spannung hörte er, wie jemand das Haustor öffnete und ein Rad klirrend gegen die Flurwand lehnte. Er sprang auf, drehte am Schalter und stieß die Tür weit auf.

Es war nicht Magda; der da die Treppe heraufgekommen war und nun, die Mütze in den Händen drehend, vom Treppenabsatz her blinzelnd ins Licht sah, war ein junger Mensch, den Neubert nicht zu kennen glaubte. Er atmete heftig von der schnellen Fahrt und sagte stotternd: »Monsieur Neubert ... Ihre Frau ...« Neubert fragte mit ganz fremder Stimme dazwischen: »Ist sie tot?« Der Junge versuchte seinen Atem zu bändigen. Er schien durch Neuberts Frage an Sicherheit zu gewinnen, ja beinahe heiter zu werden. »Nein, nein, nein ... Wo denken Sie hin! Es geht ihr ganz gut, den Umständen entsprechend. Aber sie blutet, verstehen Sie? Wir brachten sie gut unter. Aber es sollte jemand bei ihr bleiben.«

Neubert warf die Jacke über die Schultern und drängte ihn hinaus. Er suchte im dunklen Flur sein Rad und sprang in den Sattel.

»Sie kennen mich doch«, hörte er im schnellen Fahren seinen Begleiter mühsam hervorstoßen, »ich bin der Apotheker oder vielmehr sein Gehilfe ...«

»Ja«, sagte Neubert gleichgültig durch die Zähne und sah starr geradeaus. Ihm war, als habe sich ein Abgrund geöffnet, aber dieser Abgrund war banal, ohne Geheimnis, ohne Tiefe – Menschen, die ihn seit Jahren umgaben, die ihn kannten und die er beharrlich übersehen hatte, bestimmten auf einmal Magdas Geschick und das seine. Sie vernichteten – ohne Haß, – ohne Sucht nach Gewinn; vielmehr aus gutmütiger Nachlässigkeit und stumpfer Hilfsbereitschaft. Die Straßen waren verdunkelt, zu früher Stunde bereits menschenleer. Sie bogen um Ecken, die Neubert nicht kannte. Die Stadt zog sich zäh in die nächtliche Ebene hinein; hier und da legte sie große Gärten und Felder zwischen die Massen der niedrigen Häuser.

»Wir sind da«, sagte Neuberts Begleiter. Neubert bemerkte ein einstöckiges Haus undeutlich hinter einem Vorgarten, mit einer trüben Lampe über der offenen Eingangstür. Sogleich öffnete sich nach links und rechts ein Korridor mit vielen Türen. Auch hier brannten Lampen mit rötlich glimmendem Licht. Kein Mensch war zu sehen, nichts rührte sich, und nur das unbestimmte Geräusch fließenden Wassers erfüllte das Gebäude. Der Fremde ging voran und öffnete eine der Türen zur Linken. Und Neubert erblickte Magda, so wie er sie eine Stunde zuvor an der dunklen Zimmerdecke gesehen hatte. Sie war weiß, gerade so weiß wie die Laken, in denen sie lag, und nur ihre Augen lebten mit einem bösen, furchterregenden Glanz.

Neubert hatte sie vieles fragen wollen; wie sie hierhergelangt war, wer dieser lächerliche junge Mann sei, der hinter seinem Rücken beruhigende Worte murmelte, aus denen sowohl Zuversicht als auch die Versicherung seiner Uneigennützigkeit zu entnehmen war. Neubert vernahm das sinnlose Gezischel dieser Worte über dem Rauschen des Röhrenwerks in den Mauern; neben dem Bett kniend, blickte er in Magdas schrecklich glänzende Augen, in dieses Antlitz, das eine Welt eifersüchtig gehüteter geheimer Katastrophen war. Er wußte sie verloren, und wenn er nun, nahe an ihrem Ohr »Warum, Magda, warum?« fragte, so nicht, weil er auf eine Antwort hoffte, sondern weil es ihn nach einem menschlichen Laut in dieser flüsternden Versteinerung verlangte, und sei es auch nur seine eigene Stimme. Magda schloß die Augen.

Neubert richtete sich auf und begegnete dem unruhigen, bettelnden Blick des jungen Menschen, der hinter ihm stand und nun mit gezwungener Forschheit Neubert zuzureden begann, er solle sich keine Sorgen machen. Im Sprechen schien er das Zimmer nach verräterischen Spuren seiner vorangegangenen Tätigkeit abzusuchen.

»Madame wird jetzt schlafen«, ließ er sich vernehmen und versuchte, seiner Stimme einen Ausdruck von Herzlichkeit zu geben,

»ich verstehe Ihre Lage, so wie ich auch Madames Lage verstand. In diesen Zeiten muß man einander helfen, nicht wahr?«

»Gewiß«, sagte Neubert und wandte sich von ihm ab. Ohnmacht im Herzen, sah er wieder auf Magda hin. Er hörte abwesend den anderen noch einige Worte murmeln, hörte, wie die Tür sich hinter ihm schloß. Magda rührte sich nicht. Er verhängte die Lampe auf dem Nachttisch und zog einen Stuhl neben das Bett. Am Morgen würde er sie mit Hilfe des Arztes ins Krankenhaus bringen. Er wollte auf einmal nicht an diesen Tod glauben; und gleichzeitig sagte ihm etwas, daß er sich an den Tod hier und nun erst werde gewöhnen müssen.

Magda lächelte, als sie ihn am Abend nach der Operation sah. Sie lag blaß und hübsch mit dreißig anderen Frauen im großen Saal des Krankenhauses, den man von der Treppe her im ersten Stock gleich erreichte. Neubert hatte sie von der Schwelle aus schon gesehen und ging eilig und verlegen zwischen den Betten durch, aus denen man ihn aufgeräumt und spottlustig musterte. Er nahm ihre Hand, die feucht und heiß war, und küßte sie. Sie ließ es, mit geschlossenen Augen, lächelnd geschehen und sagte leise und deutlich: »Nun wird alles gut. Es war notwendig, und nun wird alles gut.« Neubert beugte sich zu ihr und sagte: »Wir fahren miteinander fort, Magda.« Sie lächelte immer noch.

Die Aufmerksamkeit hatte sich von ihnen abgewandt; der Saal summte von erzählenden und lachenden Stimmen. Die Oberschwester machte ihre Runde und fragte, neben Magdas Bett stehend, mit dem Blick auf Neubert, wie das Befinden sei. »Übrigens«, fügte sie, ohne Neubert aus den Augen zu lassen, mit bedeutsam gesenkter Stimme hinzu, »liebt der Chef keine derartigen Operationen. Er hält es mit dem Marschall: Arbeit, Familie, Vaterland.«

Neubert entsann sich, als er am nächsten Tag wieder an Magdas Bett stand, daß er unbegreiflicherweise diese vierundzwanzig Stunden nur allzu willig im Selbstbetrug verbracht hatte. Im Selbstbetrug, formulierte er in Gedanken; denn war der Selbstbetrug nicht ein Zustand wie der Rausch?

Magda schlief, aber das war kein guter Schlaf. Sie hatte sich seit dem vorigen Tag verändert, auf nichts Gutes verheißende Weise, und ihr Gesicht zeigte den Ausdruck heftiger, wie von einem Alp bedrängter Mühsal. Neuberts Herz schlug ganz langsam und hart. Eine Schwester stand in der Nähe und beobachtete ihn, und er wandte sich zu ihr und stellte wie ein Automat die Frage: »Wie geht es ihr?«

Die Schwester zuckte die Achseln. »Sie sehen selbst . . .«

Neubert sah allerdings, daß ein böses, giftiges Gelb Magdas Gesicht, ihre Arme und Hände färbte. Er nahm auch wahr, daß es im Saal nicht so laut zuging wie gestern. Überall flüsterte man müde und scheu. Die trockene bewegungslose Glut, die seit Tagesanbruch wieder herrschte, drang durch die geöffneten Fenster herein. Und in dieser hitzeschwirrenden Stille waren nun die großen, trägen Fliegen vernehmbar, die über Magdas Bett kreisten und sich auf ihre Stirn und Hände niederließen. Sie machte im Schlaf keine Bewegung.

Neubert selbst war in diesen Tagen wie ein sterbender Leib, in dem, für niemanden sichtbar, die Schlacht der Zersetzung tobte. Pflichtgemäß hatte er ein Telegramm nach La Barbastie geschickt, in dem der Zustand Magdas geschildert und um Urlaub gebeten wurde.

Magda war fast nie bei vollem Bewußtsein, wenn er zu ihr kam. Man hatte einen Gazeschleier über sie gespannt, um sie vor den Fliegen zu schützen. Wenn sie sprechen konnte, so versuchte sie ihr angstvolles Staunen über die Gewalt und Beständigkeit des Kopfschmerzes auszudrücken, der sie Tag und Nacht folterte. Einmal schlug sie die Augen weit auf und sagte laut und mit eigensinniger Feierlichkeit: »Ich habe immer nur dich geliebt.« Aus welcher Verwirrung heraus drangen diese Worte, gegen welche Vorwürfe glaubte sich ihr vergehendes Bewußtsein verteidigen zu müssen? Neubert spürte, wie ein rasendes Feuer ihn von innen her verzehrte, ausglühte. Er empfand es mit Befriedigung, als sei dies das einzige Klima, in dem zu leben ihm noch erlaubt sei, diese Glut aus Zorn, Entsetzen und Mitleid.

Am vierten oder fünften Tag schob der Postbote am frühen Morgen ein Telegramm unter seine Tür. Es kam vom behandelnden Arzt, den Neubert die ganze Zeit nicht einmal zu Gesicht bekommen sollte, und besagte, daß Magda nicht mehr zu retten sei. Neubert sah, wie die Buchstaben sich unter seinen zitternden Fingern verwischten. Er dachte nicht an diese Tränen, die ihn hätten überraschen müssen und rätselhaften Ursprungs waren wie jene sprühenden Sommerregen, die plötzlich aus der unheimlichen Tiefe des Azurs stürzen, um ebenso jäh zu versiegen. Dieser Tod war unbegreiflich und unannehmbar, weil man ihn mit allen Mitteln und in letzter Stunde hatte korrigieren wollen: die Korrektur hieß Abreise, hieß Adresse eins und zwei, hieß Aufgabe der falschen Selbstschonung, die Überleben, Weiterleben bedeuten sollte und nun in weiter nichts mündete als ins Nichtmehrsein.

Der Krankensaal hatte sich in den letzten Tagen geleert. Man hatte Magdas Bett an die hintere Wand geschoben, sie hatte keine Nachbarinnen mehr, und das nächste belegte Bett lag mehr als zehn Meter von dem ihren entfernt. Ein geheimes Organ schien ihr seine Gegenwart anzuzeigen, er sah, daß seine Nähe sie beruhigte, aber sie flüchtete vor dem Bewußtsein, das nur voller unmenschlicher Schmerzen war. Und in die Haut, auf die Neubert einmal kindisch stolz gewesen war, grub die Sepsis orangefarbene Striemen.

Er durfte nun kommen, wann immer er wollte. So betrat er, leicht taumelnd wie ein Trunkener, fünf-, sechsmal am Tag den Saal, saß jedesmal eine oder zwei Stunden am Bett und irrte im übrigen in fiebernder Bewußtlosigkeit durch die stickig brodelnden Straßen der Stadt. Man ließ ihn aus Barmherzigkeit, wenn er keine Anstalten zu gehen machte, noch nach Anbruch der Dunkelheit sitzen. Er saß dann dem galgenartigen Gerüst gegenüber, an dem das Glas mit dem Serum hing, und starrte ins bläuliche Nachtlicht. Manchmal beugte er sich zu Magda hinab und flüsterte lange in leidenschaftlicher Lautlosigkeit Geständnisse und Beschwörungen, die seit Jahren hinter seinen Lippen geblieben waren. Er lauschte auf das leichte Röcheln, das aus den Kissen drang und in der nächtlichen Stille nicht abreißen wollte. Magdas Zahnfleisch und Schleimhäute hatten zu bluten begonnen, und das gerinnende Blut versperrte die Atemwege.

Dieses Sterben hatte keine Ähnlichkeit mit dem Tod von Gandesa. Neubert rief die toten Italiener an der Straße von Mora del Ebro als Zeugen an; er sah in Ortons treue, qualvoll starre Augen und auf das hellrote, blasige Blut, das ihm hinter dem staubrasselnden Gebüsch über die Lippen getreten war.

Er empfand eine verzehrende, überwältigende, physische Begierde nach Leiden, nicht nach jenen erbärmlichen Seelenschmerzen, denen man nachhängt und von denen die Romane berichten, sondern nach wirklichen Leiden, wie Magda sie erlitt, denn dies, nur dies waren Leiden; es waren die Leiden der Beleidigten, die gen Himmel schrien.

Unversehens war man zum Akteur im Melodrama des Lebens geworden, ihres Lebens, das man beobachtet, verneint, bekämpft hatte. In diesem Melodrama waren die Gifte wirkliche Gifte, die Dolche besaßen keine verborgenen Federn, die die Klinge beim Stich zurückfahren ließen, und wenn der Vorhang gefallen war und sich wieder hob, verbeugten sich nur die Mörder – die Opfer blieben liegen.

Am Morgen des neunten Tages hielt eine Schwester Neubert an der Schwelle des Saales an. Magda war vor zwei Stunden ohne Qualen gestorben. Ja, antwortete Neubert, er wolle sie sehen. Er wandte sich steif um, als bewege er sich in einem mit zerbrechlichen Gegenständen angefüllten Raum, und stieg hinter der Schwester die Stufen hinab. Das Treppenhaus war auf einmal erfüllt von einer Kakophonie streitender, überredender, sich überschreiender Stimmen.

Die Totenkammer, die diesem Flügel des Gebäudes schräg gegenüberlag, ähnelte einem Gang, der sein Licht nur von einem Fenster an der Schmalseite empfing. Auf den Steinplatten, deren entferntere sich im Dunkel verloren, lagen drei Bündel, von denen das eine zweifellos ein kleines Kind verbarg. Neubert erkannte Magda, ehe die Schwester ihr das Laken vom Kopf auf die Brust hinabgestreift hatte – er erkannte ihren Fuß, der nackt und hilflos unter dem Tuch hervorkam.

»Gehen Sie bitte hinaus«, sagte Neubert und hörte, wie die Frau sich enfernte und vor der Tür stehenblieb.

Magdas Gesicht, der linken Schulter entgegengeneigt, zeigte die flüchtige Spur eines Lächeln, das doch nichts weiter war als Verzicht und Erschöpfung; und selbst die riesigen Schatten, die sich um die geschlossenen Augen gebreitet hatten, waren nur Nachahmung des Lebens: Magdas Gesicht hatte in langen Jahren schon behutsam und geduldig die Züge des Todes vorgebildet.

Die Stimmen, die Neubert vernommen hatte, waren verstummt. Auf diesem glatten Stein endeten die gemeinsamen nächtlichen Wanderungen in den märkischen Wäldern; die leidenschaftlichen Briefe, um derentwillen man gelegentliche Trennungen gesucht hatte; das Zusammensein in erleuchteten Sälen, wenn vorn auf dem Podium vier Männer Beethoven spielten; die fremden, immer wechselnden Hotelzimmer; die verschlungenen Hände und erregt einander zulächelnden Gesichter, während über der Dünung der marschierenden Masse rote Fahnen schwankten. Hier endete das Unausgesprochene und die Resignation vieler Jahre. Und hier endete auch die Botschaft einer Welt an Magda – die drohend geflüsterte Frage, ob sie durch den Kamin gehen wolle...

Die Stimmen um Neubert setzten wieder in betäubendem Chor ein. Da draußen ging ihre Welt weiter, mit Geschützsalven hinter dem Horizont, mit den Bekanntmachungen an den Mauern, den Güterwagen, die, stacheldrahtumwickelt, nächtlich auf den verdunkelten Stationen rangiert wurden, mit den Schlangen vor den Läden, mit den Beamten, die Schriftstücke stempelten. Neubert sah die Rache wie eine Wolke am Rand des Himmels. Sie wuchs, sie würde weiterwachsen, die Welt der Mörder erreichen; aber noch unter der Wolke würden Mörder mit unschuldigen Gesichtern weiterleben. Alles war vielleicht zu ertragen, nur das eine nicht. Und Neubert begriff, daß er selbst ein Teil jener Wolke war, die er heraufziehen sah. Während er die tote Magda betrachtete, wurden die Stimmen leiser. Er streckte die Hand aus und berührte den Stein und dann die Wange der Toten, dieses unaufhaltsam verfallende Fleisch, das sich endgültig von ihm trennte.

Die Schwester begleitete ihn ins Büro des Hospitals, wo man ihm nach Erledigung der Formalitäten mitteilte, daß das Begräbnis am Nachmittag stattfinden müßte. Neubert erwiderte trocken, er habe keine Einwände zu machen.

Er ging nach Hause, setzte sich an den leeren Tisch und vertiefte sich in den Fahrplan. Der Zug nach Adresse eins würde einige Minuten vor elf die Stadt verlassen. Wenn er sich die Papiere besorgt hatte, konnte er von dort um ein Uhr nachmittags weiterfahren bis A. Dort aber würde er bis Mitternacht oder auch bis um vier Uhr morgens warten müssen, um den Anschlußzug nach Adresse zwei zu bekommen. Die Strecke war von deutschen Militärtransporten in Anspruch genommen. Er fragte sich, ob er die Papiere überhaupt benötigen würde, aber sein Mißtrauen gegenüber derartigen aus Trägheit geborenen Zweifeln war zu tief, als daß er seinen Plan irgendwelchen Änderungen unterzogen hätte.

Er ging ein paarmal durchs Zimmer. Es war merkwürdig, wie klar und knapp seine Gedanken einander folgten, die Atmosphäre um ihn war in eisige Klarheit getaucht, und in sich selbst fühlte er eine frostige Glut, die ihm guttat. Vor dem Spiegel blieb er stehen und erblickte ein ganz fremdes Gesicht, in dem die Haut sich scharf über die Knochen spannte und die Augen kühl brannten. Er nickte, als sei er mit seinem Gegenüber zufrieden.

Er nahm aus der Schublade einen Bogen Papier und einen Briefumschlag und begann langsam zu schreiben. Die Schrift, die er nachahmte, war ihm vertraut; im übrigen war nicht anzunehmen, daß der Empfänger die echte Schrift überhaupt kannte. Mit halbgeschlossenen Augen überlas er drei Minuten später, was da stand:
»Kommen Sie heute abend nach neun Uhr. Ich bin allein.

Magda Neubert«

Seine Oberlippe zog sich nach oben und legte die Zähne bloß, als er sich noch einmal über das Blatt beugte und das Wort »Ihre« hinzufügte: »Ihre Magda Neubert«.

Er konnte sich nicht enthalten, laut ins Zimmer zu sagen: »Dufour, ich verurteile Sie zum Tode.« Dann adressierte er den Umschlag an »M. Dufour. Präfektur. Hier« und schloß den Brief.

Vom rechten Fußsteig der Hauptstraße aus konnte er die Straße bis zur Präfektur überblicken. Er ging langsam weiter und winkte schließlich einen Jungen von fünf oder sechs Jahren heran, der neben einer Haustür spielte.

»Willst du fünf Franken verdienen? Dann gib diesen Brief beim Concièrge in der Präfektur ab.«

Der Junge nahm Geld und Brief in Empfang, und Neubert sah, wie er an dem Polizisten, der vor dem Portal stand, vorbeirannte und im Innern des Gebäudes verschwand. Eine Minute darauf kam er langsam zurück, und Neubert beeilte sich, nach Hause zu kommen.

Nachmittags ging er um die angegebene Stunde die Landstraße hinunter und erwartete auf dem leeren Friedhof die Ankunft des Leichenwagens. Unter den Zypressen warfen die Totengräber das Grab aus. Gebein, ein halber Schädel flogen mit der aufgeschaufelten Erde vor seine Füße. Er zuckte die Achseln und verzog das Gesicht, weil ihm Hamlet einfiel und der Gedanke abgeschmackt war. Dann kam der Wagen. Neubert sah starr zu, wie der billige hellbraune Sarg abgeladen und in die Tiefe hinabgelassen wurde. Er ließ sich von einem schwarzgekleideten Herrn die Hand drücken und verließ den Friedhof, nachdem er gewartet hatte, bis der Wagen abgefahren war. In seinem Zimmer packte er Wäsche und Waschzeug in einen kleinen Koffer, in den er auch einige Andenken an Magda legte. Leer vor sich hin blickend, aß er einen Kanten Brot und ein Stück Käse. Er zog seine Uhr auf und blickte öfters auf das Zifferblatt. Gegen sieben Uhr abends zog er aus dem untersten Fach des Schrankes ein kurzes Bleirohr hervor und legte es aufs Bett. Er saß später im Dunkel, bis er kurz vor neun das Licht andrehte und sich neben die Tür in den kleinen Verschlag stellte, der ihnen als Waschraum gedient hatte.

Neubert verließ, den Koffer in der Hand, sein Zimmer genau eine Stunde darauf. Er befestigte einen Zettel an der Tür, der seine Rückkehr auf den Anfang der nächsten Woche festsetzte. Mit einem anderen zerdrückten Zettel und einem Briefumschlag – beides hatte er Dufours Tasche entnommen – entzündete er im Schatten einer

Einfahrt sorgfältig seine Pfeife und ließ die Papierfetzen gänzlich verbrennen. Er fuhr mit dem 11-Uhr-Zug ab, sprach bei Adresse eins vor, reiste nach A. weiter und betrat dort, auf der Suche nach einem Sitz und einem Getränk, das Café des Montagnards.

Am Nachmittag, der der Nacht voranging, in der Neubert fliehen wollte, brachte Giacometti selbst einen Neuen in die Zelle. Neubert war von der luziden, zuversichtlichen Ruhe erfüllt, die er an Magdas Todestag so eindringlich an sich erfahren hatte. Dieser schmächtige, zitternde Bursche von sechzehn oder siebzehn Jahren, der keinen Laut von sich gab, ein Plakatabreißer vielleicht oder ganz einfach ein Schwarzhändler, konnte seine Pläne so wenig stören wie Giacometti selber, der, ehe er hinausging, Neubert noch einen Tritt in die Seite versetzt hatte.

Die Pritschen standen einander gegenüber. Der Bursche kroch auf die seine, noch bevor das Licht gelöscht war, und Neubert sah im Mondlicht seine weitgeöffneten Augen, die ihn in der Finsternis suchten. Er hatte beschlossen, die Stäbe um drei Uhr herauszuheben. Um diese Zeit würde der Vollmond nicht mehr stören, und bis dahin hatte er genug Zeit zum Überlegen. Er mußte riskieren, möglichst kurz vor Abfahrt des Zuges zum Bahnhof zu kommen. Jetzt galt Adresse zwei. Der Papiere hatte er sich nicht lange erfreuen können.

Er brauchte nicht gegen den Schlaf anzukämpfen. Aber der Junge drüben schlief so wenig wie er selbst. Auch als der Mond weitergewandert war, sah Neubert ihn in der dunklen Zelle auf der Seite liegen. Seine Augen standen immer noch offen.

Als die Uhr vier helle und drei tiefe Schläge getan hatte, stand Neubert leise auf. Er holte das Messer aus dem Versteck und ging zur Pritsche des Jungen hinüber. Er kniete neben ihm und ließ die Klinge aufspringen. »Nicht ein Wort!« hauchte er in die Richtung des fremden Gesichts. Obwohl er ihn noch weniger zu sehen vermochte als vorher, weil sein eigener Schatten auf ihm lag, nahm er wahr, wie der Junge heftig den Kopf schüttelte.

Zehn Minuten später hatte er den ersten Stab entfernt und zerrte voll wütender Ungeduld am zweiten, der irgendwo Widerstand leistete. Der Stab gab nach, glitt ihm aus der Hand und klirrte auf den Zementboden. Das Geräusch zerriß die Lautlosigkeit wie eine Explosion. Neubert wartete mit angehaltenem Atem. Nichts rührte sich. Der Junge hatte sich neben ihn gestellt. Auf Neuberts Wink zog er sich gehorsam hoch und ließ sich drüben hinunterfallen. Neu-

bert sah ihn von oben, wie er einige Sekunden lang im Gras liegen-
blieb und dann auf die niedere Mauer zu lief. Er sprang und lief
dann selbst.

Kurz vor Mittag stieg Neubert aus dem Zug. Er hatte sich die
Fahrt über meist auf dem Gang oder in der Toilette des Wagens aufgehalten, weil er nicht in fremde Gesichter blicken und weil er sich
säubern wollte. Er fühlte sich auf einmal sehr unsicher ohne Hut,
Mantel und Koffer, ohne Papiere. Sein Gesicht war voller Bartstoppeln, sein Hemdkragen schmutzig wie der eines Vagabunden.
   Die Station war gefährlich, weil sie in der Nähe der Grenze lag.
Er wußte, daß ihn noch hundert Meter von der Adresse zwei trennten, aber auf dem Bahnsteig sagte er sich, daß er das Hotel nie erreichen würde. Sein Blick, von Furcht und Verzweiflung geschärft,
flog zur Sperre hinüber, glitt an den ausdruckslosen Gesichtern der
drei Herren entlang, die, neben dem Beamten stehend, dem einen
oder anderen erbleichenden Passanten ein Wort zuraunten, indem
sie an ihre Hüte griffen. Die Betreffenden beeilten sich, ihre Papiere
zu zeigen, aber einige von ihnen waren trotzdem schon beiseite ge-
winkt worden und harrten erloschenen Blicks auf die weiteren An-
ordnungen der Herren. Neubert verlangsamte den Schritt, wandte
sich plötzlich, ohne zu wissen, was er tat, nach rechts und stand auf
dem Platz vor dem Bahnhof. Er war aus der Herde ausgebrochen.
   Die Stadt zog sich die Hänge hinauf, hinter denen Berge in der
regenverkündenden Luft nahe gerückt waren. Der Platz war belebt.
Leute eilten nach allen Richtungen, und selbst die Müßiggänger
schienen voll geheimer Unruhe zu sein.
   Von allen diesen Leuten, dachte Neubert, ist kaum der dritte
harmlos. Die Stadt wimmelte von Deutschen in Zivil und Uniform,
von Widerstandsmännern, von Milizionären. Den Platz werde ich
nicht überschreiten, dachte Neubert weiter und war schon im Gehen begriffen. Er sah die verschnörkelten Buchstaben eines Schildes
»Hôtel« deutlich vor sich, und während ihm eine Stimme zu-
raunte: ›Schneller, schneller‹, stemmte er die Füße gegen den Boden,
als steige er einen steilen Hang hinab. Er wiederholte lautlos die
Losung. Hinter der Theke stand der Wirt in Hemdsärmeln, ein
Mann mit trägem Blick und hochstehendem blonden Haar. Er sprach
mit einem Kunden, dem er ein Glas Bier hingeschoben hatte. Der
Kunde erzählte, und beide lachten. Neubert stellte sich dazu, konnte
aber trotz aller Anstrengung kein Wort verstehen. Er fühlte sich auf

einmal müde und gleichgültig und warf die Worte hin: »Ich komme wegen der Lieferung von Darrigrand Fils.« Ich sehe bestimmt wie ein erstklassiger Vertreter aus, dachte er. Der Wirt, abgelenkt, sah ihn von der Seite an, schien aber von der Erzählung des Biertrinkers so eingenommen, daß er erst eine halbe Minute später Neubert fragte: »Was soll es sein?« Vielleicht ist er es gar nicht, dachte Neubert und wiederholte wie ein Schlafwandler: »Ich komme wegen der Lieferung von Darrigrand Fils.« – »Ach so, na, dann kommen Sie mal mit«, sagte der Wirt ruhig, ohne ihn anzusehen, und entschuldigte sich bei dem Biertrinker, der höflich abwehrte mit: »Aber ich bitte Sie« und »Ich habe ja Zeit« und »Die Geschäfte gehen vor«. Neubert war so müde, daß er mit der Schulter gegen die Tür stieß, die der Wirt für ihn geöffnet hatte. Hinter der Tür lag das Künftige: Wesen, Handlungen, Ereignisse, denen man begegnen würde, als gäbe es nichts Verbindendes zwischen ihnen und allem, was vorher gewesen war. Und was danach? Vielleicht das Ende des Duldens, den Beginn des Handelns. Zuvor aber kam nur der Schlaf. Neubert ließ sich auf ein Bett fallen, das er kaum noch sah. Sein Gastgeber hatte ihn verlassen, ein Schlüssel drehte sich im Schloß. Der Schlaf ... Er kam mit dem Geräusch sich nähernder Brandung. Und Neubert erblickte noch einmal Magdas Antlitz, so wie beim letztenmal, gegen die linke Schulter geneigt und zerbrochen unter der schrecklichen Liebkosung des Todes.

Arkadien

Charlot, der in seiner ganzen Mächtigkeit auf der Schwelle stand, in der schwarzen Lederjacke, die ihn noch breiter machte und sich um die Waffen bauschte, die er darunter trug, Charlot fand, daß Marcel sich nicht verändert habe. Der sich am anderen Ende der Zelle von seinem Schemel erhoben hatte, sah aus, wie er immer ausgesehen hatte, wie ein dreiundzwanzigjähriger Hirtenjunge aus der Auvergne eben aussieht; sein Gesicht drückte Gesundheit und Ruhe aus, nur daß eine begreifliche Verwunderung es jetzt gewissermaßen von den Rändern her in Unordnung zu bringen begann: es erblaßte, langsam, unaufhörlich, als würde in dem langen Schweigen zwischen den beiden Männern auf dieses Gesicht alle paar Sekunden eine neue Schicht Blässe aufgetragen. Dabei hatte Charlot sich mittlerweile bestätigen müssen, daß Marcels unverändertes Äußeres die natürlichste Sache der Welt war. Seit den Vorfällen vom Dezember 1943, während der sie sich zum letztenmal gesehen hatten, waren gerade sechs Monate verstrichen.

»Na, Marcel, es ist soweit«, sagte Charlot.

Marcel erwiderte nichts.

Der sieht mich an, dachte Charlot, als ob ich eine Erscheinung wäre.

»Gib mir deine Hand«, sagte er.

Es war nicht eine Hand, die Marcel ihm entgegenstreckte, es waren beide. Er hatte sie aneinandergelegt, so daß sich Gelenke und Daumen berührten. Charlot trat auf ihn zu, während er ein Paar Handschellen aus der rechten Tasche seiner Jacke zog.

An der Tür salutierte der Gendarm vor Charlot, der ihn nicht beachtete. »Was soll man machen, Monsieur«, hörte Charlot ihn sagen, »wenn man könnte, wie man wollte, aber Sie wissen ja, wie es ist ...« Charlot, der Marcel vorangehen ließ, warf noch einen flüchtigen Blick auf das zu einem ängstlichen Lächeln verzogene Gesicht des Mannes, der in seiner verschossenen schwarzen Uniform an der Tür stand, einen Schlüsselbund in einer Hand und an der unförmigen leeren Pistolentasche herumfingernd, während er die Fortgehenden mit seinem Geplapper begleitete.

»Schon gut. Adieu!« sagte Charlot über die Schulter und trat hinter Marcel auf die Straße und auf die schwarze Limousine zu, in der Louis saß.

In diesem Juni, da an den Brückenköpfen in der Normandie die Artillerieschlacht raste und Paris sich zum Aufstand rüstete, zogen die Deutschen in Aurillac es vor, dem Maquis aus dem Wege zu gehen. Die deutsche Garnison in der Stadt, die kleinen Kommandos in der Nähe, die Straßensperren und Hochspannungsleitungen bewachten, spürten den Zugriff der Partisanen, deren Stab ihnen geraten hatte, sich ruhig zu verhalten. Sie befolgten diesen Rat. Erst recht die französischen Gendarmen, die keinen Finger mehr rührten und sich, wenn die Forderung an sie erging, widerstandslos entwaffnen ließen. Allein die Miliz erwartete mit Haß und Grauen die Abrechnung. Es war nur natürlich gewesen, daß man Charlot, sobald er aufgetaucht war, ins Gefängnis eingelassen hatte. Kein Mensch hätte daran gedacht, ihn an der Entführung eines Gefangenen hindern zu wollen.

Charlot öffnete die hintere Tür des Wagens für Marcel, dem Louis schon Platz machte. Marcel stolperte über die Maschinenpistole, die auf dem Boden lag; in sein Gesicht trat von neuem die Unordnung, die er gerade daraus weggebracht hatte. Charlot drehte sich nicht um, er war bereits mit dem Starter beschäftigt und sah aus wie ein Mann, der ganz an seinem Platz ist. Louis beobachtete ihn bei seinen Handgriffen, wie er mit der Rechten die Handbremse losmachte und nach dem Schalthebel griff; die Apparatur war eigentlich zu zierlich für diesen Obersten, der die meiste Zeit seines Lebens Fahrer von Fernlastzügen gewesen war. Selbst wenn Charlot sich nicht um ihn kümmerte, konnte Louis der Freundschaft dieses Mannes sicher sein; der väterlichen, achtungsvollen, ein wenig brummigen Freundschaft, die der klassenbewußte Arbeiter dem Intellektuellen entgegenbrachte, von dessen Wert er sich überzeugt hatte. Louis meinte in diesem Augenblick zu wissen, daß Charlots Zuneigung zu ihm ihre ganze zuverlässige Festigkeit dem Umstand verdankte, daß er, Louis, ein Deutscher war; weil vielleicht seine, Louis', Existenz die Richtigkeit bestimmter Ansichten Charlots bestätigte, auf die der Bataillonskommandant nicht einmal in dieser Zeit verzichten wollte. Louis, ehemaliger Offizier in einer Internationalen Brigade, hatte ohne Überheblichkeit, aber auch ohne falsche Schüchternheit das am Anfang noch ziemlich mangelhafte Bataillon durchorganisiert und gute und böse Tage mit ihm ertragen. Louis fühlte sich wohl beim Bataillon; in Charlots Freundschaft zu ihm empfand er die Freundschaft aller.

Kaum daß der Wagen angefahren war, zeigte Charlot schon Zeichen von Unzufriedenheit. Er murmelte etwas vor sich hin und schüttelte ärgerlich den Kopf. Schließlich warf er Louis die Worte zu: »Zum Teufel noch mal, so kann man doch nicht einfach aus der Stadt fort!« Louis erwiderte nichts, er war nur unruhig geworden. Charlot hatte unschlüssig einen Moment lang mit dem Steuer gespielt und den Wagen gebremst. Von seinem Rücksitz aus sah Louis über Marcels gefesselte Hände weg die Leute, die auf der Straße in der Sonne standen, Frauen vor einer Epicerie, Kinder im Kreis um einen Abbé versammelt. Sie fuhren wie mit einem Satz bis auf die Mitte des Marktplatzes, wo Charlot den Wagen anhielt. Louis hatte schon halb begriffen, worum es ging.

Charlot stieg mit beschäftigter Miene aus, kam an die Hintertür, sagte durch die Zähne: »Komm, Freundchen!« Er zerrte Marcel an den Handschellen auf die Straße. Louis stand auf einmal der Schweiß auf der Stirn. Während Charlot Marcel festhielt, wandte er sich den Leuten auf dem Platz zu und machte eine weite, rufende Bewegung mit dem freien Arm.

»He, ihr Leute«, brüllte Charlot, »kommt einmal her!« Überall auf dem Markt bröckelte der Lärm ab; Louis sah, wie sich von allen Seiten die weißen Gesichter ihnen zuwandten, wie Händler und Kunden auf der Schwelle der Läden erschienen, wie alles auf einmal eine Menge wurde, die rasch auf sie zulief wie Wasser nach einem tiefgelegenen Abfluß. Die Menschen hatten einen Halbkreis um den Wagen gebildet, die vordersten standen kaum zwei Meter von Charlot und Marcel entfernt. Louis dachte: Die Stadt ist voll von deutschen Soldaten und Miliz; und wenn sie kommen? Wie soll man bloß den Wagen loskriegen aus dieser Masse? Charlot ist verrückt geworden.

»Paßt einmal auf!« sagte Charlot laut, während die Leute in den vordersten Reihen auf die Handschellen des Gefangenen blickten, als wüßten sie schon, was Charlot ihnen erzählen würde. Sie bemühten sich, ihren vom Lauf heftigen Atem ruhig zu machen, und riefen Ruhe! hinüber zu den Spätergekommenen, die sich geräuschvoll an den äußeren Rand der Menge hefteten.

»Paßt einmal auf!« wiederholte Charlot. »Seht ihr den hier?«

Er machte eine Pause und zeigte auf Marcel. Seine Stimme wurde fast zu laut, wie auf einer Kundgebung: »Franzosen! Hier steht der Verräter vom Dezember! Erinnert ihr euch noch? Dieser Bursche hat den Maquis von S. auf dem Gewissen!«

Marcel war Chauffeur beim Maquis gewesen, ein anstelliger Kamerad, ein guter Kumpel, wie man sagte. Im Dezember 1943 hatten ihn die Deutschen mit seinem Lastwagen gestellt. Louis hätte im Augenblick nicht mehr das genaue Datum sagen können. Einen Tag nach seiner Verhaftung griffen SS und Miliz das Berglager des Maquis von S. an; Marcel hatte ihnen den Weg gezeigt. Die Partisanen waren nachlässig gewesen; sie hatten keine Posten aufgestellt; der Überfall, der sich gegen fünf Uhr morgens ereignete, überraschte sie im Schlaf. Sie verloren neunzehn Mann. Die Überlebenden stießen später zur benachbarten Formation, die von Charlot und Louis geführt wurde. Marcel fuhr von da an den Wagen des Gestapochefs in Aurillac. Man hörte ab und zu von ihm. Einige Angehörige des Bataillons hatten sich einmal nach Aurillac gewagt; Marcel bekam Wind davon und ließ sie verhaften; man sah sie nicht mehr wieder. Die Leute in der Umgebung sahen Marcel am hellichten Tage sinnlos betrunken die Straße entlangtaumeln; nicht nur einmal; er trank jetzt so viel, daß die Leute mit Hoffnung von der Stunde sprachen, da Marcel und der Gestapochef aller Wahrscheinlichkeit nach in einem Haufen qualmender Blechtrümmer enden würden. Marcel mußte eine ganze Masse Geld haben; er warf in den Bistrots Händevoll davon auf den Tisch, obwohl keiner mit ihm trinken wollte außer einem bemalten Frauenzimmer, das früher vor der Kaserne der Deutschen herumgelungert hatte und jetzt mit Marcel ging.

Am Tage, da in R. die Nachricht eingetroffen war, daß die Deutschen Marcel wegen eines Diebstahls im Polizeigefängnis von Aurillac festgesetzt hatten, war Louis mit dem Vorschlag zu Charlot gekommen, den Mann herauszuholen.

»Er hat neunzehn Mann, neunzehn Patrioten massakrieren lassen«, sagte Charlot und hielt Marcel fest, der mit dem starren Blick eines Blinden über die Herumstehenden hinsah. »Er hat Roger, Victor, Emile, Jacques angezeigt, sobald er sie durch das Kneipenfenster auf der Straße entdeckt hatte. Dafür gibt es Zeugen. Auch diese vier sind tot. Dieser Lump ist dreiundzwanzig Jahre alt und hat dreiundzwanzig Kameraden auf dem Gewissen, einen für jedes Jahr seines verdammten Lebens.«

Es ging Louis wahrscheinlich nicht anders als jedem einzelnen in der Menge: er spürte eine dumpfe, zersprengende Wut in sich, nachdem der Fall Marcel sechs Monate hindurch für ihn eine abgeschlos-

sene Sache gewesen war, eine Sache, deren Ausgang man kalt vor-
aussah, sobald man sie durchdacht hatte. Louis bemerkte, daß ihm,
während er Marcel beobachtete, die Nägel in die Handflächen ge-
drungen waren.

Eine Frau in den Fünfzigern hatte sich nach vorn gedrängt, mit
strähnigem Haar, in dem sich die Nadeln gelockert hatten, und mit
einer abgeschabten Einkaufstasche, deren einer Henkel ihr entglitten
war. Sie hatte als einzige die unsichtbare Linie überschritten, an der
sich die Menge staute. Mit dem Kopf beinahe im Nacken, um ihm
ins Gesicht schauen zu können, stand sie vor dem Gefangenen und
blinzelte durch die Tränen, die ihr übers Gesicht liefen.

»Das ist doch der Kleine von meiner Schwester Pierrette in Carlat«, sagte sie.

Während alles stumm blieb, begriff Louis mit einer Art Schrecken,
daß es nicht Angst oder Mitleid war, was die Frau weinen machte.
Er blickte von der Frau zu Marcel, der fahl war wie die Mauer zwischen den Gärten und der Straße; Marcel hatte die Augen geschlossen, als wüßte er genau, was dieses Weinen zu bedeuten hatte.

»Du Lump«, sagte sie mit einer Stimme, die vom unterdrückten
Schluchzen gebrochen klang. Louis versuchte sich ihre Stimme vorzustellen, wenn sie in früheren Jahren zu Besuch nach Carlat gekommen war, in Pierrettes armseliges Pächterhäuschen, eine gute Tante,
die ihrem kleinen Neffen ein neues Messer oder eine Tüte Süßigkeiten aus der Stadt mitgebracht hatte.

»Du Schuft«, hörte Louis sie sagen, und jetzt wußte er, daß nicht
das Schluchzen mit ihrem Stimmklang zu tun hatte, sondern eine
übermächtige Wut, die sie schüttelte wie eine Kreißende. »Du
Schuft! Meine arme Pierrette!« sagte die Frau. »Du Verräter! Du
Mörder!« Während die Tränen über ihr Gesicht liefen, das die Jahre
den Gesichtern all der anderen alten Frauen ringsumher ähnlich gemacht hatte, schien sie zu überlegen. Plötzlich spie sie Marcel zwischen die Augen. »Hängt ihn auf!« sagte sie leise, aber alle hatten es
gehört.

Die Menge rührte sich. Von hinten rief jemand: »An den Galgen
mit ihm!«

Charlot öffnete hastig die Tür und stieß Marcel auf seinen Sitz.
Er ließ den Motor anspringen und fuhr den Wagen vorsichtig durch
die Ansammlung, die für sie Platz machte.

Während der Wagen die Straße nach R. hinaufzog, beobachtete
Louis Marcels Gesicht von der Seite her. Es hatte schnell seine ge-
wöhnliche Farbe wieder angenommen; alle paar Sekunden striemte

es der Schatten eines vorbeizischenden Chausseebaumes. Was ist das nur für ein Gesicht, fragte sich Louis. Es war durchschnittlich, gutherzig, rosig unter dem blonden Haar.

»Alles dir zu Ehren«, sagte Charlot und lachte auf. »Deinetwegen haben wir den besten Wagen aus dem Stall geholt.«

Der schwarze Matford war der einzige Wagen des Maquis, der mit Benzin und nicht mit Holzgas fuhr; man hatte bei einem Ausflug wie diesem kein Versagen riskieren können. Mit dem Wagen hier waren die siebzig Kilometer zwischen Aurillac und R. ein Kinderspiel. Sie gingen gerade in die Kurve kurz vor der Barriere, und Louis berechnete nach der Uhr, daß sie schneller gewesen waren als auf der Hinfahrt. Der Schlagbaum war geschlossen, und vorsichtshalber griff Louis nach einer Handgranate. Charlot nahm das Gas weg und hupte ungeduldig. Sie fuhren fast im Schritt durch den Schlagbaum, den der feldgraue Posten hastig in die Höhe zog, ohne nach dem Wagen zu blicken. In diesen Tagen handelte ein Landser, der Dienst an einer Straßensperre tat, immer vorsichtig, wenn er durchfahrende Wagen überhaupt nicht beachtete.

Der Schlagbaum kam außer Sicht, sie näherten sich dem Hohlweg, hinter dem die Straße wie ein schrägliegendes Brett schnurgerade bis R. hinaufstieg. Charlot seufzte ärgerlich und hielt den Wagen an.

»Jetzt sieh dir das einmal an ...«

Holzfäller hatten über dem Hohlweg gearbeitet und die geschlagenen Stämme auf die Straße stürzen lassen. Louis war die Unterbrechung der Fahrt nicht unlieb; die Straße hatte auf einmal das Gesicht ungestörter Stille, man hätte glauben können, daß die quer über der Bahn liegenden Stämme schon seit Urzeiten da ruhten, allmählich versteinernd in dem Wind, der die Gräser an den Boden legte. Im Augenblick, da der Motor schwieg, sprachen die Männer nicht mehr. Louis sah über dem Hohlweg den Himmel, durch den der Wind, unablässig an ihren Rändern nagend, violette Wolken trieb. In den Kulissen der Landschaft verbarg sich eine unaufhörliche, blinde Bewegung; die Wälder, die sich da emportürmten, waren voll von Grotten, unsichtbaren Gewässern, Lichtungen, zyklopischen Wegen, auf denen halbwilde Ziegenherden weideten. Hinter den Höhen, dachte Louis, könnte eine Bucht liegen mit ihrem zwischen Sonnenaufgängen und Sonnenuntergängen wechselnden Licht; man sieht keine Menschen; gerade nur irgendwo das Stück eines fliegenden Gewandes oder einen Schimmer nackter Haut. Er stemmte sich bereits mit Charlot gegen das unbewegliche Holz, keuchend, schweißnaß.

»Du könntest«, sagte Louis, »wenigstens Marcel holen.«

Charlot sah ihn zweifelnd an. »In Handschellen?«

»Du hast ja schließlich etwas zum Öffnen«, sagte Louis.

Charlot überlegte einen Moment, lachte. »Na schön«, sagte er, ging zum Wagen und schloß Marcels Fesseln auf. Marcel sagte nichts; er sah eine Minute lang neben den anderen stehend, mit zusammengekniffenen Augen den Bergkamm entlang, indem er sich die Handgelenke rieb. Dann spuckte er abwesend in die Hände, und sie nahmen zu dritt die Arbeit wieder auf.

Louis wunderte sich noch über die Selbstverständlichkeit, mit der Marcel ihnen geholfen hatte, als sie in R. einfuhren. Es war noch kein rechter Sommer; man fröstelte an diesem späten Nachmittag, der ein goldenes, kraftloses Licht zwischen die Häuser hing. Eine Gruppe von Partisanen, die an der Viehtränke gesessen und den Rindern zugesehen hatte, stand auf und stürzte auf das Auto los. Louis bemerkte drei Überlebende von S. unter ihnen. Sie zogen im Laufen ihre Pistolen.

»Ça va«, sagte Charlot kurz, »die Verhandlung findet morgen früh um sechs vor einem Tribunal der Republik statt. Wer etwas vorzubringen hat, sollte anwesend sein.«

Die drei Leute von S. hatten ihre Waffen wieder eingesteckt. Louis ließ sich vom Diensthabenden Bericht erstatten. Dabei dachte er nach, wo man Marcel unterbringen könnte. »Wir setzen ihn in die Wachtstube«, entschied er. Er ließ den Gefangenen auf einer Bank festbinden, ihm etwas zu essen geben und schärfte der Wache ein, daß während der Nacht außer dem Kommandanten und ihm selber kein Mensch die Stube zu betreten habe; der Posten bürge für Marcels Leben mit seinem Kopf.

Dann schlenderte er noch eine Weile auf der Dorfstraße umher, unterhielt sich mit Bauern und Partisanen, die vom Heuen nach Hause kamen, sah durch die Fenster in die Küchen, wo der Suppenkessel über dem Reisigfeuer hing. Der erste Lichtschein fiel auf die dämmernde Straße. Die alten Frauen und die Mädchen von R., seit jeher in der Gegend bekannt für ihre Kunstfertigkeit im Sticken, saßen schon seit Tagen über den Fahnen und Armbinden, die das Bataillon am Tag der Befreiung beim Défilé in Aurillac zeigen würde. Unter dem Bild des Gekreuzigten neigten sich die Frauenköpfe über die rote Seide, aus der sie einmal Kirchenfahnen hergestellt hatten. Jetzt erschienen darauf unter der Jakobinermütze in Gold die Lettern F. T. P.* Den Essenden, die in Hemdsärmeln vor

* Franc-Tireurs et Partisans (Freischärler und Partisanen).

ihren Kartoffeln saßen, sahen, an der Wand aufgereiht, Trikoloren in allen Größen über die Schulter.

Louis scharrte mit dem Fuß in einer Lichtlache, die im Straßenstaub geronnen war. Die ersten Sterne erzitterten im Nachtwind. Er zog sich den Schal dichter um den Hals. Nein, das war wahrhaftig noch kein Sommer. Er dachte an Marcel. Immerhin, sagte er sich, geht das Feuer in der Wachtstube die ganze Nacht nicht aus; er wird, festgebunden, wie er ist, nicht schlafen können, aber zu frieren braucht er nicht. Louis ging unschlüssig über die Straße. Ich kann ja auch nicht schlafen, dachte er, während er in die Wachtstube trat.

Marcel lehnte an der Wand, gegen die man seine Bank geschoben hatte. In seinen gefesselten Händen drehte er eine geröstete Kastanie. Louis blieb neben ihm stehen und vergewisserte sich, daß sein Gesicht die zufriedene Gleichgültigkeit ausdrückte, die man darin zu finden gewohnt war.

»Weißt du«, sagte Louis, »ich habe mich die ganze Zeit gefragt, wie das geschehen konnte.«

Marcel ließ die Kastanie fallen; man hörte sie auf dem Holzfußboden kollern. Er sah Louis mit seinen leeren, unschuldigen Augen an, und seine Brauen hoben sich langsam bis hoch in die Stirn. »Was denn, mon Capitaine?« fragte er.

Als Louis zum zweitenmal seinen Gedanken zu äußern versuchte, war ihm, als sei die Frage falsch gestellt, als wüßte er Marcels Erklärung im voraus, als müsse es in Rede und Gegenrede immer einen Rest von Ungenauigkeit oder einfach Ungesagtem geben.

Marcel dachte sehr lange nach, ehe er erwiderte: »Wie soll ich das wissen ... Ich habe mir selber so oft die Frage gestellt. Ich hatte eben Angst.«

»Haben sie dich damals geschlagen«, fragte Louis, »als sie dich schnappten mit deinem Camion?«

Zu seiner Verwunderung bemerkte er, daß Marcel nach diesen Worten rot wurde.

»Sie brauchten mich doch nicht zu schlagen«, sagte Marcel und blickte auf seine Handschellen; in seinem Ton lag eine Spur von Verwunderung über Louis' Frage, als wolle er sagen: Hast du das noch nicht begriffen? »Wie hätten sie mich denn schlagen sollen, wenn ich doch Angst hatte. Ich habe gleich alles gesagt.«

»Und dann hast du ihnen den Weg gezeigt?«

»Ich hatte ihnen gleich gesagt, daß ich ihnen den Weg zeigen könnte.«

Louis schwieg. Er versuchte, sich das einfache dreiundzwanzigjäh-

rige Leben Marcels, soweit es ihm bekannt geworden war, vorzu-
sagen wie eine Schulaufgabe, um den Moment herauszufinden, in
dem für Marcel alles ins Gleiten gekommen war, in dem sich für
ihn alles zum Unguten und damit gegen ihn selbst gewendet hatte.
Aber es gelang Louis nicht, den Zusammenhang zu finden zwischen
dem Marcel, der vor ihm saß, und dem Hütejungen, der den Hund
nach der Kuh Marquise laufen ließ, um sie aus dem Hafer des Nachbarn herauszubringen. Er erblickte Marcel nur momentweise vor
sich, jedesmal ohne Schuld, jedesmal voller Rätsel; mit dem Kinn
gerade über den Tisch reichend, während Pierrette, die Mutter, ihm
auftrug, im Gemeindewald Ginster für den Winter zu schneiden;
wie er über die Schwelle getreten sein mußte, vor fast genau vier
Jahren, mit Augen, denen der Schrecken vor lauter Müdigkeit nichts
mehr anhaben konnte, mit seiner zerfetzten Uniform, die von Dünkirchen her mit Brandflecken übersät war. Louis sah ihn auch, wie
er ihn wirklich gekannt hatte – wie er neben seinem Lastwagen
stand, den er immer tadellos in Ordnung hielt; wie er überhaupt gewesen war: guter Laune, eifrig, nicht immer diszipliniert, aber kein
Kriecher, beliebt bei den Kameraden.

»Ich weiß nur eins, mon Capitaine«, sagte Marcel so ruhig, als
rede er vom Wetter, »ich habe mich wie ein Schuft benommen, und
die Leute haben recht. Natürlich werden sie mich hängen; es ist
wohl auch das beste. Ich wünschte nur, es wäre bald vorbei.«

Louis erschrak. Er spürte, daß Marcel mit diesem Vorbeisein nicht
die Verhandlung und die Hinrichtung meinte, sondern sein Leben.
Er öffnete das Fenster, vor dem der Posten auf und ab ging, und sah
hinaus. Der Wind war stärker geworden; er schnob manchmal hart
über die Kuppe weg, auf der das Dorf lag. Der Himmel war klar
und schwarz.

»Nun, gut!« sagte Louis vor sich hin und schloß das Fenster.
»Schön!« wiederholte er laut und wandte sich nach dem Gefangenen
um, der sich nicht rührte und sich eine blonde Strähne ins Gesicht
fallen ließ. »Also, bis morgen«, sagte Louis noch und ging hinaus.
Draußen ermahnte er den Posten zur Wachsamkeit und ging durch
die Dunkelheit hinüber in das Haus, in dem Charlot und er ein ge-
meinsames Zimmer bewohnten. Beim Auskleiden – er hatte kein
Licht gemacht – hörte er Charlots ruhigen Atem; er war auf einmal
selber müde und schlief sofort ein.

Glockenläuten weckte ihn am Morgen. Er hielt eine Weile die
Augen geschlossen und erinnerte sich, daß der heutige Tag ein Sonntag war. Charlot polterte schon mit den Stiefeln über die Holzdie-

len. Als Louis eine Viertelstunde später aus dem Hause trat, stand er unter einem dunkelblauen, wolkenfreien Himmel. Der Wind mußte sich gegen Morgen gelegt haben; die rosa und weißen Kerzen der großen Kastanie gegenüber standen unbeweglich in der warmen Luft. Louis bemerkte die harte, zarte Linie, die Berge und Dächer vom Himmel trennte, die riesigen, schrillenden Kurven der hochfliegenden Schwalben, das Gleichmaß der Glocken in der bewegungslosen Bläue. Hinter dem jungen Grün der Gartenbäume rollten die Wälder dunkel an den Hängen hinab. Das drohende Schreien der Hähne stieg wie Stichflammen gerade in die Höhe.

Auf der Straße, über der sich Vogelrufe mit dem Knarren von Stalltüren und dem Klappern von Eimern mengten, stand der Bürgermeister von R. mit zwei alten Bauern. Louis gab ihnen die Hand, und sie traten zusammen in den Hof, in dem eine Menge von Partisanen und Bauern das Gericht erwartete. Man hatte einen Tisch und fünf Stühle in einen Schuppen gestellt, vor dem Charlot auf sie zuging: das Tribunal war nach den Vorschriften komplett. Louis sah, während er auf seinem Stuhl Platz nahm, Marcels Gesicht vor sich als weißen Fleck in dem dunklen Raum, an den sich seine Augen nicht gleich gewöhnten. Zwei Partisanen hatten den Gefangenen hereingeführt.

Die Verhandlung dauerte nicht länger als zwanzig Minuten. Marcel hatte mit lauter, ruhiger Stimme die notwendigen Personalangaben gemacht und sich für schuldig erklärt an dem Tod von dreiundzwanzig französischen Patrioten. Er schilderte den Verlauf der Ereignisse mit einer Vollständigkeit, die eine Intervention der Zeugen unnötig machte. Das Urteil, nach sehr kurzer Beratung, lautete einstimmig auf Tod durch den Strang. Charlot hatte sich erhoben und begonnen: »Im Namen der Republik . . .« Er fragte jetzt Marcel, ob er das Urteil annehme. Marcel antwortete deutlich und unbewegt: »Ja.« Louis hatte ihn genau ins Auge gefaßt; er konnte nicht das leiseste Anzeichen von Angst an ihm finden. Hättest du Dummkopf, sagte er lautlos in sich hinein, nicht damals im Dezember sterben können? Charlot, immer noch aufrecht, verkündete: »Das Urteil wird sofort vollstreckt.«

Einer der beiden Partisanen, die Marcel hereingebracht hatten, ein breitschultriger blonder Bursche, den man nur den Lockenkopf nannte, ging auf Charlots Befehl hinaus, um einen Strick zu holen. Die Leute im Schuppen und die anderen, die vor der Tür standen und aus dem sonnengleißenden Hof her ins Dunkel spähten, hatten eine halblaute Unterhaltung begonnen. Der Lockenkopf kam zurück; in der Hand hielt er eine Gardinenschnur, die er irgendwo abgeschnitten hatte. Marcel hatte einen Blick darauf geworfen. »Das ist ja unmöglich«, sagte er, daß es alle hörten; Louis dachte: ›So laut hat er in der ganzen Zeit seit Aurillac nicht gesprochen.‹ »Du bist ja verrückt, wenn du glaubst, daß du mich an so einem Bindfaden aufhängen kannst.« Mit einer Bewegung seiner gefesselten Hände, des ganzen Körpers schien er allen Leuten auf dem Hof seine physische Wucht ins Bewußtsein rufen zu wollen. Charlot fuhr scharf dazwischen: »Mach dir keine Sorgen! Das ist unsere Sache!« Marcel zuckte die Schultern. »Ihr werdet ja sehen«, hörte Louis ihn halblaut sagen, »immerhin wiege ich zweiundachtzig Kilo.«

Wie in einem Zug, den doch nur der Zufall geordnet hatte, bewegten sich Gericht, Verurteilter und Auditorium über den Hof mit seiner Sonne, seinen Vögeln, den Glocken, die wieder angefangen hatten zu läuten. Marcel sah zum erstenmal unzufrieden aus; sein Gesicht widerspiegelte die unerklärliche Tatsache, daß er in diesem Augenblick nur an die Gardinenschnur dachte, für die sein großer, gesunder Körper zu schwer sein würde. Ganz schnell und kalt fragte sich Louis: Habe ich Mitleid mit ihm? Es war nicht das erstemal, daß Verrat seinen Lebensweg gekreuzt hatte. Louis brauchte in seinem Gedächtnis nur einen Namen von dreiundzwanzig zu nennen oder nach dem Gesicht der weinenden Frau auf dem Marktplatz von Aurillac zu rufen, um wieder seine Nägel in den Handflächen zu finden. Er sah auch das versteinerte Gesicht des alten Bürgermeisters, der eben keinen Moment gezögert hatte, den Tod Marcels zu verlangen.

Die Menge stellte sich um einen Kirschbaum, der acht Fuß über dem Boden einen starken Ast schräg in die Luft sandte. Der Lockenkopf hatte seine Gardinenschnur schnell an dem Ast befestigt; nun hob er, zusammen mit seinem Kameraden, Marcel in die Höhe und legte ihm die Schlinge um den Hals. Louis gewahrte hinter dem Baum die Köpfe von Kindern, die sich an die niedrige Mauer lehnten und ernst auf die Leute im Hof blickten. Die Partisanen ließen Marcel in die Schlinge fallen; einen Moment lang schwebte er da in seinem weißen Hemd und den blauen Hosen, mit den Händen, die sie ihm vorher auf den Rücken gefesselt hatten, dann war die Schnur gerissen, und Marcel rollte am Boden.

Die Menge stand starr, während sich Marcel schon wieder auf die Füße gestellt hatte. Er machte ein paar krampfhafte Bewegungen mit dem Kopf, wie einer, den ein Insekt in den Hals gestochen hat.

»Da habt ihr es«, sagte er keuchend, »ich habe es gleich gesagt. So ein Blödsinn!«

»Holt ein anderes Seil!« sagte Charlot, ohne ihn anzusehen, »ein richtiges!«

Louis fiel ein, daß nach einem alten Brauch ein zum Tode Verurteilter, bei dem der Strick riß, in Freiheit gesetzt wurde. In unserer Zeit, dachte er kalt, haben diese Bräuche keine Gültigkeit. Zugleich drängte es ihn, seine Pistole zu ziehen und Marcel zu erschießen, ehe der Lockenkopf wiederkommen würde. »So ein Blödsinn!« sagte Marcel noch einmal und sah zu den Hängen hinauf, an denen die Wälder niederstürzten wie schwarzgrüne Kaskaden. Louis begriff, daß Marcel außer dem eigensinnigen Verlangen nach dem Tode nur die Befriedigung eines Mannes fühlte, der soeben offensichtlich, unbestreitbar recht behalten hatte gegen die Meinung anderer Leute. Louis empfand deutlich die leichte Verlegenheit der Menge, von der er selber ein Teil war, gegenüber dem Mann unter dem Kirschbaum, eine Verlegenheit, die um nichts die Feierlichkeit minderte, die auf Gesichtern und Gegenständen, sogar auf der Landschaft zu ruhen schien.

Diesmal hatte der Lockenkopf ein Seil gebracht, ein festes Zugseil, das er aus einem Geschirr genommen hatte. Louis vermerkte, daß Marcel bei diesem Anblick ein leichtes, kaum wahrnehmbares Nicken der Anerkennung zeigte. Zum zweitenmal legten sie ihm die Schlinge um den Hals, hoben ihn hoch und ließen ihn, diesmal langsam und mit Vorsicht, nach unten gleiten. Man hörte keinen Laut. Die Menge sah zu, wie Marcel allmählich und sehr ruhig starb. Seine Beine zuckten nicht ein einziges Mal. Er starb mit geschlossenen Augen, das Kinn immer fester auf der Brust, in der merkwürdig gestreckten und gesammelten Haltung, die Erhängte im Tode einnehmen.

Louis rührte sich nicht. Er lauschte auf die Rufe der Vögel im Geäst, auf die leisen Tritte der Menge, die wortlos auseinanderging, auf das Geklirr der Spaten, die neben der Mauer schon das Grab aushoben. Er empfand die ganze dunkle Unschuld der Landschaft, ihre Wärme, ihre unergründlich-staunende Redlichkeit, in der sich jetzt überall unter dem wolkenlosen Himmel das Gewitter der Befreiung zusammenzog. Die Kinder hinter der Mauer waren weitergegangen. Louis sah nur noch zwei junge Mädchen, von der Büste abwärts von der Mauer verdeckt wie auf einem Bild. Sie standen da, jede einen Arm um den Nacken der anderen geschlungen, mit leicht geöffneten Mündern, als sännen sie einem Liede nach, und sahen mit großen Augen an dem Erhängten vorbei nach den Gärten zu und den Bergen, während auf der Brüstung neben ihren offenen braunen Händen eine Eidechse sich sonnte.

Die Zeit der Gemeinsamkeit

Das war zwei Tage nur, nachdem ich nach Warschau gekommen war, in diese unglaubliche Stadt, wie ein geheimer Kundschafter des vorzeitigen Sommers. Die Hitze hatte mich schnell eingeholt, als wolle sie alles selber prüfen. Jetzt erhoben sich über der windstillen Ebene Wolken von Mörtelstaub. Ich lief durch das Gebrüll der Lufthämmer und versuchte die Losungen auf den Transparenten zu entziffern, die auf heroischen Wind zu warten schienen. Der Lärm in den Straßen, auf den Baustellen wurde frenetisch; man hätte glauben können, daß die Stadt vor Zorn über die eigene Erschöpfung sich mit verdoppelter Wucht in die Arbeit hineinwarf. Aus ihren Dörfern vor die Pforten des Lazienki-Gartens verschlagene Bäuerinnen lauschten erstaunt auf die Vogelrufe der Eisverkäufer. Als sei ich auf meinen jahrelangen Wanderungen an einen Ort gelangt, in dem sich die Kontinente reflektierten und die Ereignisse meines Lebens in gewissen, für mich bedeutsamen Einzelheiten wiederholten, glaubte ich Gesichtern, Haltungen, Gesten zu begegnen, die mir vorzeiten in einer norddeutschen Kleinstadt, in einem italienischen Hafen, an einer spanischen Landstraße aufgefallen waren. So hatte ich auch den unaufhörlich wirbelnden Staub, der zum Ausruhen nur wieder Staub fand, die halbnackten Arbeiter, die eine Trasse durch die Stadt legten und heiser nach Wasser riefen, die im schweren Schatten hockenden Händler mit schmerzenden Augen einmal in Alexandria gesehen oder in Haifa oder Beirut. Ich ging durch die unbekannte Stadt wie durch ein Panorama meiner vierunddreißig Jahre. So ähnlich, dachte ich, ist es Soldaten zumute, die auf dem Vormarsch links und rechts an improvisierten Wegzeichen die banalen Namen vertrauter heimatlicher Gebäude und Ortschaften wahrnehmen. Aber vielleicht war nur der Brief schuld an all dem, der Brief, den ich schon vierundzwanzig Stunden in der Tasche trug, geöffnet, so wie er mir gegeben worden war, dieser Brief, in dem ich drei- oder viermal gelesen hatte, als hätte meine Adresse auf dem nichtexistierenden Umschlag gestanden und als hätte ich ihn seit langem erwartet wie die Mitteilung eines Freundes, der einem vor Antritt einer Reise mit Bestimmtheit hatte versprechen müssen, möglichst gleich und ausführlich zu schreiben, und als würde ich, durch widrige Umstände an gründlichem Kennenlernen gehindert, hastig nach den Hebelpunkten des Schreibens suchen. Während ich durch die Stadt ging, dachte ich manchmal an diesen Brief, gegen den mich dann beinahe jedesmal ein Gefühl erfaßte, als enthalte er eine schlechte Nachricht, die ich vergessen müßte, nachdem ich sie doch schon gleichsam auswendig gelernt hatte.

Zwischendurch richtete ich meine ganze Aufmerksamkeit auf die Vorgänge in den Straßen. Hier bist du Zeuge, sagte ich mir, eines großen und seltenen Vorgangs: du erlebst das Sterben des Todes. Erschöpft von Hitze und Zuversicht erblickte ich im Geist wie einen Lavastrom, der hier und da Zungen dunkelflammender, schnell erstarrender Masse vorschickt, eine Mauer von flüssigem Zement, die das Flachland mit seinen Ruinen, seinen toten Zonen, mit den Gräbern, den geknickten Kandelabern und kopflosen Monumenten wie mit einer Decke überzog: dem Fundament der neuen Stadt.

Inmitten dieser Veränderung drängte mich auf einmal meine eigene Unveränderlichkeit zum Aufbruch. Ich winkte einem Wagen und nannte mein Ziel. Mein Herz schlug schneller, als ich mir vorzustellen suchte, daß ich einer geheimen Verabredung nachkäme in dieser Stadt, in der ich niemanden kannte, in der ich nie zuvor gewesen war. Am Tag meiner Ankunft war ich bereits durch Warschau gefahren, um mir einen Überblick über die Zerstörungen und die im Gang befindlichen Arbeiten zu verschaffen. Ich hatte das Gebiet des ehemaligen Gettos durchquert, hatte undeutlich die Schutthalden links und rechts vom vorbeifliegenden Wagen wahrgenommen, das Denkmal für die Gefallenen auf einem viereckigen Platz. Während ich nun von neuem hinausfuhr, suchte ich mir die Anlage des Viertels zu vergegenwärtigen und bestimmte Markierungspunkte inmitten der beinahe erreichten Einöde vorauszubestimmen. Aber als hintertreibe das wallende, zähflüssige Licht jede Orientierung, mußte ich mir jedesmal gestehen, daß ich mich geirrt hatte – ich fand mich nicht mehr zurecht. Ich kann nicht mehr sagen, warum diese luminöse Tücke, diese vom Atmosphärischen ausgehende Hinterhältigkeit mich mit einem bohrenden, dumpfen Zorn gegen mich selbst erfüllte. In diesem Moment war ich, wenn ich mich recht entsinne, ebensowohl dazu bereit, in den Wagen gelehnt, mich willen- und richtungslos ins Ungewisse fahren zu lassen, als auch zum Abbrechen der Expedition. Wenn ich den Wagen halten ließ und den Chauffeur entlohnte, so geschah das wahrscheinlich, weil ich mir beweisen wollte, daß ich imstande sei, einen Entschluß zu fassen. Und erst, als das sich entfernende Wagengeräusch ganz und gar verstummt war, erkannte ich, daß ich kaum hundert Meter von dem Platz mit dem Denkmal entfernt war, der den Zugang zum früheren Getto darstellt.

Ich ging die Straße zum Platz hinunter, eine Straße, die gerade so unbelebt war, wie man sie sich nur irgend vorzustellen vermag. Die Granitquader, die das Trottoir bildeten, waren gebrochen, aus ihrer Lage gebracht, von Explosionen zerschrundet. Die Straße, die wie ein Hohlweg zwischen zwei bis drei Meter hohen Böschungen hinlief, mußte der einzige Zufahrtsweg ins Getto sein. Unruhe und Überdruß, die ich nacheinander empfunden, waren einem fiebrigen, exaltierten Gefühl von Zufriedenheit gewichen; ich empfand auf einmal etwas wie Schadenfreude gegenüber den Umständen, die meinen Absichten hatten entgegenstehen wollen. Nun, dachte ich, während sich zugleich eine leise Abwehr gegen das eigene Verhalten in mir regte, nun, ich bin doch gekommen. Wirklich stand ich jetzt schräg vor dem Denkmal, dem eigentlich dunklen, aber wie auf einem falsch belichteten photographischen Bild farblos im farblosen Licht aufsteigenden Granit. Zum erstenmal sah ich das Monument aus der Nähe. Die Sonne stand genau im Zenit. Im Mittagslicht hätte die Gruppe der Aufständischen, die aus der Mitte des Denkmals hervortritt wie aus einer Bresche, geradenwegs aus der Hölle herausgekommen sein können, deren Flammen man hinter den Figuren noch hervorschlagen sah. Der ganze strenge Block, der sich nach oben verjüngt und so an die Pyramiden gemahnt, die die Urväter der Gefallenen für fremde Pharaonen auftürmen mußten, dieser Block war vielleicht nichts anderes als das Tor der Hölle, das die Kämpfer erreicht hatten, nachdem sie durch tausend Feuer gewandert waren, und von dem aus sie mit leeren Augenhöhlen und erstarrten Gesichtern in die verwüstete Landschaft blickten. Vielleicht war es gerade umgekehrt: gleich würde sich, nach einem letzten Blick ins Leere, der Stein hinter ihnen schließen; es gäbe dann nichts mehr außer dem glatten, dunklen Stein, hinter dem die Hölle wütete. Ich wurde nicht müde, die Gruppe zu betrachten, unaufhaltsam zurückgerissen in den Tartarus der Jahre, die erleuchtet gewesen waren von diesem Feuer.

Die Luft glühte immer noch, wenn auch der Himmel, der weiß gewesen war vor Hitze, sich allmählich dunkler färbte. Meine Uhr zeigte fünf Uhr nachmittags.

Ich setzte mich auf einen zerschlagenen Eckpfeiler, der am Ostrand des Platzes im harten Schatten eines Mauerrestes lag. Von hier aus beobachtete ich weiter Platz und Denkmal mit unverminderter Aufmerksamkeit. Durst quälte mich; nach heftigen Schweißausbrüchen war meine Haut so trocken geworden, daß ich sie bei einer Berührung als körnig-tote Substanz spürte, nicht anders, als handle es sich um erwärmten Staub oder Stein.

Die seltenen Fußgänger, die allein oder in kleinen Gruppen vorbeikamen, blieben vor dem Denkmal stehen, ohne auf mich zu achten. Nur die Bewegungen ihrer Hände und Lippen drangen bis zu mir – ein Geschehen auf entfernter Bühne, das man nicht begreift. Eine Zeitlang beschäftigte mich der Schatten des Monuments, wie er länger wurde und auf mich zuwanderte. Als er mich erreicht hatte, stand ich auf. Am Denkmal vorbei ging ich auf die Böschung zu, mit der das Trümmerfeld des ehemaligen Gettos schroff an der Seite des Platzes beginnt. Man ersteigt den drei Meter hohen Hang ohne Mühe. Ich tat ein paar Schritte nach vorn, hastig, ungewiß, wohin ich mich zu wenden hatte, als überschritte ich eine Grenze.

Von hier aus übersah ich das Gebiet, wo in gestaltlosen Schutt zusammengesunken ist, was im Zustand der unmittelbaren Vernichtung noch Ruine war, Mauerrest, stehengebliebener Pfeiler. Das Gelände, ein Gewoge gleichmäßig nivellierter Trümmer, stürzt richtungslos dem Horizont zu – ein Gewoge, sage ich, denn in der Tat bilden die Schuttberge eine starr gewellte Fläche, deren Kämme und Täler sich nicht weiter voneinander entfernen als die Scheitel- und Tiefpunkte einer leichtbewegten See. An einigen Stellen öffneten sich Krater, in denen gemauerte Teile von Kellern sichtbar wurden – hier hatte man später nach Getöteten, Verbrannten gesucht oder nach vergrabenen Dokumenten.

Ich war nach den ersten Schritten stehengeblieben. Nun ging ich weiter, stolpernd und beschleunigten Schrittes, aber ständig die Richtung wechselnd, als gehorchte ich den Weisungen im chaotischen Gefälle des Gesteins. Ich fühlte mich heimatlos und geborgen zugleich, vielleicht wie ein auf den Wogen treibender Gegenstand, besäße er Bewußtsein, fühlen würde. Hier könnte die geographische Mitte meines Lebens sein, sagte ich mir, und ich bückte mich nach eingebildeten Gegenständen, die doch nichts weiter waren wie zerschlagener Stein, als würden sich plötzlich vergangene Besitztümer, irgend-

welche Andenken finden lassen, die die Flut der Jahre da zusammen-
gespült hatte. Und wieder brach ich hastig auf, als gelte es, noch
vor dem Einbruch der Nacht an ein Ziel zu gelangen, das das Leben oder ich selbst mir gesteckt hatte.

Denn es war Abend geworden. Eine späte Junisonne, die ihre
Strahlen abgetan hatte und sich in rötliche Nebel hüllte, stand handbreit über dem Horizont und gab den bröckelnden Ziegeln und
ausgeglühten Metallresten Kontur. Ich sagte mir in diesem Moment,
daß es nun eigentlich genug sei an planlosem Schweifen und Träumen. Deutlich sah ich mein Hotel vor mir mit dem Speisesaal und
der Tanzkapelle, und ich überlegte, wo ich ein Taxi würde nehmen
können; schon hatte ich es mit dem nächsten Gedanken gefunden,
stieg aus, setzte mich an einen Tisch zu meinen Zufallsbekannt-
schaften. Den ich jedoch in meiner Vorstellung sah, war bereits ein
Fremder, der mir noch ähnelte, aber schon begonnen hatte, sich unwiderruflich von mir zu trennen, und den ich vielleicht nur mit dieser geheimen und schlecht verborgenen Ungeduld begleitete, um ihn
schneller verlassen zu können.

Im Augenblick, da ich ihn aus den Augen verlor, hatte das Getto
ganz von mir Besitz ergriffen, und die kaum wahrgenommenen Geräusche der entfernten Stadt hingen über mir wie ein Netz, in das
ich blindlings hineingelaufen war. Die Laute des abendlichen Warschau verkündeten nur, daß die Toten unter den Trümmern des Gettos, diese fünfzig- oder sechzigtausend, bald nicht nur die Last des
Schutts würden tragen müssen: über die unaufräumbare Wirrnis aus
Stein und Eisen würde sich, nicht wie es mir vorhin die Phantasie ein-
gegeben, sondern in aller Realität, die meterdicke Decke aus Beton
ziehen, auf der, um drei oder vier Meter erhöht, ein riesiges Viertel
der erneuerten Stadt sich erheben würde. Nur noch das Monument
auf dem Platz würde laut in alle Ewigkeit mit all seinen Lettern
reden: Dem jüdischen Volk seine Kämpfer und Märtyrer. Aber den
Toten, so schien mir, würde diese Last leicht sein: die Stadt über
ihnen – wäre sie möglich gewesen ohne ihr Sterben, das die Welt zu
noch größerer Entschlossenheit gezwungen hatte? Zum erstenmal
jetzt, nach ihrem Tode, würde die Stadt Warschau, in der sie ja nie
ganz heimisch gewesen waren, ihre wahre Heimat sein. Die Toten
selbst, sagte ich mir, sind es, die die Decke aus Beton über sich ziehen,
um unter den Riesenbauten ihrer Kinder und Freunde auszuruhen.

Im letzten Schein des Tages sah ich noch einmal deutlich die tote,
formlose Verwüstung um mich, das Unkraut, das zu meinen Füßen
wie dunkelfettiger Rauch aus den Ritzen des zerschmetterten Gesteins

puffte. Jeden Gedanken an Umkehr hatte ich abgetan. Ich ließ mich weiter in die Einöde treiben, deren Begrenzungen die Nacht verhüllte. Einmal stieß ich auf eine Art Senke, oder besser einen halbmeterbreiten Feldweg, der ziemlich gerade durch die Trümmer lief, aus dem Dämmer kommend, ins Dämmer gehend, und ich begriff, daß ich da auf eine ehemalige Hauptstraße des Viertels gestoßen war, die in der allgemeinen Einebnung ihre karge Spur hinterlassen hatte.

Dann war die Nacht endgültig gekommen. Ich fand mühseliger Boden unter den Füßen, tastete nach verräterischen Löchern, verbrannte mir die Hand an Nesseln. Immer noch hätte ich ohne große Schwierigkeiten zurückfinden können, denn einmal sah ich flach über dem Boden in der Ferne das weiße Licht der vier Scheinwerfer, die an hohen Pfosten hingen und nach Einbruch der Dunkelheit das Monument anstrahlten. Aber ich muß gleich danach auf abfallendes Gelände geraten sein, denn einige Sekunden später sah ich kein Licht mehr außer den wenigen Sternen über mir. Mich verlangte es jetzt nur nach einem Platz, wo ich mich niederlassen konnte. Wirklich fand ich nach einigem Umhertasten ein Gesteinsstück, das eine Stufe oder etwas Ähnliches sein mochte und eine bequeme Rückenlehne darstellte. Ich breitete meinen dünnen Staubmantel aus und legte mich ins Geröll. Den Kopf im Nacken, sah ich nach den Sternen oder ließ die Glut meiner Zigarette vor meinen Augen Figuren beschreiben. Einmal dachte ich an die Möglichkeit, daß man mich hier finden könnte, und ich malte mir belustigt die mißtrauischen Vermutungen der Personen, die an der Entdeckung beteiligt sein würden, und meine eigene Verlegenheit aus. Dann wieder beschäftigte mich ernsthaft die Antwort, die ich auf die Frage nach dem Sinn meines Hierseins zu geben haben würde. Es gab nicht nur eine, es gab viele Antworten, die sich mir auf die Lippen drängten. Wenn ich eine Frage als berechtigt empfunden hätte, so wäre es nur diese gewesen: wie ich heute anderswo hätte sein können. Ich habe, sagte ich mir, eine lange Totenwache nachzuholen für so viele Nahe und Unbekannte, die alle nicht in ihren Betten gestorben waren.

Hier stand nichts zwischen den Toten und mir, wie auch in dieser Stadt nichts zwischen dem Leben und mir gestanden hatte. Ich begriff die Lebenden und die Toten, ein ganzes Volk, dessen Sprache ich nicht verstand, dessen Boden ich niemals zuvor betreten hatte, das nur mit den Zeichen seiner Leiden und Anstrengungen zu mir redete. Nach der übermäßigen Spannung des Tages, der nervenreizenden Gegensätzlichkeit zwischen regloser Hitze und rasender Arbeitsbewegung, umgab mich die Leblosigkeit des kühlen Dunkels.

Ich verspürte nicht die geringste Müdigkeit, sondern gab mich ganz dem Spiel der Gedanken und Assoziationen hin. Die Nacht war sehr finster, der Himmel, immer noch von Sternen fast leer, nur wenig heller als die Schwärze des Bodens.

Ich weiß nicht, wieviel Zeit verstrichen war, als ich mich abgelenkt fühlte, abgelenkt nämlich gerade von der Richtungslosigkeit meiner Ideen, von der trost- und beziehungsreichen Unbestimmtheit meines Dahindämmerns. Konnte schon jede Ablenkung nur eher eine Hinlenkung sein zum exakten Erfassen eines begrenzten und begrenzbaren Vorgangs oder Gedankens, so wäre ich doch in diesem Augenblick, hätte es sich um eine begriffliche Festlegung gehandelt, bei dem Wort »Ablenkung« geblieben: ich war entschlossen, jede Änderung in der Annehmlichkeit meines Zustands als Störung aufzufassen. Der Brief war es, der vom Moment an, da ich in den Taschen nach Zigaretten gesucht hatte, von neuem in mein Bewußtsein getreten war wie ein lästiger Schmerz oder eine bevorstehende Prüfung, dieser Brief, den ich gar nicht hätte lesen können in der herrschenden Finsternis, von dem ich aber bereits wußte, daß ich ihn nötigenfalls auch im hellsten Tageslicht mit geschlossenen Augen entziffern würde.

Ich war nie wacher und nüchterner gewesen, nie abgeneigter, mich Halluzinationen hinzugeben, nachdem ich schon mit Widerstreben die Unterbrechung meiner Träumerei hingenommen hatte. Und doch hätte es sein können, daß ich, beim Gedanken an den Brief, etwas gehört hätte wie ein ruhiges Atmen von mächtigem Gleichmaß, wobei ich an Wind gedacht hätte, ja, an ein nahendes Gewitter, wenn nämlich dieses Atmen oder Blasen, von allen Seiten zugleich kommend, begonnen hätte, einem fernen, sehr leisen Donner zu gleichen. Nichts würde eine solche Mutmaßung bestätigt haben, denn die Nacht war frei von Wolken und Wetterleuchten, und doch hätte das Geräusch unaufhörlich zugenommen – schon wäre es ein rauschender und polternder Lärm geworden, ein Prasseln, als fiele ein gigantischer Hagel über die Stadt. Und das alles hätte mir keine Furcht eingejagt, mir, der ich den Brief die ganze Zeit in der Tasche zwischen den Fingern hielt, als verberge sich das, was ich vernahm oder gleich erblicken würde, in diesen Seiten, die unvollständig waren wie die aufgefangenen Notsignale einer verschollenen Expedition. Finstere Flecken würden jetzt in den Himmel hineinwachsen, von geometrischer Gestalt. Es könnten keine Schatten sein – denn das Auge würde sogleich die Tiefe erfühlen, mit der Körper auch im Dunkel unseren Sinnen begegnen. Und nicht allein das: ich würde, immer den fremden, von einem Unbekannten geschriebenen Brief in der Hand, begreifen, daß die trockenen Geräusche eines in Bewegung gesetzten widerspenstigen Stoffs einer wirklichen Veränderung entsprächen. Und in den Lärm unbelebter Dinge hätten sich nun auch menschliche Stimmen und Laute gemengt, Rufe, Schritte, Pfiffe. Wie ein Ertrinkender würde ich um Atem gekämpft, würde einen Fuß vor den anderen gesetzt haben, um bei den anderen zu bleiben, die sich da ringsum vernehmbar machten. Und das alles wäre nicht mehr und nicht weniger gewesen als das Wiedererstehen des Gettos, ein geisterhaft-eigensinniges Sichwiederaufrichten des Schutts zu grauen, vierstöckigen Gebäuden, in Zeilen aneinandergereiht und von Menschen wimmelnd.

Der Brief in meiner Tasche war das Lebendigste in der Welt. Es wäre mir nicht eingefallen, daß man einen Brief nicht im Dunkel lesen kann; ich stellte mir auch nicht die Frage, warum ich ihn gerade jetzt lesen sollte, nachdem ich den ganzen Tag hindurch vielleicht selber Gründe vorgeschoben, die mich am Lesen gehindert hatten. Eher hätte ich geglaubt, daß B., der mir den Brief anvertraut hatte mit der Bemerkung, es handle sich um ein einzigartiges, so gut wie unbekanntes Schriftstück, das ihm in die Hände geraten sei, nachdem man es unter manchen von Regen und Schmutz fleckigen Dokumenten entdeckt habe, wobei er spüren ließ, daß ich die Überlassung des Briefs seiner besonderen Gunst zu danken hätte – eher hätte ich geglaubt, sage ich, daß B., der mir seit Jahren bekannt ist und dem ich nach langer Zeit wiederbegegnet war, ein Phantom gewesen sei, etwas ganz und gar Unwirkliches, ein Substitut des Bewußtseins gewissermaßen, und daß ich diesen langen Brief, den man nicht unbedingt einen Brief zu nennen braucht und dessen Beginn und Ende übrigens nicht aufgefunden wurden, von seinem Verfasser selbst erhalten hätte, weil er ihn für mich bestimmt hatte und weil mir seine Züge so nahe, so ähnlich sein mußten wie das Gesicht, das ich jeden Morgen im Spiegel erblicke.

»... und die Straßen nicht anders als gestern und vorgestern mit den Sängern und Händlern und Hungernden und den knüppelschwingenden Patrouillen und den Maueranschlägen und den Kindern, die auf ihren Fersen hocken. Wie lange beobachte ich das? Seit sechs Monaten wenigstens. Man neigt hier leicht dazu, auf eine normale Zeiteinteilung zu verzichten. Aber ich irre mich nicht: ich befinde mich in der Tat seit sechs Monaten hier. Aber wozu das ... Mich beschäftigt viel mehr die Frage, wer Du bist, wie Du aussiehst,

Empfänger der Flaschenpost, welchen Ausdruck und welche Farbe Deine Augen haben, wenn Du Dir vorzustellen suchst, wie dieses Leben, von dem ich berichte, sich immer wieder über seinem Gegensatz schließt wie Wasser über einem Stein, mit überwältigender Hartnäckigkeit, daß man an ein Naturgesetz zu glauben beginnt, mit einer blinden Folgerichtigkeit, als handle es sich nicht um das Zusammentreffen zufälliger, von Menschen ausgedachter und erlebter verhängnisvoller Momente, die wir Lüge, Selbstbetrug, Trägheit, Verzweiflung nennen und die damit schon etwas Absolutes, Unveränderliches zugesprochen bekommen, während sie in Wirklichkeit doch gemacht sind – ich finde keinen anderen Ausdruck –, und deren Fragilität, deren von Epoche und Bewußtsein abhängiger Charakter darum so wenig bezweifelt werden kann wie ihre Verwerflichkeit. Bin ich zu hart gegenüber meinesgleichen? Kaum; und ich spreche ja auch von mir, was wiederum Ungerechtigkeit von meiner Seele her nicht ausschließt, aber immerhin meine wiederholte Versicherung bekräftigen möge, daß ich nach bestem Wissen und Gewissen berichte.

Was ich Dir vor Augen stellen möchte, mutet wie ein riesiges verhängnisvolles Spiel an, wie eine kindliche Verschwörung gegen die Wirklichkeit, eine Verschwörung, die dem kollektiven Selbstmord gleichkommt. Die Einwohnerschaft des Gettos ist zum Zeitpunkt, da diese Zeilen geschrieben werden, auf ein Achtel ihres ursprünglichen Bestandes zusammengeschmolzen. Die nicht in den Aktionen fielen (man breitet Zeitungspapier über diese Toten, die verrenkt an den Hauseingängen liegen oder in den Gossen), gehen den Weg nach dem Umschlagplatz, von dem niemand zurückkommt. Wir sehen die Tausende unter Eskorte nach dem Umschlagplatz ziehen, wir hören das Rollen und Klirren der Züge, wir kennen das Wort Treblinka – aber unter dem Druck einer unheimlichen Vereinbarung reden wir von Umsiedlung, geben wir vor, von Treblinka nichts zu wissen, sagen wir »vielleicht«. Das Getto bebt von Lebenshunger, und dieser Lebenshunger gerade bedeutet den Sieg des Todes, so wie die einmalige Todesmaschinerie der Deutschen, die den Opfern selbst unglaubhaft erscheint, den Erfolg der deutschen Lebensart am sichersten verbürgt. Du begreifst natürlich, daß es eine echte Liebe zum Leben gibt, gegenüber der der Tod die Partie leicht verlieren könnte, jene Liebe zum Prinzip des Lebens, die die eigene Existenz zu opfern bereit ist um der anderen willen. Hier fällt alles auseinander vor dem irrsinnigen Trieb des einzelnen, sein Leben, nur sein Leben um ein Geringes zu verlängern. Die Sklaven, die bei Többens, bei Schultz, bei Hoffmann, bei der HUV arbeiten, sehen zu den deut-

schen Unternehmern und Treibern, die das Letzte aus uns heraus-
holen, ehe wir zum Tode befördert werden, wie zu Göttern auf,
deren Ohr ihnen geneigt sein möge. Aus den Todeszügen brüllt es:
»Ich, Herr Schultz! Sie wissen doch, daß ich ein guter Arbeiter bin!
Ich bin es, ich, ich, ich ...« Eben sprach ich von einer kindlichen
Verschwörung: die Opfer blicken zu den Henkern auf wie zu strengen, doch gerechten Lehrern, und mit der gleichen eigensinnigen
Einbildungskraft, mit der spielende Kinder einen Rasenplatz zum
Ozean und ein Stückchen Holz zum Überseedampfer ernennen, er-
finden meine Schicksalsgefährten unablässig optimistische Metamor-
phosen der Vernichtung.

Muß ich in diesem Zusammenhang nicht auch von mir mit bitte-
rer Schärfe reden? Verbringe ich nicht meine Zeit, wenn der Betrieb
mich freigibt, inmitten von Selektionen und Aktionen – vergib mir
diesen Jargon des Todes, den die Deutschen uns aufgezwungen haben (die Deutschen, sage ich schon wieder ...) – verbringe ich meine
Zeit nicht mit diesem Buch, obwohl ich einen guten Teil meines Hölderlin auswendig weiß? Und was ist das anderes als der Versuch,
mich mit der Gegenwart auszusöhnen, mir eine private Normalität
zu schaffen, zu der, lassen sich auch keine anderen diesen Begriff
kennzeichnenden Bequemlichkeiten aufführen, die Lektüre gehört.
Vergeblich auch der Versuch, diesem Dichter oder vielmehr meiner
Beschäftigung mit ihm eine militante, eine aktiv-moralische Bedeutung unterschieben zu wollen. Es gibt Situationen, in denen die
Kunst, jede Kunst, dem Leben entgegensteht, in denen sie ihm eigentlich nichts mehr zu sagen haben dürfte. Schon wieder möchte ich
Dich um Verzeihung bitten für diesen Satz. Haben wir denn nicht
gerade stets jene Kunst gemeint, die dem Leben gewissermaßen helfen möchte, noch mehr Leben zu sein? Und ist die Blasphemie, die
ich gerade niederschrieb, nicht vielleicht der deutlichste Ausdruck
dafür, daß es dem Feind gelungen ist, uns dahin zu bringen, wohin
er will? Ich weiß nur, daß wir keinen gefährlicheren Gegner besit-
zen als die Apathie; daß sie vor allem bekämpfenswert ist. Vergib
mir, noch einmal, daß ich nicht zu entscheiden weiß, ob wir dabei
in der Kunst einen Verbündeten haben oder ob sie nicht einfach eine
Schlinge, einen Schachzug des Feindes darstellt.

Nach allem, was Du bisher durch mich selbst und von anderen
erfahren hast, wirst Du wahrscheinlich geneigt sein, uns mehr an er-
laubtem Selbstbetrug, an heilsamen Illusionen – wirst Du es nicht
vielleicht so nennen? – zuzugestehen, als ich selber gern möchte. Wie
merkwürdig ist die Vorstellung, daß Du in diesen oder ähnlichen

Begriffen an uns und unseren Tod denken wirst. Daß du denken wirst: Es gab kein Entrinnen; hätten sie nicht das Recht haben sollen, sich über ihren unvermeidlichen Tod, diesen Schlachtviehtod, so lange und so weit wie möglich zu täuschen? Wie merkwürdig! Mich würgt etwas in der Kehle, wenn ich, der ich so unerlaubt ruhig an diesen Tod zu denken vermochte, mir vorstelle, daß jemand über unseren Tod Betrachtungen anstellen wird, daß Du imstande sein wirst zu sagen: Als sie noch lebten ... Aber ich schweife ab, und gerade darum, weil ich nicht weiß, was aus meinem Brief werden wird, aus diesem Brief, der einem Bericht ähnelt oder einem Tagebuch und der am Schluß vielleicht einer Erzählung gleichen wird, obwohl er möglicherweise nur sich selbst gleicht, dem Lauf eines Pferdes, dem man die Augen verbunden hat und das ein Rad treibt, dem unverständlichen Gelall eines Stummen, der sich selbst beweisen will, daß er immer noch der Sprache mächtig ist. Oder solltest Du den Brief einfach nur darum mit dem gleichen Mißbehagen lesen, mit dem ich ihn niederschreibe, weil in ihm unsere auseinanderstrebenden Möglichkeiten zu ahnen sind, ohne sichtbar zu werden? Alles Geschriebene soll erklären, klarmachen. Der Zustand jedoch, den wir bis heute leiden, erleiden, ist der Zustand der Unklarheit selbst. Ich müßte es jetzt ganz einfach machen und sagen: Wir hatten nur noch zwischen einem klaren und einem unklaren Sterben zu wählen. Das Leben stand nicht mehr zur Diskussion. Und bei uns gab es Menschen wie Mlotek; das darf nicht vergessen werden.

Was ist denn mein Thema? Die Apathie, deren Berechtigung Du uns vielleicht nachträglich zubilligst, die Apathie in ihrer jeweiligen Gestalt, wie sie sich durch die Straßen schleppt zum Umschlagplatz – erinnere Dich dieses offiziellen Namens, der anzeigt, daß an dieser Stelle die zum Transport Bestimmten verladen wurden! – oder sich in ein Buch vertieft, in dem von hellenischen Göttern die Rede ist, bis der erwartete endgültige Befehl dem Lesenden das Buch aus der Hand reißt und ihn einreiht in eine der Kolonnen, die man mit Stimmen vorwärtsprügelt, als seien es Stöcke, und die neuen Stockhieben entgegeneilen, als riefe sie eine Stimme? Oder ist der Tod mein Thema, unser Tod, über den Ihr eines Abends dann redet, eines ruhigeren Abends, in dem die Fledermäuse fliegen, und eine Flasche Wein steht auf dem Tisch? Sich das vorzustellen, fällt einem schwer, wie gesagt, aber wenn es schon so sein muß, so sollte doch zwischen Gläsern und Flasche mein Brief liegen, der einer meteorologischen Karte gleicht; so wird er also doch noch zum Zeugnis, zum Meßgerät eines Prozesses. Er redet vom Wetter, das sich ändern kann.

Weil es Mlotek gibt und andere seines Schlages, wird er bald die ersten Kundgebungen des Bebens anzeigen, das dieser Hölle ein Ende setzen wird. Man hört seit einigen Tagen von einer letzten gewaltsamen Aktion der Deutschen, die das Getto gänzlich menschenleer machen soll. Dann wird es vielleicht so weit sein, daß die Menschen um nichts weiter besorgt sein werden als um einen anständigen Tod.

Es ist wahr, daß die Apathie, deren ich mich und meine Schicksalsgefährten bezichtige, niemals ein allgemeiner und dauernder Zustand gewesen ist, und somit hätte ich schon manches korrigiert, was im Vorausgegangenen zum Nachteil unseres Rufes steht. Mir scheint, daß in dieser Sorge um unsere Reputation bei der Nachwelt der sicherste Beweis dafür liegt, daß es sich mit uns nicht so schlecht verhält, wie gewisse weiter oben geäußerte Zweifel und Urteile Dich glauben machen könnten. Das Bild der Transporte weinender, betender, verstummter, aber immer und immer gehorchender Menschen, hinter denen die Straßen sich wieder mit betriebsamen Schatten füllen, diese unaufhörliche, revoltierende Kundgebung ohnmächtiger Geschäftigkeit und selbstzerstörerischer Glaubenskraft ist natürlich schlimm genug.

Aber es gibt etwas in der Welt, was ich Dir erklären möchte, etwas Neues, das bis zu uns reicht und trotz allem den Namen Wendung verdient. Gewiß bin ich immer in Gefahr, der verführerisch-beschwörenden Kraft eines Wortes nachzugeben. Wenn ich an diesem Wort »Wendung« hängenbleibe – weißt Du, was ich dann sehe? Eine abendliche Straße in einer großen Stadt, in der ich meine Jugend verbracht habe und die ich nicht nennen will, weil ihr Name allzu schroff meiner derzeitigen Lage entgegensteht; und mitten in dem lebendigen und erregenden Gewoge erblicke ich mich selbst. Ich bin frei und kann den Mädchen ins Gesicht sehen. Ich weiß sogar, daß ich konvenabel gekleidet bin. Wenn Du wüßtest, wie wohl ich mich fühle! Ich habe meine Arbeit hinter mich gebracht und kann jetzt ins Kino gehen, wenn ich will. Es ist alles in Ordnung, weil der Krieg schon lange vorbei ist; wir haben gesiegt, es gibt kein Getto und keine Judensterne, und man kann nachts ruhig schlafen.

Die Wirklichkeit ist anders. Immer noch stehen die Deutschen tief in Rußland, und ich friere in der nebligen Nacht neben meinem vorletzten Kerzenstummel. Das Zimmer hat keine Fenster mehr. Man hat jetzt viel Platz. Ich bin beinahe der einzige im ganzen Haus, das sich in den letzten Wochen geleert hat wie durch ein Wunder. Immer noch kann ich die litauische Familie aus dem ersten Stock vor mir sehen mit den vielen kleinen Kindern, die schon längst nicht mehr vor Hunger schrien, und die drei steinalten Männer, deren Namen keiner wußte, die in ihrem Verschlag saßen, aufrecht, in ihre Gebetsmäntel gehüllt, mit unaufhörlich flüsternden Lippen, das junge Mädchen aus Bialystok, lautlos mit seiner Tuberkulose beschäftigt.

Aber es gibt etwas Neues in der Welt, das weit drüben begonnen hat, im Osten. Bei Stalingrad sind die Deutschen zerbrochen. In der Dunkelheit kann ich es hören; was macht es denn schon, daß Charkow von Warschau allzuweit entfernt ist, als daß sie noch rechtzeitig kommen könnten. Sie sind ja doch im Anmarsch. Ich höre im Dunkel das verworrene Getöse von Schritten, Rädern, Panzerketten, Motoren. Das Schlurfen durchgelaufener Stiefel, das Plätschern der Sohlen in den Lachen, die in den tiefen Straßenlöchern stehen. Und dann, vom Wind bald zugedeckt, bald hergeweht, das schrille Singen der Vorsänger, dem der Chor erwidert, dröhnend wie die Wälder, mit Bässen, schwarz wie die Finsternis.

17. April

Die Toten, die dem Hunger erlagen, über die man frühmorgens auf dem Weg zur Arbeit stolpert, Kinder und Erwachsene, sie tragen die strengen, wie von kalter Flamme geprägten Züge der Märtyrer eines primitiven Meisters. Und sind nicht auch die Trupps, die die Leichen auf Karren sammeln, aus dem Mittelalter aufgetaucht, geradenwegs zu uns gelangt aus der Zeit des Schwarzen Todes – kaum haben sie sich Zeit genommen, Kleidung und Kopfbedeckung zu wechseln. In diesem gebrechlichen, durch ständiges Bedrohtsein schon fühllosen Körper glaube ich mich manchmal zurückgezerrt in Urzeiten: ich bin so alt wie Babylon. Bei Lebenden und Toten zeigt sich plötzlich in Antlitz, Haltung und Stimme der Gang der Geschichte: nur muß, dessen bin ich sicher, unter den ganz erstarrten Zügen Hiobs sich das Gesicht des Bar Kochba verbergen.

Als Mlotek mich vor zwei Tagen abends in seinen Keller mitnahm, glaubte ich auf einmal, dieses Gesicht in allen Einzelheiten entdeckt zu haben. Von den Anwesenden, die mir meist unbekannt waren, deren Gegenwart zudem mehr ihr Atmen, ihre Bewegungen verrieten, war ein Fremder offenbar dabei, den anderen Bericht zu erstatten. Mlotek hatte mir nicht gesagt, wohin er mich bringen würde. Ich war jetzt sicher, Zeuge einer Zusammenkunft des geheimen Jüdischen Nationalkomitees geworden zu sein. Zunächst hatte der Fremde seine Rede unterbrochen, als ich in sein Blickfeld getreten war. Er fuhr darin fort, sobald Mlotek ihm mit den Augen ein beruhigendes Zeichen gegeben hatte. Nicht so sehr seine Worte waren es, was mich fesselte, Worte, deren Zusammenhang ich nicht sogleich begriff und denen zu folgen ich im Anfang unterließ; es war vielmehr sein Blick, seine Haltung, die tragische Blässe eines Antlitzes unter so vielen Gesichtern, die alle ohne Ausnahme das Äußerste widerspiegelten, was Menschen widerfahren kann. Die Revolte in diesen Zügen war es, die mich augenblicklich gebannt hatte: das Gesicht, das ursprünglich kindlich sanft gewesen sein mußte, enthielt das, was ich bisher so bitter vermißt, wonach es mich verlangt hatte; in ihm war die schreckliche Bereitschaft des völlig Verlassenen.

Beim Anblick dieses Antlitzes sah ich mich wieder, wie ich an einem frostigen blauen Januartag in meinem Versteck gestanden hatte, einem schmalen, vermauerten Gang, zu dem man durch die Rückwand eines gegen die Wand gestellten Schrankes Zutritt hatte und von dem ich durch ein Loch in der Fassade in die Straße schauen konnte. Ich hatte mit einigen Freunden am Radioapparat gestanden, der uns täglich die allmähliche Vernichtung der sechsten deutschen Armee vor Stalingrad vor Augen stellte. Die trockene Aufzählung der Toten- und Gefangenenziffern, der Waffenbeute, die die Rote Armee machte, wurde begleitet von unseren Atemstößen, die weißen Nebel in das kalte Zimmer wehten, und von den sinnlosen Ausrufen, die Haß und Freude uns aus dem Innern rissen. Jetzt stand ich in meinem Verschlag wie Hunderte von anderen in diesem Häuserblock und hörte das Gebrüll des Oberhenkers Brandt, der Frauen und Kinder mit Fußtritten auf die Lastwagen trieb.

Die riesigen Wagen der Deutschen standen in Abständen am Straßenrand, die Fahrer waren auf die Straße getreten und schlugen sich mit langsamen Bewegungen die Hände warm. Die Postenketten der SS spannten sich dunkel zwischen den Häuserreihen. Das Gebrüll Brandts sprang jedesmal in eine völlige Lautlosigkeit, die sich immer wieder aus sich erneuerte. Ich sah, wie die Zusammengetriebenen sich folgsam beeilten, wie sie sich die Hände reichten, um einander auf die Wagen zu helfen.

Brandt wandte sich plötzlich dem Block zu; er stemmte die Hände in die Hüften und musterte die Fassade, daß ich einen Augenblick lang glaubte, er habe mich gesehen. »Kommt doch herunter, ihr Idioten«, brüllte er und gab seiner Stimme den Ausdruck vertraulicher Grobheit, »ich muß die Nummern prüfen. Wer eine Nummer hat, kann dableiben. Wer nicht kommt, wird erschossen.«

Die Aktion hatte uns überrascht; wir waren nicht gewarnt worden. Dennoch mußte man sich wundern, wie schnell die Leute nach dem Aufheulen der Bremsen ihre Verstecke gefunden hatten. Die Straße war wie von einem ungeheuren Luftzug gekehrt.

Wie gelähmt stand ich in meiner Nische. Ich sagte mir, wie lächerlich der Gedanke sei, daß Brandt mich bemerkt haben könnte. Gleichzeitig glaubte ich zu fühlen, wie es in den Häusern lebendig wurde, wie ein Raunen und Schleichen begann. Plötzlich hörte man Laufen. »Ich komme ja schon, ich komme ja schon«, sagte eine Frauenstimme, offenbar die Stimme einer sehr alten Frau, die so nahe war, daß ich mit der Hand gegen die Mauer langte. Überall hörte man jetzt halblautes Sprechen. »Geht nicht!« warnte flüsternd jemand. »Sie suchen die ohne Nummer«, sagte ein anderer dagegen. Ich sah die ersten unten aus der Tür treten, ihre Nummer in der Hand, die sie als Arbeiter in einem Wehrmachtsbetrieb auswies und ihr Leben um ein geringes verlängern sollte. Es gab eine kurze Pause, während die SS die Leute beobachtete, die aus den Häusern drängten. Dann begannen die Posten wie auf Verabredung zu lachen und zu schreien. Sie schlugen die Menge, die sofort vor Entsetzen still wurde, als sei dieses Entsetzen nichts als eine Erscheinung des Frostes selbst, mit den Kolben zu den Wagen hin. Brandt wandte der Fassade von neuem sein amüsiertes Gesicht zu. »Wer nicht freiwillig kommt«, rief er, bei jedem Wort den Blick lachend seinen Leuten zugewandt, »wird doch erschossen!«

Plötzlich hörte ich eine Frau aufweinen. Vor einem Haustor entstand Bewegung. Ich erkannte eine junge Frau mit einem Kind auf dem Arm, die ihre Nummer eigensinnig emporhielt und der SS Widerstand leistete. »Er hat es versprochen!« schrie sie. Die SS-Männer lachten. Mit einer entschlossenen Bewegung hatte sie sich aus der Menge losgemacht und jagte in hohen Sprüngen davon. Die ganze Straße schien in einer Welle von Schweigen der Flüchtenden nachzublicken.

Das dauerte nur drei Sekunden. Die Karabiner krachten, als splitterten Holzlatten. Die Schützen hielten nicht gleich inne, auch als die Frau schon mit dem Kopf auf der Bordschwelle lag; sie schossen jetzt nach links und rechts in die Masse, die sich zur Flucht wandte. Aber von der Zamenhofstraße kam nun wie zur Antwort Gewehrfeuer, in das die dumpferen Schläge von Handgranaten fielen.

In diesem Moment hatte ich die wahnsinnige Vorstellung, daß die Schüsse wirklich etwas zu tun hatten mit den Vorgängen, von denen wir vorhin am Lautsprecher gehört hatten. Endlich, konnte ich nur denken, endlich, endlich, endlich! Die SS-Männer, in einer jähen Stille, als seien sie auf unerklärliche Weise zusammenge-

schrumpft, standen über ihre Karabiner gebückt. »Das Judenpack
schießt!« schrie eine Stimme, die sich überschlug.

Schon als die Wagen, in eine Wolke von Schreien und Flüchen
gehüllt, davonstoben, wußten alle, die auf den Wagen und wir
selbst, von gräßlicher Freude in unseren Verstecken geschüttelt, daß
sich irgend etwas unwiderruflich geändert hatte, daß etwas Lang-
erwartetes eingetreten war oder geschehen würde, etwas, was man
nicht ganz erfassen konnte, so wie man sich im Traum manchmal
vergeblich anstrengt, ein Gesicht zu erkennen oder ein Wort aufzu-
fangen. Der Kampflärm, den wir in der Ferne vernommen hatten,
zerrte aus uns mühsam zurückgestautes Schluchzen und Gelächter,
er blähte uns wie ein tückisches Gas aus Haß und Triumph. Ein
paar Straßen weiter lagen die ersten Toten mit den SS-Runen am
Kragen über der Fahrbahn, wie graue, mit Fleisch und Knochen
gefüllte Säcke, die ein vorbeirollender Wagen verloren hat. Was
immer auch geschehen würde, wie bald auch die Gewehre, die sie
zur Strecke gebracht hatten, schweigen müßten – das Bild der getöteten SS-Männer würde über den Straßen stehen als Initiale vor
dem ersten Kapitel einer aufgeschlagenen Chronik.

Während der Fremde sprach, waren alle Abende in diesem Zimmer gegenwärtig, die seither über das Getto hereingebrochen waren,
jeder wie eine Faust, die uns die Augen zudrückt. Das Gerücht von
entstehenden Kampfgruppen ging um, bald kein Gerücht mehr, sondern finster-heitere Gewißheit, die die Blicke der Verräter – denn
auch hier, unter uns, gibt es Verräter, mußt Du wissen – unstet
machte. Wie von einem ungewissen Echo der Stalingrader Kanonade
füllte sich die Dunkelheit mit dem Klirren von Hacken und Spaten;
in den Kellern und Treppenhäusern mischten Männer beim Schein
von Kerzen und Petroleumlampen Zement: das Getto wühlte sich
in den Boden. In diesen improvisierten Verstecken, die wir Bunker
nannten, weil die Deutschen uns dieses Wort beigebracht hatten,
sollten die Waffenlosen oder Kampfunfähigen oder auch einfach
Verängstigten ihr Leben zu retten suchen, sobald die Deutschen von
neuem vorgehen würden. Man hörte von Bunkern, die Hunderte
würden aufnehmen können, die mit elektrischem Strom, mit Wasser,
mit Lebensmittellagern und Kochstellen versehen worden waren.

Auch jetzt noch geisterte die Klage um die Toten und die dem
Tode Verfallenen durch die Häuser, die endlose fürchterliche Klage,
die die Juden seit zwei Jahrtausenden zu erheben gewohnt sind;
mitten in der Nacht erwachten diese verlassenen, zerrissenen, gleichsam nackten Stimmen mit dem heulenden Klang des Schofar, das die

Posaune des Gerichts vorstellt. Immer noch lebte die Neigung zur Unterwerfung unter den Willen der Mächtigen, der fremden Waffenträger und Todverbreiter, der vielen, der Blondhaarigen, der Muskel- und Stahlmenschen, deren Anderssein man zugleich fürchtete und verachtete und deren barbarische Dummheit man beschwichtigen, deren Wohlwollen man erkaufen zu können hoffte. Während Mlotek vor ein paar jungen Menschen, unter denen ich, in eine Decke gehüllt, saß, über Lenins »Briefe aus der Ferne« sprach, erwachten in der Tiefe des nächtlichen Gettos die Legenden der Vergangenheit: irgendwo baute Rabbi Löw einen neuen Golem. Todmüde, von Hunger und Alter zusammengesunkene Männer mit Patriarchenbärten verkündeten das Nahen des Messias.

Der Fremde hatte seinen Bericht abgeschlossen. An seiner Stelle sprach jetzt eine unsichtbare Frau. »Das Entscheidende besteht darin, auch dem Letzten beizubringen, daß man das Wort Umsiedlung wie Gaskammer ausspricht. Die Menschen müssen endlich begreifen, daß ein kollektives Todesurteil gegen sie ausgesprochen wurde.« Jemand knurrte einen unverständlichen Widerspruch.

Man sah den Fremden im Schein der Lampe die Hand heben. »Ich stimme für den Aufstand. In Treblinka brennen die Scheiterhaufen Tag und Nacht. Worauf wollen unsere Freunde eigentlich noch warten? Ich bin der einzige bisher, der aus Treblinka flüchten konnte. Mein Bericht muß sofort verbreitet werden.«

»Bist du allein gekommen?« fragte eine gereizte Stimme.

Der Fremde lachte. »Allein? Eigentlich nicht. Ich hatte zwei Begleiter.«

Er hielt etwas mit beiden Händen ins Licht. Alle erblickten die zwei schweren Revolver.

Mir war auf einmal, als sei die Luft im Keller ganz frisch, eisig wie im Gebirge. Ich verstand, daß alles, was mich bisher aufgebracht hatte, nichts war wie eine dünne Kruste über einem Gebrodel, das durch die Kruste noch gefährlicher wurde.

Mlotek sagte: »Wer spricht von Alleinsein? Wir haben sogar Besuch aus dem Jenseits.« Er lächelte und nickte hinüber in die eine Ecke des Kellers. Jemand hob die Lampe, so daß ihr Licht auf zwei Männer fiel, die zu gleicher Zeit vortraten. Mlotek stellte die Fremden vor: »Jan, Stanislaus«, und wiederholte: »Aus dem Jenseits.« Das Jenseits war für uns das andere Warschau, das Jenseits der Gettomauern, die nichtjüdische Stadt, die in ihrer ganzen gegenwärtigen, von Qual und Angst entstellten Abscheulichkeit eine unerreichbare Freiheit repräsentierte. Es war nicht nur das gleichzeitige Auftauchen der beiden Männer, das ihnen eine Gemeinsamkeit verlieh. Auch ihre Gesichter, die deutlich erkennbar waren, hätten trotz aller Unterschiede in Alter und Ausdruck zwei Brüdern gehören können. Der Mann, der zuerst gesprochen hatte, stand neben ihnen und drückte ihnen die Hand. Sie waren beide blond, und ihre Augen hatten den gleichen hellen und gleichmütigen Blick. Ich blickte von ihnen immer wieder auf das dunklere, schmalere Gesicht des Mannes, der viel älter, erfahrener erschien als Jan und Stanislaus mit ihren breiten Gesichtern, die sich auseinanderzogen wie die Ebene, aus der sie stammten.

»Wir sind der Ansicht«, sagte Stanislaus, »daß der Bericht Davids eine Entscheidung fällig macht. Die Entscheidung liegt natürlich bei euch.«

»Wir brauchen euch nicht, um zu wissen, was wir zu tun haben«, sagte die gereizte Stimme.

Stanislaus schwieg und zog die Brauen hoch. Mlotek fiel ein: »Leider wissen das bei uns nicht alle. Stanislaus hat das Wort.«

Der fuhr fort: »Der Bericht bestätigt alle Annahmen und muß den letzten Zweifler zum Schweigen bringen. In den Schriftstücken der Deutschen, die wir abfangen konnten, hieß es immer nur: T II. Jetzt muß der letzte Mann im Getto erfahren, was T II bedeutet.«

»Was mischt ihr euch ein«, begann die gereizte Stimme von neuem, »laßt doch die Juden endlich krepieren. Das ist unser jüdisches Sterben.«

Jetzt sprach die unsichtbare Frau. »Vielleicht sterben wir wirklich alle. Aber wenigstens nicht in Treblinka.«

Ein anderer fiel ein, überhastet, beinahe schreiend: »Wenigstens nicht in Treblinka. Die anderen schlagen sich. Wann werden wir uns endlich schlagen? Die Welt wird uns hören . . .«

»Richtig!« sagte Mlotek an meiner Seite, »so muß man die Frage stellen.«

Mit unverändert klagendem Ton erwiderte die gereizte Stimme: »Alle haben sie die Juden vergessen. Jetzt auf einmal müssen sie uns Ratschläge geben . . .«

Ich hörte, wie Mlotek um die Beherrschung seiner Stimme kämpfte: »Wir haben unseren Beitrag zu geben. Wer hat denn die Juden vergessen? Deine Freunde ganz sicher. Seien wir deutlich: sie stehen an der Seite unserer Feinde. Nun, das ist eure Sache . . . Die Juden hat man nicht vergessen. Niemand ist vergessen. Die Rote Armee bei Stalingrad hat sich für uns geschlagen.«

»Die Russen kämpfen für sich«, warf der Gereizte ein.

Mlotek sagte durch die Zähne: »Selbst wenn sie für sich kämpfen, kämpfen sie noch für uns alle. Ihr habt Waffen . . .«

»Wir geben sie nicht her«, erwiderte die gereizte Stimme.

Jemand schrie dazwischen: »Das sieht euch ähnlich!«

»Auch bei uns auf der anderen Seite«, sagte Jan mit sanfter Stimme, »gibt es Leute, die Waffen von wer weiß woher haben und sie nicht gegen Hitler gebrauchen wollen. Übrigens«, fuhr er fort, »kommen wir nicht mit leeren Händen. Falls ihr den Aufstand beschließt, steht unsere Organisation bei euch. Stanislaus und ich werden hierbleiben, um euch zu helfen. Wir können euch dreihundert Pistolen und Revolver übergeben. Eine Anzahl unserer Genossen ist bereit, soviel Frauen und Kinder wie möglich durch die Kanalisation auf die andere Seite zu bringen.«

»Abstimmen!« rief der Mann aus Treblinka.

Mlotek sagte laut: »Wir kommen zur Abstimmung!« Man spürte den Luftzug der Hände, die sich erhoben.

»Der Aufstand ist beschlossen«, sagte Mlotek.

18. April

An diesem Morgen, der den Bewegungen, den Gesichtern der Menschen, ihren Gesprächen die unwirkliche Farbe der Entscheidung verlieh, entsann ich mich plötzlich eines anderen Tages. Ich war in den Kessel geraten, den die SS jählings zwischen Zamenhof- und Stawkistraße, Smocza und Gesia um uns geschlossen hatte; um uns, das heißt jene Gettobewohner, die sich aus irgendwelchen Gründen gerade in einer dieser Straßen aufhielten. Es war eine Selektion wie jede andere, nur nicht für mich, nur nicht für alle jene, die zum erstenmal dem Tod am Würfelbrett gegenübersaßen. Man kennt die Regeln: der Besitzer eines Arbeitsausweises hat die Chance, für eine meist kurze, aber unüberschaubare, unabsteckbare Frist am Leben zu bleiben. Ich entsinne mich der leichten, traumhaften Leere, die ich nach dem ersten Schrecken empfand, ehe ich, als Teil einer zusammengedrängten Masse, den Ausweis über den Kopf emporhaltend, auf die Stelle zuging, wo die Bewegung eines Peitschengriffs über Tod und Leben entschied. Das Brüllen der SS war verstummt. Über der Szene hing nur mehr ein Schleier halblauter, knochenharter Ausrufe: Los! Los! Schneller! Tempo! Dazwischen antwortete das Schlurfen von tausend Füßen.

Die SS-Leute, jung, strahlend, mit offenen Pistolentaschen und bis zu den Ellenbogen hochgestreiften Hemdsärmeln, umkreisten uns peitschenwippend. Ich erkannte den Scharführer Handtke, der so gern tötete, jetzt aber nur in die Sonne blinzelte, in die blaugoldne, fröhliche Leere, die sich, von Vogellauten erfüllt, über die Geräusche der Straße gelegt hatte. Wir nahmen die Peitschenhiebe hin, als wären sie der Kaufpreis für das gelbe Papier, das wir emporhielten, für den blauen Himmel, für die Wendung, die sich schon in unseren Leibern vorbereitete, diese Drehung nach rechts, in Richtung der Lesznostraße, in Richtung des Lebens.

Die SS fiel uns an, ehe wir die entscheidende Stelle erreicht hatten. Aber sie hätten nicht so wahnsinnig in uns hineinzuschlagen brauchen, denn wir ordneten uns schon einer hinter den anderen wie Kinder auf einer Geburtstagsfeier, und es lag nicht an uns, daß auf einmal der Zug ganz ins Stocken geriet. Ich sah immer nur die Peitsche wippen, nach rechts und nach links, und die Reihe nach links und rechts auseinanderbröckeln, als dirigiere einer die Menschen mit einer Wünschelrute; ich sah die Uniform unter der Peitsche, die Beine in den Stiefeln, aber nicht das Gesicht darüber, denn in das Gesicht, das fällt mir jetzt erst ein, habe ich nicht einmal hineingeschaut.

Genau in diesem Moment begann unsere Reihe zu stocken, denn die SS wurde durch laute Hupensignale abgelenkt. An der Stelle, die wir Tor des Lebens und Tor des Todes nannten – Gott weiß, woher wir diesen Rest von Poesie nahmen –, war ein mächtiger schwarzer Mercedes vorgefahren, dem zwei andere Wagen folgten. Das eben war der Augenblick, da ich den deutschen Tod sah, die riesige Mütze mit dem Totenkopf, den unförmigen, in die schwarze Uniform gezwängten Leib, auf dem die Hände in weißen Handschuhen wie angenäht lagen.

Der deutsche Tod stand aufrecht im Wagen, und um ihn war eine Bewegung von goldenen und silbernen Schnüren und Litzen, von erhobenen Händen, die eine kleine Geste seiner eigenen Hand wieder zum Sinken brachte. Das ist er also, sagte ich mir, das ist er; dabei hätte ich genausowenig wie alle übrigen von uns sagen können, wen wir da vor uns hatten. Wir kamen wieder ins Gehen, während er uns beobachtete, mit einem Blick, der so leer war von Zorn oder auch nur irgendeinem Interesse, daß man gar nicht mehr länger leben wollte.

Der dritte Mann vor mir, ein hochgewachsener schöner Mensch mit einem Magyarenschnurrbart, der einen schweren Sack auf der Schulter trug, bekam das Zeichen nach rechts. Und plötzlich begann sich etwas im Antlitz des deutschen Todes zu regen: es war der Sack, der anscheinend seine Aufmerksamkeit erregt hatte. Ein Scharführer stürzte vorwärts, so schnell, als habe er den Befehl, der deutlich hörbar gewesen war, gar nicht zu vernehmen brauchen, als habe er den Willen hinter dem Befehl erraten. Er stürzte vor und riß dem Mann den Sack herunter, den Judensack, der sorgsam gehütete, geheimnisvolle Schätze enthalten würde wie die Höhle des Alberich.

In dieser Sekunde war kein Geräusch mehr zu vernehmen, nicht nur hier, sondern in allen umliegenden Straßen, ja in der ganzen Stadt, außer dem kalten Schrillen der Sperlinge irgendwo auf den Dächern.

Aus dem Sack fiel ein Kind, ein etwa siebenjähriges Mädchen, das gleich auf seinen Füßen stand, ein schwarzer, hilflos lächelnder Engel, über dem sich der Peitschenstiel nach links senkte. Ich bemerkte, daß das Kind auf rührende, auf lächerliche Weise dem Mann ähnelte. Und nun erst begann die Szene, für die der Platz als Bühne die ganze Zeit schon bereitgestanden hatte. Denn während ein SS-Mann den Schnurrbärtigen nach rechts zu prügeln begann, während der Schnurrbärtige mit uralter Geste die Hände über dem Kopf dem im Wagen Stehenden entgegenhob und die Peitsche nicht zu spüren schien, die ihm um die Schultern pfiff, während das Kind, plötzlich entsetzt, stehenblieb und aufweinend dem Vater nachsah, streckte der deutsche Tod, diesmal deutlich sichtbar, Einhalt gebietend die Hand aus.

Nur das Gellen der Sperlinge kam von oben. Der deutsche Tod lächelte. Er gab dem Mann mit dem Schnurrbart ein Zeichen. Auch der lächelte jetzt. Und als sich über mir die Peitsche nach rechts senkte, sah ich Vater und Kind, beide lächelnd und einander anblickend, Hand in Hand nach links, nach dem Umschlagplatz gehen.

19. April

Es war gegen drei Uhr morgens, als Mlotek mich wachrief – ohne Mühe übrigens, denn ich habe einen leichten Schlaf. Seit ein paar Tagen hatte ich eine geladene Pistole bei mir, aber sei es, daß mein Unterbewußtsein die Existenz der Waffe noch nicht aufgenommen hat, sei es, daß ich meinen Fähigkeiten, mich des Revolvers zu bedienen, zuinnerst mißtraue – wie immer fuhr ich hoch beim ersten Geräusch.

Mloteks Stimme kam durch die Tür. Er sagte: »Sie kommen!« Ich öffnete, ohne Licht zu machen. Während ich mich anzog, erzählte er, daß er vor einer halben Stunde einen Anruf aus dem Jenseits erhalten hätte. Die Deutschen würden gegen Morgen zur Aktion übergehen, in der Stadt seien in Richtung der Gettogrenze beträchtliche Bewegungen im Gange. Also sollte diesmal wirklich Warschau judenrein werden, um mit ihren Worten zu reden. Die ganze Zukunft mußte mir auf einmal leicht, einfach erscheinen: Überleben hieß Freiheit und Sterben hieß Freiheit. Vor mir dehnte sich etwas Ungeheures, das ich Freiheit nannte. Ich sah durchs Fenster auf die Straße hinab, in die Dunkelheit, die sich schon von Schritten rührte. Nach den Gerüchten, nach der Panik der letzten vierundzwanzig Stunden bedeutete jede Wahrnehmung, jede Vorahnung, jeder Gedanke nur noch Erleichterung.

Auch als wir auf die finstere Straße traten, konnte ich nur an das denken, was ich Freiheit nannte oder Befreiung. Im Vorbeihuschen der vielen unsichtbaren Füße glaubte ich nichts von Furcht zu spüren, sondern im Gegenteil einen Plan, der schon in Ausführung begriffen war, eine Entschlossenheit, die sich auch im halblauten Reden der beisammenstehenden Gruppen und in den Geräuschen des Aufbruchs kundtat. Mlotek trat auf eine dieser Ansammlungen in einem Haustor zu und bat um Feuer. Beim Schein des Streichholzes sah ich die Maschinenpistole, die ihm um den Hals hing und auf die er sich, die Zigarette im Mundwinkel, mit beiden Armen stützte. Schatten, die von Lasten gebeugt waren, glitten vorbei: Frauen und Kinder hatten begonnen, sich in die Bunker zurückzuziehen.

Wir waren durch Hinterhöfe und Durchgänge zur Zamenhofstraße vorgedrungen. Ich begriff, daß die Kampfgruppen nicht gesehen werden wollten. Unterwegs hatten sich Leute uns angeschlossen, die ich erst später als Mitglieder unserer Gruppe erkannte. Wir mußten hart an der Grenze des Gettos sein, Mlotek machte Umwege, ich folgte ihm, ohne mehr die Richtung zu kennen. Einmal stiegen wir eine Treppe hoch, hinter der ein Kinderweinen rann wie ein Faden Wasser: dann standen wir auf einem Dachboden, dem die Hälfte seiner Ziegel fehlte und von dem man in die frühe Dämmerung sah. Ich mußte überlegen, wieviel Zeit verstrichen war, seit Mlotek mich geweckt hatte. Der Himmel war wirklich schon grau, man sah übers Getto weg ins Jenseits, wo es von SS wimmelte, von Deutschen, Ukrainern, Letten. Mir war, als begriffe ich jetzt erst, was das sei, eine Absperrung, als sei das ein Griff an die Kehle. Wir sagten alle nichts, als wir da aus dem Gebälk hinunterspähten in das schwarze und graue Treiben. Mlotek wandte sich schließlich zu uns und stieß mit einem trockenen Lachen durch die Zähne: »Die werden sich wundern!« Auf unserer Seite war es so merkwürdig still, obwohl wir nicht die einzige Gruppe waren, die in der Gegend Stellung bezogen hatte.

Es konnte sechs Uhr sein, als die erste Abteilung SS, in Zugstärke vielleicht, ins Getto rückte und sich vor dem Haus des Gemeinderats aufstellte. Es waren offenbar Ukrainer; deutsche Offiziere liefen mit Lederpeitschen um sie herum und gaben ihnen Anweisungen. Wir warteten endlos, bis sie sich in Richtung Wolinskastraße in Marsch setzten. Jetzt, dachte ich, jetzt.

Dreißig Schritte weit gab es wahrhaftig nichts als das Geräusch der eisenbeschlagenen Stiefel in einem Abgrund von Stille. Dann fiel der erste Schuß gegen sie, ein einziger Schuß. Als sei alles nur ein verabredetes Spiel, liefen die Ukrainer auseinander, sie fielen auseinander wie ein Paket Karten, das man über den Tisch streut. Die Deutschen stürzten sich lautlos mit ihren Peitschen auf die Ukrainer und holten sie mit Hieben und Tritten aus Nischen und Torbögen. Ich hatte keine Angst gefühlt, die Szene war nun nur noch komisch, ich glaubte lachen zu müssen, aber statt dessen schlugen meine Zähne gegeneinander. Die Ukrainer unten waren wieder mühselig zusammengestellt worden, aber jetzt schienen die Deutschen zu zögern. Man sah sie, auf Zehen und Fersen wippend, in langer Besprechung beisammenstehen, bis sie die Ukrainer schließlich vor den Gemeinderat zurückbrachten. Wir blickten uns alle stumm an, mit einem schiefen Lächeln, als dächten wir alle: Den Schuß muß das ganze Getto gehört haben, jetzt ist es wirklich und endgültig vorbei mit dem Knien, jetzt stehen wir.

Aber vor dem nächsten Ereignis mußten wir noch eine viertel Stunde warten. In dieser Zeit wurde es ganz hell, drüben, hinter der Mauer, sahen wir, wie die Absperrung von Minute zu Minute stärker wurde. Eine Anzahl Autos war an das Getto herangefahren, Lastautos mit Mannschaften, Funkwagen, dazwischen knatterten Motorräder, endlich ließ sich ein dumpfes Heulen hören, Ketten rasselten auf dem Asphalt und ein kleiner französischer Panzer fuhr vor, dem ein Spähwagen folgte.

»Viel Aufwand für uns«, sagte jemand in meiner Nähe.

Mlotek hantierte pfeifend an den Brandflaschen.

»Habt ihr bemerkt, daß sie die Straßenbahn eingestellt haben? Seit einer Stunde ist kein Wagen mehr vorbeigekommen.«

Ich versuchte mit der Kälte fertig zu werden, die aus dem Boden mir bis in die Brust stieg und mich schüttelte. Mit einem leichten Ruck flatterte der Frühnebel auf und davon. Ich nahm das Magazin aus der Pistole und ließ es wieder einschnappen, nachdem ich die Patronen gezählt hatte. Wie das Zufahren einer Schere hörte ich das gellende deutsche »Ach-tung!«

Und sie kamen wieder mit dem Gleichschritt der Stiefel auf dem Pflaster. Der kleine Panzer jaulte auf und überholte sie, und nach ihm fuhr der Spähwagen in die Zamenhofstraße. Und was weiter kam, ereignete sich so schnell wie das Entgleisen eines Zuges oder eine seismische Veränderung, irgendein Vorgang, der aus einer rasenden Folge von unkontrollierbaren Stößen und Erschütterungen und Reaktionen besteht. Ich sah, daß Mlotek sich gegen einen Balken preßte und daß seine mir zugekehrten Schultern auf unbegreifliche Weise zuckten, und ich hörte das Schnellfeuer von den Dächern und aus den Haustoren und Fenstern. Jetzt erst wußte ich mit einem dummen Erstaunen, daß Mlotek als erster geschossen hatte; ich richtete die Pistole auf ein paar graue Gestalten, die ihre Maschinenpistolen gegen die Fassade entluden. Der kleine Panzer kurvte verrückt, gerade unterhalb der Stelle, wo ich stand, und fuhr einen engen Kreis, ehe er hielt und mit dem Geräusch einer angezündeten Gasflamme zu brennen begann. Der Spähwagen wendete und jagte mit Vollgas zurück. Aus dem Turm des Panzers fuhr bis zu den Hüften ein Mann, auf dem blaue Flämmchen wie Elmsfeuer tanzten, und aus einem Haustor war bereits ein Mädchen gesprungen und schoß auf ihn, bis er mit dem Gesicht flach auf der Maschine lag. Die Deutschen waren wie weggefegt, auf der Straße brannte langsam der Panzer aus, irgendwo krachte noch eine Brandflasche. Das Pflaster war gefleckt von einem Dutzend regloser Gestalten.

In der jäh eingetretenen Ruhe keuchten wir alle. Wir sahen uns an, als wolle einer dem anderen die neue Erfahrung vom Gesicht ablesen. Alle mußten das gleiche Schütteln und Zittern empfinden, das unerträglich in mir hochstieg, als wollte es mich in Stücke reißen. Jetzt begann auch noch eine Frau mit starker, fast schreiender Stimme aus einem Fenster des gegenüberliegenden Hauses die Hatikwah zu singen, in die immer mehr Leute einstimmten, Unsichtbare in ihren Verstecken und auf ihren Kampfposten. Ich wußte, daß es nicht Schreck oder Entsetzen war, was mich zum Zittern brachte, sondern eine wahnsinnige, vielleicht unerlaubte Freude, die mich hin und her rüttelte wie eine Faust, die einen vor der Brust gepackt hält. Da unten lagen die ersten toten Deutschen, nachdem ich so viele tote Polen und Juden gesehen hatte. Wir alle ahnten zum erstenmal vielleicht, daß wir mit unserem Sieg, mit diesem unscheinbaren Sieg, der in keinem Heeresbericht der Welt zu lesen sein würde, der Geschichte den Weg verlegt und einen neuen aufgerissen hatten. Mit diesen Schüssen, deren Echo wir noch zu vernehmen meinten, hatten wir unsere eigene Vergangenheit besiegt.

Wir stiegen aus unserem Dachstuhl und begegneten auf der Straße Menschen, die genauso lachten und laut sprachen wie wir selber. Das

Blickfeld war leer von Deutschen, die Toten ausgenommen, über die man sich hermachte, um ihnen Stahlhelme, Waffen und Munition abzunehmen. Eine Gruppe von Kindern war aufgetaucht; sie starrten auf die Leichen. Ein kleiner Junge jubelte plötzlich: »Haben die sich gefürchtet!« Ich hatte mich gegen die Hauswand gelehnt. Ganz oben sah ich die Wolken treiben, wie sie sich verdichteten, Inseln von sich losstießen, sie vergehen ließen.

In den zwei Stunden, die uns blieben, bevor die Deutschen von neuem ins Getto eindrangen, stand ich in der Straße wie in einem Strom von Disput, Gelächter, Gesang. Im halben Traum hörte ich die Gerüchte, die durch die Straße in die Türen liefen und aus den Fenstern zurück auf die Straße sprangen. Das eine sollte sich bewahrheiten: der Brigadeführer Stroop stand an der Spitze der Aktion auf persönlichen Befehl Himmlers. Was besagte schon der oder jener Name, uns konnte es gleich sein. Aber in diesen zwei Stunden war es so, daß wir glaubten oder zu glauben vorgaben, wir würden uns retten können. Eine ungeheure, sich ins Nebelhafte verlierende Hoffnung flößte uns die Vorstellung ein von einem Kampf, der siegreich sein würde, und dann wäre die Rettung da. Vielleicht würden die Deutschen, von unserem Widerstand erschreckt, ihre Maßnahmen rückgängig machen. Vielleicht könnten wir uns auch wirklich halten, nicht nur Tage, sondern Wochen, Monate, durch irgendein Wunder, und inzwischen würden die Deutschen an der Front zusammenbrechen. Jemand verbreitete die letzten Radionachrichten aus London. Der General von Arnim stände in Tunesien mit dem Rest seiner Truppen kurz vor der Kapitulation. Für Euch an Eurem abendlichen Tisch ist es natürlich leicht, den Kopf zu schütteln über all diese Hirngespinste.

Wir kamen dann sehr schnell wieder in den wirklichen, erbarmungslosen Ablauf der Geschichte hinein; Ihr könnt Euch ruhig ein neues Glas einschenken. Denn die Deutschen kamen noch am Vormittag wieder, sie brachen in die Straßen ein und holten uns aus den Böden und von den Dächern durch ein Feuer, das die Mauern wie Papier durchsiebte. Als wir später eine Radiobotschaft Stroops an seinen Vorgesetzten in Krakau auffingen, hieß es darin, daß es gelungen sei, Dach- und Fensterschützen zum Aufsuchen tiefgelegener Verteidigungspunkte zu zwingen. Wenn man will, erteilten uns die Deutschen Unterricht im Straßenkampf, aber es war vielleicht für uns immer ein wenig zu spät, um aus der jeweiligen Lektion einen Vorteil zu ziehen. Was unsere Gruppe anging, so ließen wir jeden dritten Mann tot auf der brennenden Treppe zurück, als wir das von uns besetzte Haus räumen mußten. Dann schossen wir uns durch einen deutschen Stoßtrupp, der uns den Weg verlegen wollte. So kamen wir bis an den Kanalisationsdeckel, den Mlotek hatte erreichen wollen. Schon zwang uns der überlegene Feind unter die Erde. Um uns brannte ein ganzes Viertel, in der Nähe knallten einzelne Schüsse wie Pfropfen und dann wieder betäubende Salven. Die Deutschen hatten das Czyste-Krankenhaus besetzt und erschossen die Kranken in den Betten. Die Salven kamen aus dem Hof des Gemeinderats, wo sie Männer, Frauen, Kinder hinrichteten, die ihnen gerade in die Hände gefallen waren. Das alles hörte man von verstörten Flüchtlingen, die durch die Straßen liefen, wie blind an einem vorbei, als hofften sie darauf, daß sie sich in Luft auflösen, unsichtbar werden könnten. Aber ich stieg bereits die schmierigen Stiegen des Kanalisationsgangs hinab, aus dem zum erstenmal um uns die kalte Finsternis wogte, der eisige Anhauch über dem Geplätscher, durch das wir gebeugt wateten. Mir fiel ein, ich weiß nicht, warum, daß alles, was ich besaß, die Pistole war, die mich in ein paar Stunden zum alten Soldaten gemacht hatte, so wenig glaubte ich daran, daß mir etwas Ernsthaftes zustoßen würde, und außer der Pistole noch dieser Brief, an dem ich schrieb und der wahrscheinlich doch nur dazu bestimmt ist, eine Flocke Ruß zu werden.

23. April

Es war seltsam, wie sehr die Deutschen die Juden zu fürchten schienen, sobald die sich zu wehren begannen. Das wurde nicht nur jedesmal offenbar, wenn sie einen der Bunker aufgespürt hatten, in denen sich ja doch fast immer nur Unbewaffnete befinden – sobald der Abend hereinbrach, zogen sie sich aus dem Getto zurück, die Stoßtrupps mit ihren Bluthunden, die Flammenwerferträger, die Trupps mit umwickelten Stiefeln und Suchgeräten, bis auf die Zähne bewaffnet. Sie flüchteten aus dieser schreienden Leere, die sich mit Dunkel füllte.

Im Morgen heulten die ersten Granaten über das Getto hin. Wir saßen im Gebäude der Heeresunterkunftsverwaltung, vor uns, hinter uns den noch unsichtbaren Feind, der so mühelos zu uns hinübergriff. Aus dem unbewohnten Teil des Gettos kam das Krachen der Handgranaten und das Feuer von Karabinern und Maschinengewehren. Die Deutschen arbeiteten sich dort schon wieder durch die von ihnen geschaffene Öde, aus der ihnen die Schüsse einsamer Verteidiger entgegenschlugen. Es war, als verteidigten sich noch die Toten in diesen Straßen, in denen nur Schatten hausen konnten. Denn nur Schatten vermochten die verödeten Zimmer zu bewohnen, aus denen die Bewohner seit langem schon den Weg nach Treblinka angetreten hatten, in denen vielleicht noch der Geruch lebte, den sie hinterließen, der Armeleutegeruch, der Schattengeruch, zusammengesetzt aus vergeblicher Mühe um ein wenig Sauberkeit in Räumen, die von zusammengepferchten Menschen barsten, aus armseligem Fraß, den die Kinder nachts heimlich aus dem Jenseits über die Mauer schleppten, aus Schweiß der Todesfurcht. Die Schatten verbargen sich hinter den heruntergefetzten Gardinen, die aus leeren Fenstern wehten, zwischen dem zerschlagenen Hausrat, der seit Monaten bis zur Auflösung in Regen und Staub in leeren Straßen lag.

Jetzt begann das alles zu brennen, widerwillig, mit schwerem Rauch, mit dem öligen Qualm der Flammenwerfer, aus dem grelle Feuerspitzen sprangen. Wir warteten auf die Annäherung der Öde, des Feuers, der vom Brand erstickten fernen Stimmen in diesem riesigen, von Flammen verstümmelten, hallenden Betonblock, absurd wie sein Name, den wir als metallenes HUV-Schild an unserer Brust trugen wie Haustiere. Ich hatte die Ungewißheit im Mund, einen trockenen Bissen, den man nicht hinunterwürgen kann. Auch jetzt wieder war es Mlotek, der als erster zu singen begann:

»Sog nit kajnmol, as du gejst dem letzten Weg,
Himmlen blajne ferschtellen bloje Täg . . .«

Die Deutschen schossen sich mit ihrer Artillerie auf uns ein. Vom Krasinskiplatz her rauschten die Geschosse schwerer Haubitzen. Luftwaffenleute waren auf einmal zu sehen. Sie rollten Flakgeschütze von der Gesiastraße heran. Stimmen über uns hatten Mloteks Lied aufgenommen:

»Kumen wed noch unser ojsgebenkte Schoh,
S wed a Poik ton unser Trott: Mir sajnen do!«

Riesige Windmühlenflügel aus Feuer und Geschrei schienen Himmel und Straße zu schlagen. Ich hatte die Luftwaffenleute vor mir mit ihren zerrenden, eckigen Bewegungen. Sie versuchten die Geschütze schußfertig zu machen, und unsere beiden Maschinengewehre, die am Muranowskiplatz erobert worden waren, brüllten dicht über meinem Kopf. Gestalten hinter den Geschützen kamen wieder zum Vorschein und fielen aufs Pflaster. Mlotek schrie uns etwas zu. Als wir die Treppen hinunterstürzten, waren wir auch schon wieder die Beute der tollkühnen Selbstüberschätzung, der blinden Zuversicht, der wir bei jedem Erfolg verfallen waren. Das grausame Heulen der Geschosse, das uns mit heißem Wind die Haare strich, die Maschinengewehre in unserem Rücken, in deren Feuerschutz wir stürmten, eine torkelnde, von grünen und blaugrauen Marionetten belebte Straße waren eins im nächsten Augenblick, eins mit der Hoffnung auf das Unmögliche. Wie durch einen Feldstecher sah ich die Einzelheiten an den Uniformen der Deutschen, die kniend auf uns schossen und Handgranaten warfen. Splitter rauchten auf den Steinen. Ich hatte auf einmal das Profil der Geschützreifen in die Netzhaut gezeichnet; von links her schrie Mlotek eine Warnung, ich warf mich mit ihm in die gleiche Einfahrt, einen Schatten neben mir mit der Hand mitreißend hinter die Deckung, weg von dem Geschoß, das detonierte, wo wir eben gestanden hatten.

Die Deutschen hatten das Feuer eröffnen können, direkt, pausenlos, als müßten sie ein Pensum nachholen. Eine Frau war es, die neben mir lag, ein Mädchen, und die Stimme, die ich vernahm, war die Stimme der Unsichtbaren aus dem Keller, in dem ich am Vorabend des Aufstands gewesen war. Sie stammelte etwas Unverständliches; vielleicht war es einfach ein Schluchzen. Ihr Gesicht mit den weitgeöffneten Augen, die der Schrecken ganz blaß gemacht hatte, kann nicht weiter als eine Handbreit von meinem Gesicht entfernt gewesen sein. Auch ich empfand nachträglich etwas wie Schrecken, als sei diese Nähe noch zu weit für mich, weit wie das Leben, das unversehens weggleiten und verschwinden könnte. Zwei Meter vor mir sah ich Mlotek mit der Maschinenpistole hinter einer zerfetzten Matratze liegen.

Er lag flach auf dem Bauch hinter dieser Deckung, die keine war, und ich sah seinen Hinterkopf und seine Schultern, die bei den Feuerstößen der Sten wie vom Weinen geschüttelt zuckten, und die Hülsen, die über seine Hände rieselten und gegen die Matratze sprangen.

Die Flakgranaten rissen jetzt riesige Löcher in die Fassade des Blocks, von dem wir abgeschnitten waren, ganze Stücke des Gebäudes kamen in einem Wirrwarr von Gestein und Menschen auf die Straße, die Maschinengewehre schwiegen, dann begann eines von neuem aus dem obersten Stockwerk zu bellen. Ich sah das Mädchen an, das wieder lächeln konnte.

»Wie heißt du?« fragte ich.

»Franka«, sagte sie. Sie war jünger, als ich der Stimme nach geglaubt hatte, ein gut Teil jünger jedenfalls als ich, der ich mich so alt fühlte in der jähen Erschöpfung dieser Minuten. Wahrscheinlich hatte ich da schon begonnen, ihrem Namen in Gedanken nachzugehen, wobei mir, seltsam genug, so war, als dürfe ich den Namen nicht in Verbindung mit einer Vergangenheitsform nennen. In den Sätzen, die ich mir auszudenken begann, als wolle ich mir selber eine

Geschichte erzählen, war immer nur von der Zukunft die Rede. Die Sätze begannen alle: Franka wird, oder: Franka und ich werden. Wie zur Antwort senkte Mlotek seine Waffe und rief mir über die Schulter zu: »Es hat keinen Zweck.«

Wir fingen an, uns durch die Ruinen zurückzuziehen. Zehn Minuten später hatten wir einen Feuerwechsel mit einem deutschen Stoßtrupp, aber es fehlte uns an Munition, und Mlotek führte uns so rasch und sicher aus der Gefahr, als sei das nur ein Schauspiel gewesen, nach dessen Beendigung die Beteiligten auseinandergehen. Wir waren die Männer im Feuerofen: Das Fauchen der Flammenwerfer blieb immer dicht in unserer Nähe.

Mitten im Schutt eines Hauses, das schon in den Bombenangriffen des Jahres neununddreißig zusammengesunken war, machte sich Mlotek an einem Betonklotz zu schaffen, den er leicht zur Seite schob: er stand auf einer eisernen Schiene. Wir waren in einem der großen Bunker, über die man untereinander gesprochen hatte.

In dem niedrigen Raum brannte eine einzelne Glühlampe. Die Luft hing einem ins Gesicht wie ein Tuch, das man nicht abschütteln kann. Mlotek war schon dabei, mir seinen Plan zu erklären. Wir wollten versuchen, gegen Abend zum Muranowskiplatz zu kommen, wo die meisten Gruppen in Stellung gewesen waren und wir möglicherweise Munition erhalten könnten. Ich konnte ihn kaum anhören. Wir setzten uns neben andere Leute auf eine Reihe von Kisten, die man an die Wand geschoben hatte. Ein paar Kinder kamen an uns heran mit hungrigen Augen in den kleinen schweißigen Gesichtern und tasteten nach unseren Waffen. Ich sah die Schatten der Bewohner gegen die Wände lehnen in der tragischen Starre des Wartens. Manche schweiften rastlos umher mit den blinden, jäh die Richtung wechselnden Schritten von Besessenen.

Der Bunker summte von Geraun, das, immer wieder von einer müden Ermahnung zur Ruhe unterbrochen, immer von neuem begann. »Die können wirklich mit ihren Suchgeräten ganz in der Nähe sein«, hörte ich Mlotek sagen. Ich antwortete nicht. Unsichtbare Finger legten mir einen Kanten Brot in die Hand, den ich zu kauen begann, mit geschlossenen Augen und während mir der Schweiß herunterlief. In bösem Halbschlaf glaubte ich mich auf einem Unterseeboot zu befinden, das schräg auf dem Grund lag, in dem wir träge und leer von Widerständen und Wünschen auf das Ende warteten. Dann öffnete ich wieder die Augen. Ich beobachtete die Kinder, die sich an einer Stelle zusammendrängten und flüsternd und mit traumhaft-entzückten Bewegungen einem Spiel nachgingen, einem dieser Spiele, die sie in jedem beliebigen Moment auf einem Hof oder in einem Treppenhaus zu erfinden imstande sind. Ich bemerkte, daß sie an der Ventilation standen, einer Öffnung, die in einem Stück Ofenrohr zwischen den Trümmern an die Oberfläche reichte. Durch sie zog, wenn draußen der Wind günstig stand, ein schwacher Luftstrom durch den Keller. Mit Haaren, die der Schweiß lockig machte, und weißen, von Atemnot offenen Mündern versuchten die Kinder einander von der Öffnung zu verdrängen.

»Wir spielen Luftschnappen«, sagte eine hohe Mädchenstimme auf eine unhörbare Frage.

»Jetzt trinke ich Champagner«, fiel triumphierend eine andere Stimme ein, und man vernahm das Geräusch angestrengten, genußvollen Atmens.

Das Kreischen der Rollen auf der Schiene lenkte mich ab. Eine Sekunde lang erschien vor mir im hereinbrechenden Tageslicht die Masse, die den Bunker füllte, die geblendeten, naß glänzenden Gesichter von zweihundert Höhlenbewohnern. Durch den Eingang schob ein Mann einen Verwundeten, und hinter ihnen rückte der Betonklotz wieder an seine Stelle.

»Er ist vom Umschlagplatz geflüchtet«, sagte der Begleiter und ließ den Verwundeten neben uns gegen die Wand gleiten. Ich hörte ihn dann durch den Bunker gehen und nach einem Arzt fragen. Wieder hatte ich etwas, woran ich denken konnte, was mich wegrückte von diesem Ort, an dem man Angst bekam vor Schweiß und Luftmangel. Der Verwundete, nahe meinem Ohr, begann mit flüsternder Stimme zu erzählen. Ich hatte ihm meine Feldflasche gegeben, in der noch ein Schluck Wasser übriggeblieben war. Von meinem Nachbarn konnte ich nichts erkennen. Er beklagte sich nicht; er sprach auch nicht von seiner Wunde, die vielleicht gefährlich war. Ich wunderte mich nur, daß ihn die Dunkelheit und die Fremdheit zum Reden trieb. Alles, was ich von ihm wußte, bezog sich auf die Silhouette, die ich einen Moment hindurch gegen das grelle Licht gesehen hatte, auf den Umriß eines Mannes, der sich nach vorn beugt und die Hände gegen Unterleib oder Hüfte hält, als wollte er den eigenen Körper um den Schmerz legen.

»Du weißt doch, daß sie gegen die Wolinska vorrückten, gestern morgen. Ich hatte mich mit einigen anderen in einem Hausflur versteckt, und wir versuchten zu flüchten. Ich gebe zu, daß ich nicht kämpfen wollte, ich hatte Angst zu kämpfen, außerdem kann ich gar nicht schießen. Ich bin Schneider und habe in meinem ganzen Leben keine Waffe in der Hand gehabt. Wozu auch? Ich stelle es mir furchtbar vor, ein Gewehr abzudrücken, mit dem Knall am Ohr und dem Stoß gegen die Schulter. Vor allem aber: wir hatten ja gar keine Waffen, nichts, gar nichts. Wir waren Männer und Frauen, die sich untereinander nicht kannten, auch Kinder waren dabei, und ich denke mir, daß die anderen das gleiche empfunden haben wie ich: mein Körper vereiste, starb ab, nur die Beine bewegten sich unbegreiflich schnell, und ich fühlte sie wie Stöcke unter mir.«

Ich brauchte mir keine Mühe zu geben, um den Mann zu erkennen mit seinem grauen Gesicht, in dem die Augen hilflos umhertrieben, während er im Laufen begriffen war.

»Wir liefen aus der Gesia und aus der Nalewkistraße, und da waren sie schon, Deutsche und ein paar Letten unter dem Kommando von Brandt, der uns ein Lächeln entgegenhielt, bei dem man alles vergaß, sogar seinen eigenen Namen und jede, aber auch jede Hoffnung. Die Luft war grau wie in einem Traum, man hörte nichts, kein Weinen, keine Bitte um Schonung, nicht einmal atmen. Wir hatten alle die Hände im Nacken, als hätten wir von Kindesbeinen an nichts anderes gelernt, und von den Peitschen spürten wir nicht einen Luftzug. Ich sage dir«, setzte er plötzlich ganz langsam hinzu, und ich glaubte zu spüren, wie er den Kopf schüttelte, »ich hätte das nie für möglich gehalten.«

Ich wußte, was er meinte. Die Zeit, die seit dem Beginn des Aufstandes verflossen war, dehnte und leerte sich, während ich nachdachte, wie der Balg einer ungeheuren Schmiede.

»Sie führten uns an die Mauer neben den Gemeinderat und stellten uns in einer Reihe auf. Jetzt, dachte ich, werden wir erschossen. Ich sah auf die Häuser, so leblos, ohne Farbe, ineinander verkeilt wie eine Herde Lämmer, man spürte, wie das so weiterging, immer ein Haus nach dem anderen, Straßen und Straßen hindurch, und keine Rettung, kein Mensch in der Welt, der an uns denkt. Aber sie wollten uns nicht dort erschießen. Ich begann da übrigens wieder aufzuwachen. Man mußte aufpassen, daß man nicht die Stellung wechselte oder gar die Hände vom Nacken nahm, sonst hatte man leicht die Peitsche oder den Kolben im Gesicht. Sie liefen vor uns auf und ab; Brandt musterte jeden von uns, immer mit diesem Lächeln, als sei etwas zu schön, um wahr zu sein. Ich mußte, ob ich wollte oder nicht, auf seinen dicken Hals blicken, wenn er uns den Rücken zukehrte, und ich bemerkte eine kleine Ader an seiner Schläfe, die wie ein Uhrwerk pochte.

Dann begannen sie mit einem Maschinengewehr hinter der Mauer zu schießen, in gleichmäßigen kurzen Stößen, als fahre jemand mit einem Holzscheit einen Gartenzaun entlang. Auch im Getto wurde wieder geschossen; ich wußte, daß die Juden sich verteidigten. Nur wir standen da, bis auf die, die herausgewinkt wurden und von zwei SS-Männern begleitet, die Mauer entlanggingen bis zum Eingang, hinter dem sie verschwanden. Wenn die kleine Gruppe hinter der Mauer komplett sein mußte, kamen die Feuerstöße des Maschinengewehrs. Aber doch war es um uns so still wie am Ende der Zeit. Brandt ging von einem zum anderen, wenn er nicht gerade mit seinen Untergebenen sprach. Er spazierte an uns vorbei, lächelte und hob die Hand. Dann sah man nur seinen Zeigefinger, der sich krümmte und streckte, als wolle er uns lehren, wie man winkt, und man hörte seine Stimme: Komm! Nur das: der Zeigefinger und sein Komm! Komm!, gerade so, als sei die Figur in einem Lexikon lebendig geworden, die den Begriff des Winkens verkörpert, und die Figur habe den Namen Brandt angenommen und eine kleine Ader schlage ihr sichtbar in der Schläfe.

Ich wunderte mich die ganze Zeit darüber, mit welcher Bereitschaft die von Brandt zum Erschießen Bestimmten vortraten. Es gab keine Schreie, kein Weinen, nicht einmal eine Gebärde der Furcht. Ein junges Mädchen kam an mir vorbei mit einem Fältchen zwischen den Augen, die Zähne auf die Unterlippe gesetzt, vielleicht wie eine Angestellte in einem Büro, die zu ihrem Abteilungschef gerufen wird. Ich dachte, daß ich gleich selber mit der gleichen Selbstverständlichkeit vortreten würde. Dann sah ich ein Zögern in die Bewegungen der Davongehenden kommen, sie fixierte etwas an der Straße, und der SS-Mann hinter ihr mußte ihr schon mit dem Kolben zwischen die Schulterblätter stoßen, um sie zum Weitergehen zu bringen. Zehn Meter von mir bemerkte ich aus dem Augenwinkel, daß ein dünner, dunkler Faden aus dem Hof neben der Mauer vorkam. Wie in einem Vergrößerungsglas sah ich die Flüssigkeit, auf der Staubteilchen schwammen, an den Rändern überhängend, auf ihrem Weg gehemmt von der rauhen Trockenheit des Bodens. Plötzlich verbreiterte sich der dünne Faden, er schoß in die Abflußrinne, und das junge Mädchen verschwand hinter der Mauer.«

Ich stellte mir vor, wie er dort stand, zwei Stunden lang oder auch vier, schon wieder im Zweifel, ob er auch recht wach sei, ob es nicht ein Mittel gäbe, das alles von sich abzuschütteln und einfach davonzugehen. Ich stellte mir die Gruppe vor, die sie zwischendurch in den Straßen zusammengefangen hatten und neben den Rest gegen die Mauer stießen.

»Auf einmal hatte das Stehen und Warten für uns ein Ende.

Brandt ließ uns mit Gebrüll und Peitschenhieben von der Mauer wegholen und befahl uns, eine Kolonne zu bilden. Wir standen auch bereits da, immer drei Mann in einer Reihe, nicht zu viert, sondern so, wie es bei den Deutschen üblich ist. Man trieb uns durch die Zamenhofstraße, die Mila, die Muranowska; so wußten wir, daß uns das Gas zugedacht war an Stelle der Kugel, unser Weg führte zum Umschlagplatz. Brandt und seine Leute waren verschwunden; was uns jetzt mit Schreien und Schlagen umschwärmte, waren die Ukrainer, die uns am Tor nach Wertsachen untersuchten und uns mit Hetzrufen durch die Gänge jagten. Überall war auch das wahnwitzige Gebell der Hunde, die in die gestaute Menge sprangen und den Leuten die Kleider vom Leib rissen.«

Ich schloß im Dunkel die Augen. Auf meinen Lidern zeichnete sich ein weißes Gebäude ab, halb sichtbar durch den gelben Blätterregen eines Parks, mit der Sonne in den hohen Fenstern des Erdgeschosses, vor denen die Terrasse lag. Jagdhörner klangen durcheinander. Eine Meute bellte wild und fröhlich. Man sah keinen Menschen.

»Es gab auch immer wieder Ruhepunkte«, sagte der Verwundete, »wo man sich sagen konnte, daß man das Schlimmste überstanden hätte, wenn man erst in einem der Räume einen Platz gefunden hatte und auf dem nackten Boden saß, die Knie fast ans Kinn gezogen. Ich saß so im Innern eines Würfels, dessen Wände glatt waren von altem Schleim und Kot, in einem der Zimmer, deren ursprüngliche Bestimmung, Gegenstände zu enthalten und bewohnt zu werden von lebenden Wesen, schon längst hinter ihrer abstrakten Gegenwärtigkeit verschwunden war und in denen nur noch unausgesprochene Wünsche geisterten nach der Mauer, wo man so schnell und sauber hätte sterben können, nach dem Zug, der einen in zwölfstündiger Fahrt der Gaskammer zuführte, nach allem, was das unvermeidliche träge Ende zu beschleunigen vermocht hätte. Das Schlimmste war, daß es kein Wasser gab. Es gab kein Wasser und keine Toiletten, oder wenn es welche gab, konnte man nicht hingelangen.«

Ja, erwiderte ich lautlos, ich sehe die Menschen allmählich in Durst, Kot und Apathie versinken, ein Damm, den die Flut frißt.

»Wer aufstand«, sagte der Verwundete, »mußte auf seine Nachbarn treten. Wer das tat, wurde manchmal von den Getretenen zu Boden gerissen. Schweigende Kämpfe auf Leben und Tod brachen hier und da aus. Auf die Sitzenden und Liegenden trat auch die SS, die uns manchmal besuchte, um uns zu verhöhnen. Die Kinder wimmerten erst nach Wasser, dann begannen sie zu schreien. Ich denke an eine Frau, die aufsprang, weil sie das Weinen ihres kleinen Jungen nicht mehr ertragen konnte, und sich ans Fenster stellte, als wolle sie um Hilfe rufen. Sie verdeckte das Fenstergeviert, ihr Schatten fiel auf uns, und vom Hof knallte auch schon der Schuß, der ihr den Kopf durchschlug und sie zwischen ihre Nachbarn schleuderte. Sie war nur die erste, die in unserem Raum starb. Denn unter den Hockenden nahm nun der eine oder andere das Gift, das er bei sich verborgen hatte, oder er tat es mit dem Messer. Manche starben vor Erschöpfung oder einfach vor Entsetzen. Ein Dreijähriger spielte mit dem Haar seiner Mutter, die er schlafend wähnte.

Dazwischen kam dann die SS, um mit umständlichen Gebärden Feldflaschen zu entkorken und uns vorzumachen, was das heißt: trinken. Eine Frau schrie wie unter der Folter in rasendem Wortschwall einem zu, sie habe Geld, sie zahle fünfhundert Zloty für einen Becher Wasser. Und schon hatte sie den Saum des Kleides aufgerissen und wies das Geld vor. Die SS-Männer brüllten vor Lachen, während einer von ihnen die Frau aufforderte, ihm das Geld auf den Gang zu bringen, die Wasserleitung sei draußen. Sie tat's, und wir sahen, wie er, sie hatte kaum den Fuß über die Schwelle gesetzt, seine Pistole in ihren Hinterkopf abfeuerte, während er ihr mit der Linken das Geld entriß.

Manches habe ich wohl nur geträumt. Zum Beispiel war plötzlich ein Deutscher da, ein SS-Offizier von kaum zwanzig Jahren, der stumm und rätselhaft mit seinem schönen Gabrielsgesicht an der Tür aufgetaucht war, wie aus der Ferne durch mächtige Magie herbeigeeilt, und der nun ohne einen Laut und fast ohne Bewegung auf uns niedersah mit einem Blick, der durch uns ging wie etwa eine Hand durch Seifenschaum. Deutlicher als sein Gesicht noch sehe ich seine Uniform, von samtner Schwärze und anliegend wie eine zweite Haut, und seine Stiefel, die er aufsetzte, als fürchte er, sie an uns zu beschmutzen. Er sah uns an, dann wurde sein Blick auf einmal zerstreut, abwesend, seine Stirn faltete sich leicht, er hob die Hand und entfernte ein unsichtbares Stäubchen von seinem Ärmel.

Ich saß an der Wand und wußte, wie glühend mich mancher um diesen Vorzug beneidete. Ich konnte meine Stellung leichter wechseln als andere und hatte eine Stütze für den Rücken. Manchmal lehnte ich meine Wange an diese schmutzige Kühle und dann erblickte ich die Zeichen und Worte, die unsere Vorgänger aus tausend Transporten mit Fingernägeln oder Messern in die Wand gegraben hatten. Gleich neben meinem Gesicht stand das alte Zeichen der Liebenden, das von einem Pfeil durchbohrte Herz ...«

Fortgehen aus diesem Bunker, sagte ich mir, aus der Stadt, einfach fortgehen. Und ich dachte an einen Wald, in dem ich stehen könnte, bis zu den Knien im Farn, vor dem silbriggrauen Stamm einer Buche, in den ein Herz geritzt war und zwei Namen, die man nicht lesen konnte.

»Die beiden Namen in dem Herzen«, flüsterte mein Nachbar, »waren so gewöhnlich wie die Sandkörner einer Düne. Blima – Hilek stand da, wer bei uns heißt denn nicht so. Dennoch versuchte ich mir die beiden vorzustellen, aber sie waren mir entglitten, ehe ich sie recht hatte fassen können, wirklich wie Sand, der durch das Glas läuft. Nur den Pfeil sah ich, der vielleicht die Richtung ins Unsichtbare wies, und in ihm rührte sich etwas Trübes – in der millimetertiefen Rinne seines Schaftes kroch eine fette Laus.«

In diesem Augenblick sagte der Mann, der den Verwundeten gebracht hatte und neben uns saß: »Halt!«

Er hatte es nicht einmal besonders laut gesagt, aber augenblicklich herrschte im Bunker völlige Stille. Ich spürte den Atem des Verwundeten auf meiner Stirn; er flüsterte: »Blumstein?«

Der Mann, der Blumstein hieß, machte ein ungeduldiges Geräusch mit den Lippen. Man spürte die ganze Masse des zurückgehaltenen Schreiens, das sich in den Kehlen staute, dann war auch der Atem der Umhersitzenden wie weggewischt, unhörbar geworden. Ich lauschte mit allen übrigen, und zugleich war ich noch bei der Geschichte des Verwundeten, die ich nicht zu Ende hatte hören können. Schade, sagte ich mir, wie ist er nur entkommen. Und ich sah ihn, wie von einer Tarnkappe beschützt, die Treppen des Gebäudes hinuntersteigen und geradenwegs durch die Posten über den Platz gehen. Vielleicht war er übers Dach entkommen, in einem Hagel von surrenden Kugeln über einen Holzsteg, der auf das Dach des nächsten Hauses führte. Auch hätte ich gern gewußt, was Blumstein mit dieser Sache zu tun hatte. Schade, dachte ich nochmals, und suchte im Dunkel bereits Mlotek, als müsse das so sein.

Von draußen kam deutlich ein Schaben und Kratzen von Schritten und Geräten. Man hörte das Bellen von Kommandostimmen, die das Gestein dämpfte. Der Block knirschte, und mit ihm seufzten die hundert Stimmen von Unsichtbaren einmal auf. Die Deutschen waren da.

Man sah ihre Helme und Schultern gegen das helle Licht, und das Wogen von Schultern und Köpfen der Menschen drinnen bewegte sich auf sie und das Licht zu. Sofort hatte jemand, wahrscheinlich Mlotek, die trübe Birne zerschlagen, die im Keller brannte, ohne ihn weiter zu erhellen. »Ein schöner Rattenbau«, sagte jetzt eine deutsche Stimme in das erste Kinderweinen. Ich wußte Mlotek und Blumstein in meiner Nähe, hörte, wie der eindringlich flüsterte: »Der Notausgang!« und Mlotek nach hinten drängte.

Wir waren alle zusammen, Franka, Mlotek, ich und der Rest der Gruppe. Ich begriff, daß die Deutschen unsere Waffen und Helme von außen nicht sehen konnten, ihre Blicke reichten nur gerade knapp bis hinter den Eingang, an dem sie immer noch unschlüssig standen. Offenbar fürchteten sie sich, gewiß in geringerem Maße als ihre Opfer im Bunker, aber genug, um sie am Eingang laut lachen und sprechen zu lassen. Ihr eigener Lärm hinderte sie daran, das Tasten und Zerren Mloteks an der Hinterwand des Bunkers wahrzunehmen. Sie schienen unglaublich viel Zeit zu haben, wie Jungen in den Ferien, die, lange vor dem Mittagessen, ein unbekanntes Stadtviertel durchstreifen.

»Jetzt!« sagte Mlotek.

Blumstein hatte sich auf einmal von uns entfernt, dem Licht zu.

»Wohin, Jude?« hörte man eine Stimme.

Blumstein, hart an der Schwelle, sagte ruhig: »Hitler verrecke!«

Ich hörte ein Geräusch und erriet, daß er dem Deutschen ins Gesicht gespien hatte. Plötzlich gab es, wo Blumstein gestanden hatte, nur noch das gelbliche Blitzen von Pistolenschüssen in eine dunkle Masse am Boden; gleichzeitig hatte Mlotek den Ausgang geöffnet. Es war, als habe die Wand vor uns nachgegeben. Wir stießen ein paar Kinder und Frauen in unserer Nähe in den Gang, der da entstanden war, und jagten dann selber los, in einem Wirbel von Schreien, Explosionen, Flüchen, der den Bunker auseinanderzureißen schien und uns ins Freie schleuderte. Wir hätten von einem einzigen mächtigen Willen gelenkt sein können, der hinter uns zurückblieb, der uns durch die Trümmer rennen ließ, während MP-Geschosse um unsere Köpfe zischten.

Die Deutschen verfolgten uns nicht. Wir hatten den Rest unserer Munition gegen sie verbraucht. Jetzt konnten wir uns umsehen und uns in der beginnenden Dämmerung wiedererkennen. Wir standen alle beisammen in einem leeren, zerschossenen Durchgang, in dem die Stille zusammengelaufen war wie Wasser.

27. April

Alles, was von der Gruppe übriggeblieben war, strich langsam, fast geräuschlos an den Fassaden entlang, kämmte die gesprengten Blocks durch. Wir waren auf Deutschenjagd. Jetzt konnte es geschehen, daß einzelne Deutsche nach Einbruch der Dunkelheit und dem

Rückzug der Truppe hinter die Absperrung sich ins Getto wagten: sie fürchteten die toten Juden nicht, und die meisten Juden waren unzweifelhaft tot.

Ich war der erste, der die Stimmen in der Ruine gehört hatte. Die Gruppe erstarrte, jeden nagelte der Sprechgesang, der sich da im Unbestimmten erhoben hatte, an den Platz, auf dem er gerade stand.

Wenn man am Tage hier und da, zwischen Salven und dem Brand, der sich weiterfraß, menschlichen Stimmen begegnen konnte, so war das Getto nachts nur noch lautlose Wildnis.

Wir schlichen uns an das Haus heran, dessen unsichtbare Zerstörung wir mit dem Geruch kalter Asche einsogen. Flackerndes Licht fiel aus einem türlosen Zimmer auf einen Flur, den Stein- und Glassplitter bedeckten. Eine Männerstimme sagte von drinnen: »Seid willkommen!«

Wir träumten nicht: das Zimmer, das wir betraten, war von Männern und Frauen erfüllt, die um einen weißgedeckten Tisch saßen. Die Kerzen in den Leuchtern brannten. Sechs Becher waren mit Wein gefüllt. Wir dachten sicherlich alle zum erstenmal daran, daß das Getto in den Tagen des christlichen Ostern und des jüdischen Pessach unterging. Die unbekannten Alten um den Tisch, die uns nicht unfreundlich, aber ohne uns weiter zu beachten, Platz machten, trugen im Blick, in jeder Falte ihrer Gesichter nur den Eigensinn, mit dem sie des Auszuges aus Ägypten gedenken wollten und der Errettung aus höchster Gefahr.

Der Mann, der uns eingeladen hatte, wollte die Vorlesung aus der Hagadah fortsetzen. Mit zerstreutem Blick legte er das zerrissene Buch noch einmal hin, um an uns die Stücke einer der flachen Mazzoth zu verteilen, die vor ihm auf einem Teller lagen. Er schien sich noch einmal davon überzeugen zu wollen, daß alles Notwendige vorhanden war: die flachen, ungesäuerten Brote, die Becher, die bitteren Speisen aus der Zeit der großen Wanderung. Jetzt schob er das schwarze Mützchen höher aus der Stirn und las weiter, indem er die hergebrachten Melodien wiederaufnahm. Die Gesichter um mich hatten sich nur scheinbar geschlossen – sie lebten in einer geheimen, nur ihnen bekannten Freude, als hätten sie alle zugleich sich dafür entschieden, nur mehr ihre eigene Geschichte zu sein.

Wir hatten die Waffen neben uns gelegt, als hätten sie etwas zu tun mit den Gegenständen und Speisen auf dem Tisch, mit dem, was der Alte vorlas: mit den Peitschen der Treiber an den Pyramiden, mit den Plagen, mit dem Zug durch die Wüste und das Rote Meer, mit dem Geschrei der Hungernden um Manna.

Das Gesicht des Vorlesenden, so schien es mir, mußte einmal viel mehr Platz in allem verfügbaren Raum eingenommen haben; unaufhaltsam schrumpfte es ein unter der tödlichen Wucht der Ereignisse, die ein Volk durch die Zeit jagten. Ich sah mich nach dem Jüngsten im Kreise um, der die traditionellen Fragen an den Vorleser zu stellen hatte.

»Dieses Jahr«, sagte der Alte plötzlich die üblichen Worte, »dieses Jahr noch Knechte, nächstes Jahr Kinder der Freiheit. Dieses Jahr hier, nächstes Jahr in Jeruscholajim.«

Ich beobachtete bei diesen Worten Mloteks Antlitz, als sei er es, der nun zu sprechen hätte. Seine Stirn war nach vorn geneigt, und sein Blick kam darunter hervor wie der eines Mannes, der eine neue Erscheinung, die doch nicht so neu ist, als daß er sie nicht in seiner Erinnerung wiederzufinden vermöchte, in eine ganze Reihe, in ein System von vertrauten und oft durchdachten Tatsachen einzubeziehen bemüht ist. Aber Mlotek stand nur auf, und mit ihm erhoben wir uns alle. Wir wußten nicht recht, was wir tun sollten, und verließen den Raum mit einer Verbeugung nach dem Vorleser hin, der uns keine Beachtung schenkte. All das blieb wie eine Vision hinter uns zurück – die bärtigen Männer, die die Augen geschlossen hatten und den Oberkörper hin und her wiegten, und die alten Frauen mit ihren weißen, fest zusammengepreßten Lippen und dem kurzgeschorenen grauen Haar unter den dunklen Perücken.

In den zerschossenen Häusern um den Muranowskiplatz regte sich nichts. Jetzt, sagte ich mir, als ich neben Mlotek im ersten Stock einer Ruine lag, müßte man wie ein unaufhörliches Knistern das Geräusch der Herzschläge vernehmen, das nicht abreißende Flüstern der Schlaflosigkeit, die aus letzter Erschöpfung kommt.

Mlotek lachte leise.

»Für mich«, sagte er, »müßte es anders heißen: gestern in Jerusalem, heute im Warschauer Getto. Und morgen . . .«

»Morgen sind wir alle nirgendwo«, erwiderte ich.

»Wenn es schon so sein muß«, sagte Mlotek. »Ich kam wirklich vor ein paar Jahren nach Palästina, ohne Zertifikat, als Illegaler. Heute könnte ich nicht einmal erklären, warum ich nicht das notwendige Papier hatte, warum ich überhaupt hinwollte. Was das erste angeht: ich war kein Handwerker, hatte mich ziemlich unruhig umhergetrieben, einmal dies, einmal das getan. Zweitens nannte ich bei mir selbst das Land Palästina, nicht etwa Erez Israel. Ich hätte mich nur zu gern davon überzeugen lassen, daß unsereins überall ungeschoren bleiben kann.«

»Du warst neugierig auf das, was sie da unten machten«, sagte ich.

»Gewiß. Es konnte so übel nicht sein, auf einem Stück Land zu arbeiten, das einem mitgehörte. Ich entsann mich, wie es zu Hause hieß, als ich klein war: Man schlägt in der Stadt die Juden!, und wie man dann tagelang bebend hinter den Vorhängen saß.«

Franka rührte sich leicht im Schlaf, und ich legte meine Hand an ihr Gesicht. Dabei versuchte ich mir vorzustellen, wie dieses Kind hinter dem Vorhang Mlotek geworden war mit seinem braunen Haar über der breiten Stirn, mit den Armen, die die Sten wie ein Stückchen Holz handhaben. Ich dachte: Das Leben müßte in dieses Gesicht mehr Ärger oder Lebenshunger oder Mißtrauen hineingegraben haben. Daß es finster war, machte nichts aus: Mloteks Stimme konnte nicht ruhiger sein als seine Züge, und ich wußte mit Sicherheit, daß diese Gesichtszüge mehr Ausgeglichenheit zeigten, als ich wahrscheinlich in meinem ganzen Leben gekannt hatte.

»Ich kam also schließlich ans Schwarze Meer, nach Warna, von da aus in Etappen bis nach Zypern. Unterwegs hatte ich noch drei Jungen kennengelernt, die den gleichen Plan hatten. Mit unserem letzten Geld kauften wir ein Segelboot und fuhren ab, aber auf der Höhe von Jaffa kenterten wir ungefähr acht Meilen vor der Küste in einem plötzlichen Windstoß; ich gebe zu, daß keiner von uns vom Segeln eine Ahnung hatte. Wir konnten das Boot nicht aufrichten, zu viert saßen wir mitten in der See auf dem Boot. Das Meer hatte sich sogleich wieder beruhigt. Du weißt, wie das ist, wenn man sich als Junge um keinen Preis blamieren will ...«

»Natürlich«, sagte ich.

»So beschlossen eben ich und ein zweiter, an Land zu schwimmen, denn ich war ein guter Schwimmer und dachte mir, daß acht Meilen schließlich zu bewältigen wären. Damals las man täglich von irgend jemandem, der durch den Kanal geschwommen war.«

Ich steckte mir eine Zigarette an. Wenn Mlotek damals zur Küste gekommen ist, dachte ich sinnlos, müßten wir jetzt auch durchkommen.

»Heute träume ich manchmal noch davon«, sagte Mlotek, »wie ich der Küste zuschwimme. Wenn ich gewußt hätte, was das heißt: acht Meilen, wäre ich auf dem Boot sitzengeblieben, bis mich jemand aufgefischt und wer weiß wohin gebracht hätte. Du wirst dir sagen, daß ich ganz versessen sein mußte darauf, nach Palästina zu kommen, aber ich kann nur wiederholen: es war nicht das Land. Ich wollte vielleicht nur nicht immer aufpassen müssen auf das, was ich gerade tat und was andere von mir sagten.

Als wir losschwammen, war es Nachmittag, und wir brauchten dreizehn Stunden. Wenn ich davon träume, so sehe ich das Glitzern der kurzen Wellen vor den Augen, dieses unerträgliche Blinken. Dann begann mein Kamerad ein paar Meter hinter mir zu rufen, es ginge nicht mehr, das Land sei weiter weg als zuvor. Ich wollte um keinen Preis sprechen, um Atem zu sparen, aber dann mußte ich ihm doch zureden und faselte etwas von Bäumen, die ich deutlich am Horizont sehen könnte.«

Mich hatte eine unbestimmte Angst ergriffen, als sei es unausdenkbar, unerlaubt, daß ein Leben nach so viel Mühsal einfach ausgelöscht werden dürfe.

»Das Schlimmste«, sagte Mlotek, »waren die Muskelkrämpfe. Ich schärfte dem anderen noch ein, auf keinen Fall mit dem Schwimmen aufzuhören. Durch meine Hände zog es schon wie mit Messern und ich fühlte, wie meine Nackenmuskeln sich zu Knoten schlangen. Wir schwammen eine Weile durch ein großes Tangfeld, nur noch die Arme und Beine arbeiteten, das Hirn war wie ausgeleert. In der Finsternis spürte ich das Wasser, wie es mir ins Gesicht sprang. Ab und zu legte ich mich auf die Seite, um nach den Sternen zu sehen.

Dann kam die Dämmerung, die Sonne stand schon knapp unter dem Horizont, und die Küste war zum Greifen nah. Wir waren, wie sich herausstellte, oberhalb der Yarkon-Mündung nördlich von Tel-Aviv an Land gekommen.

Du darfst dir nicht vorstellen, daß das so glatt ging. Als wir den Boden berührt hatten, konnten wir auf einmal nicht weiter. Wir waren so müde, daß ich es mir selber seither nicht mehr recht begreiflich machen kann. Ich weiß noch, daß es mir die erste Viertelstunde hindurch nichts ausgemacht hätte, auf der Stelle zu sterben. Die Muskelkrämpfe hatten uns am ganzen Körper wie eine einzige Klammer gepackt. Dann sagte ich mir, es wäre reichlich lächerlich, wenn wir nach dreizehnstündigem Schwimmen bis zur Brust im Wasser wie die Pfähle stehenbleiben würden. Ich hatte die ganze Zeit Angst, daß Leute uns sehen könnten, die uns nichts Gutes bringen würden, Engländer vielleicht. Wir wußten nichts von dem, was vor uns lag.

Ich bin ein paar Jahre dort gewesen, man verschaffte mir die notwendigen Papiere. Es gab übrigens genug von meiner Art da unten. Ich arbeitete auf dem Land, schleppte Ziegel beim Bau, war Plantagenwächter. Mit der Zeit begriff ich die Dinge besser. Manchmal hatte ich mich gefragt, ob sich das Ganze gelohnt habe, ob es hier besser für mich sei als in Polen. Die Zusammenhänge waren komplizierter, als ich geahnt hatte, sie stellten sich, als ob sie unübersehbar wären, aber man kann hinter alles kommen. Die Frage nach dem Sichlohnen tauchte dann gar nicht mehr auf.«

»Das heißt«, sagte ich, »daß du eine Antwort auf sie hattest.«

Es war etwas heller geworden. Mlotek stand auf und machte ein paar Schritte durch den Raum.

»Ja«, hörte ich ihn sagen, »ich hatte vergessen zu bemerken, daß ich inzwischen in die illegale Partei eingetreten war. Die Genossen erklärten mir natürlich, daß wir für etwas kämpfen, das sich lohnt. Ich begriff, daß ich die Frage falsch gestellt hatte. Jetzt hatte ich auf einmal die Wahl, in Polen von den Pilsudskileuten als Jude oder in Palästina von englischen und jüdischen Polizisten als Kommunist verprügelt zu werden.«

Er unterbrach sich und lachte.

»Man könnte sagen«, fuhr er fort, »daß ich mir vorher aus den Kommunisten überhaupt nichts gemacht hatte. Seit ich Kommunist war, gingen mich die Juden mehr an als je zuvor, und wahrhaftig nicht nur die Juden allein.« Er schwieg einen Moment und fügte hinzu: »So kam es damals jedenfalls zu meiner Abreise. Meine Frau holte sich im Gefängnis von Jaffa eine Lungenentzündung und starb. Wir hatten uns da unten kennengelernt. Ich selber saß in Jaffa, in Nazareth, in Jerusalem. Dann beschloß man, mich zu deportieren.«

Ich meinte ihn sehen zu können, wie er auf dem Deck der »Marietta Pasha« stand, während unten am Kai in Haifa die blauuniformierten, blondbärtigen Polizeioffiziere hochmütig und gelangweilt auf die Abfahrt des Schiffes warteten. Hinter den Lagerhäusern stieg wie eine Wolke der Lärm der King George Avenue in den Abend, und die tiefstehende Sonne flammte in den Fenstern des französischen Klosters auf dem Carmel.

Mlotek lachte und schüttelte den Kopf: »Stell dir vor, daß sie einem das Visum für Kuba verschafften, ich weiß heute noch nicht, durch welchen Dreh. Natürlich interessierte sich von uns kein Mensch für Kuba, sondern man blieb mit dem französischen Transit in Frankreich sitzen, was damals nicht sehr schwer war.«

Ich war damit beschäftigt, das Schiff zu verfolgen, wie es langsam aus der Bucht dampfte, mit Mlotek an der Reling, der sein Zwischendeckbillett in der Tasche hatte, mitten unter arabischen Auswanderern und Fremdenlegionären aus Syrien; dieses Schiff, in dessen Laderäumen die Vierte-Klasse-Passagiere schliefen in einem Geruch von Anis und Erbrochenem, nichts weiter als Vehikel eines anonymen Befehls, der Männer, die einmal schwimmend diese Küste erreicht hatten, wegführte über Kilometer und Jahre bis vor die Gewehre der SS in Warschau.

»Ich fürchte mich, Mlotek«, sagte ich auf einmal.

Er lächelte und legte mir die Hand auf die Schulter; nur in seinem Blick war ein Schatten, der sich mit der heraufkommenden Frühe nicht auflöste.

»Es ist gleich vorbei«, sagte er.

Nach einer Weile sprach er weiter: »Natürlich muß man sich manchmal fürchten. Weißt du, wovor? Wenn man daran denkt, was die Menschen erlitten haben. Seit Jahrhunderten, Jahrtausenden Leiden, Leiden, Erleiden ... Ich meine nicht nur die großen, ich hätte beinahe gesagt, die spektakulären Leiden. Das fängt damit an, daß die Frauen um vier Uhr morgens Feuer machen müssen. Manchmal ist das nicht zum Aushalten.«

Das ist es, dachte ich, das gerade ist es. Wir müßten uns beeilen, alles wartet auf uns. Schnell, schnell, schnell, schnell. Das, dachte ich, hat Mlotek eben gemeint: all diese Begünstigungen des Todes, die großen und kleinen Vergewaltigungen, sogar die Ängste der Kinder und das schweigende Hinnehmen, das sich von Geschlecht zu Geschlecht fortsetzt.

»Aber das ist Unsinn«, sagte Mlotek und sah abwesend durch das leere Fenster auf den wüsten Platz. »In ein paar Jahren werden es alle schon immer gesagt haben, daß die Welt durch uns ein Stück weiterkommen wird.«

»Ich möchte dir gerne glauben, Mlotek«, sagte ich.

Er blickte mich heiter an: »Schade, daß ich nicht sagen kann: Du wirst ja sehen, wer recht behält.«

Der Tag war jetzt ganz angebrochen. Wir lauschten auf den Platz hinaus, auf dem der Wind erwacht war mit Schleiern aus Ziegelstaub und verbranntem Papier, der Wind, der Zeit gehabt hatte, Kraft und Botschaften zu sammeln in den Tiefen des Flachlandes. Hinter dem Häusergewoge, in dem der Pilz der Brände und Explosionen fraß, rührte sich die deutsche Artillerie. Auf dem Platz wuchsen die Rauchsäulen der ersten Granaten.

Mlotek deutete auf sie: »Der Feind, um uns zu vernichten, löst unvermeidlich die Kräfte aus, an denen er selber zugrunde geht.«

»Mlotek!« rief ich noch, »wir möchten aber so gerne leben!«

Das Dröhnen einer straffgespannten Saite klang aus dem aufgerissenen Himmel. Eine Kette von Stukas fiel steil auf das Getto, als wollten sie die Dächer durchstoßen. Der Boden bebte unter uns.

Mlotek verzog spöttisch den Mund: »Die scheuen keine Kosten!« Ich fühlte, wie Franka vergeblich gegen den Schauer kämpfte, der sie an meiner Seite schüttelte.

Jemand schrie aus dem oberen Stockwerk: »Es brennt!« Man hörte das Hasten von Leuten. Wir waren auf einmal in Qualm gehüllt, die Ruine brannte lautlos, gleichmäßig, als sei sie die ganze Zeit mit Feuer bis zum Bersten angefüllt gewesen. Und aus dem Keller kam das Gebrüll eines Empfängers, der die Mitteilungen des deutschen Befehlsfunkwagens weitergab: »Erfolg dieses Unternehmens: Sechshundert Juden und Banditen aufgestöbert und erfaßt. Achtundvierzig Bunker gesprengt. Durchsuchungsstoßtrupps haben für Auftragserfüllung Zeit bis achtzehn Uhr. Ich wiederhole...«

Schüsse gellten in der Nähe des Platzes.

»Wir gehen hinüber«, sagte Mlotek ruhig. Die überlebende Besatzung des schräg gegenüberliegenden Hauses lag im obersten Stockwerk, zu dem man nur durch einen Flaschenzug Zutritt hatte. Das Treppenhaus hatte der Kommandant der Gruppe zerstören lassen.

Wir ließen unsere Brandflaschen nach oben ziehen. Dann folgten wir, einer hinter dem anderen. Ich war der Vorletzte und sah unter mir Mlotek an einem zertrümmerten Pfeiler lehnen. Er winkte lässig mit der Mündung der Maschinenpistole, und ich erriet die Bewegungen seiner Lippen, die sagten: »Gleich komme ich nach!«

Der Kampflärm hatte sich sehr schnell genähert. Zwischen meinen Beinen durch sah ich, wie Mlotek feuerte und nach der Straße hin wegglitt. Man hatte mich nach oben gezogen, und ich lief zum Fenster, um hinter einem Mauerstück nach ihm auszuspähen. Mlotek war in die brennende Ruine zurückgelaufen, war unsichtbar im Rauch und kam an einem Fenster des ersten Stocks wieder zum Vorschein. Wollte er die Deutschen von uns ablenken? Ich sah ihn in unglaublicher, unerreichbarer Nähe, wie er bedächtig schräg nach unten hin schoß. Er verschwand nochmals und tauchte wieder auf. Sein geschwärztes Gesicht, ohne Haar und Augenbrauen, war der Straße zugewandt, als habe er uns völlig vergessen, als gehörten wir einem längst vergangenen Abschnitt seiner Existenz an. Mit einem Schlage war der Rauch fort, und das Haus brannte still, gewaltig in einer einzigen, stetigen Flamme.

Mlotek kam noch einmal zum Vorschein, ohne Waffe diesmal, die er verloren oder von sich geworfen hatte. Er stand gebückt auf dem Dachfirst zwischen den beiden Fahnen, die man oben festgemacht hatte, der blauweißen und der rotweißen, durch die ein Hagel von Funken und Geschossen fegte. Er schien eine ganze Weile da zu stehen, und es waren doch nur Sekunden, während er mit den Armen eine merkwürdige Bewegung machte, als wolle er die Fahnen zu sich heranziehen. Aber schon waren keine Fahnen mehr da, sie hatten im gleichen Moment Feuer gefangen, und auch Mlotek brauchte sie nicht mehr. Er griff jetzt mit beiden Händen in die Flammen selber, wie nach einem Mantel, den man um sich schlagen will.

5. Mai

Ist überhaupt zu berichten, was seither geschah? Ablauf der Zeit und Ereignisse sind hier vielleicht anderen Gesetzmäßigkeiten unterworfen als in Eurer Welt. Schon kann die Schwerkraft des Geschehens aufgehoben sein: die registrierbaren Fakten fallen nach allen Seiten hin auseinander. Nach und nach haben wir alle aus den Augen verloren, sie liegen unter den gesprengten Häusern, manche mögen in der Kanalisation versteckt sein. Franka und ich sind nur noch zwei Stäubchen in dieser Wüste, die sich an ihrer eigenen Leere entzündet. Wir irren wie zwei Ameisen durch ihren zerstörten Bau, den ungeheure Explosionen um und um wühlen.

Die Deutschen sprengen jetzt Haus für Haus. Riesige Brände sengen uns Tag und Nacht die Haut, machen uns blind. Sie wissen, es geht dem Ende zu, wenn man irgendwo Schüsse hört, sind es fast nur noch ihre Gewehre, die losgehen. Ich habe noch vier Schuß bei mir, von denen zwei für uns selbst bestimmt sind, wenn es soweit ist. Wie viele Kämpfer können noch am Leben sein? Ich weiß es nicht. In den letzten zwei Tagen sind wir nur noch zwei alten wahnsinnigen Frauen begegnet und einem Trupp von Kindern. Zuweilen ist uns, als hörten wir es irgendwo in der Ferne: Sog nit kajnmol, as du gejst dem letzten Weg... Das kann Täuschung sein.

Vor drei Tagen lag ich im Schutt unter einem Balken, kaum verwundet, aber unfähig, eine Bewegung zu machen, während ich gegenüber an einer geschwärzten Mauer Jan und Stanislaus aus dem Jenseits stehen sah und noch ein halbes Dutzend von uns. Meine Pistole war unter mir im Gestein verschüttet, ich hätte ihnen auch nicht helfen können, wenn ich sie zur Hand gehabt hätte. Ich sah ihre Gesichter vor dem horizontalen Gitter der Gewehre, so gleichgültig, daß sie kaum mehr kenntlich waren, nur an den Stimmen erkannte ich sie wieder, laut und nachdrücklich, nicht anders als am Schluß einer Versammlungsrede: »Es lebe Polen! Es lebe die Sowjetunion!«

Meine Pflicht, mein Vorsatz war gewesen, zu berichten, Dir ein

Zeichen zu geben. Meine Absicht setzt Beharrlichkeit, Treue voraus. Zwischendurch befielen mich Zweifel an der Beschreibbarkeit der Desintegration. Mlotek fehlt mir.

Wer weiß, vielleicht vermagst Du aus diesem fragmentarischen Rapport eine Kontinuität herauszulesen, um die ich mich beim Schreiben vergeblich bemühe.

Franka fand ich nachts in der Kanalisation, nachdem ich mir meine Pistole wiedergeholt hatte.

Drei Stunden später Explosionen rüttelten uns in unserem Keller. In den toten Leib des Gettos hackten Fliegerbomben, Artillerie, Dynamitladungen wie gigantische Fußtritte, die einen Kadaver prüfen, ob noch Leben in ihm ist.

Wir hatten die ganze Last eines zusammengestürzten Hauses über uns und konnten nichts anderes tun, als den Deutschen zusehen, wie sie den gegenüberliegenden Häuserblock anzündeten. Sie brauchten sich längst nicht mehr zu decken. Plötzlich waren sie da, mit Wagen dazwischen, deren Türen hinter aussteigenden, Feldstecher tragenden Offizieren zuklappten, mit Pfiffen und Gebrüll: »Juden raus!«

Ich hatte geglaubt, daß das Haus leer sei. Es wehte ohne Laut seine Gardinen aus den Fenstern den Deutschen entgegen, die Maschinenpistolen und Karabiner im Anschlag hatten. Nichts rührte sich. Eine Minute darauf rollten Benzinfässer an unserem Kellerfenster vorbei. Die Deutschen leerten sie drüben vor das Tor und warfen ein Streichholz auf den Bürgersteig. Wir hörten das hohle Donnern der Flamme, die in den Hausflur schoß und die Fassade ansprang.

Sofort schien das Haus sein Inneres nach außen zu kehren: es wimmelte von Menschen, die an den leeren Fenstern standen und blindlings schrien. Bis es zu uns kam, war das Schreien schon dünn geworden, denn die Straße knisterte vom Feuer, und die Deutschen lachten wie in einem Film von Heinz Rühmann. Ein SS-Mann streifte einem Offizier höflich einen Funken von der Uniform.

Dann kamen an der Fassade Schatten herunter, Matratzen und Kissen vor den Menschen selbst. Ich zwang mich, ganz kalt zu werden; noch jetzt hätte ich etwas Übereiltes tun können. Mechanisch sprach ich Frankas Namen in mich hinein, als müsse ich mich an eine Pflicht erinnern, während die Menschen herabstürzten. Sie waren nicht immer tot, sondern begannen manchmal wegzukriechen, nicht nach der Straße zu, wo die Deutschen standen, die gar nicht weiter böse zu sein schienen, sondern nur neugierig starrten und lachten –

die Herabgestürzten krochen mit gebrochenen Gliedern zurück ins Feuer, aus dem sie gekommen waren.

Die Deutschen sahen ihnen nach, ohne ein Wort, kopfschüttelnd, mit einem Ausdruck, den ich von sonntäglichen Spaziergängern in Erinnerung hatte, die einem Betrunkenen nachsehen. Statt der Gardinen wehten nun lange Flammen aus den Fenstern. Kleine Schatten glitten an der Fassade herab; die Karabiner krachten, um sie noch im Flug zu erhaschen. Eben hatte man noch die Mütter, die ihre Kinder hinabschleuderten, mit dem Kreisrund der geöffneten Münder am Fenster erblickt. Doch schon waren sie hinter dem schweren Vorhang aus Qualm verschwunden, der sie mit dem Feuer zugleich zudeckte.

10. Mai

An der Rückwand des sich langsam verdunkelnden Zimmers sah ich den Schein naher Brände. Frankas Kopf lag in meinem Schoß. Wie die Salamander, dachte ich, leben wir in diesem Getrümmer, das nicht ausbrennen will. Um uns war das Stöhnen der Luft, das Gebrüll unsichtbarer Maschinen, die Eisen in die Öde spien.

Ich vernahm auf einmal ihre Stimme. Ich hatte geglaubt, sie sei eingeschlafen, aber sie hatte ganz leise zu singen begonnen: Sog nit kajnmol, as du gejst dem letzten Weg ... Sie sang nicht weiter, sondern wandte mir ihr Gesicht zu und sah mir in die Augen.

»Ich will mich nicht mehr verbergen«, sagte sie und lächelte.

Ich wußte nicht, was sie meinte. Sie hatte sich aufgerichtet. »Ich will mich nicht mehr verbergen«, wiederholte sie, und ihre braunen Augen blickten zu mir auf. »Wir wollen zusammen hinausgehen, solange es noch hell ist. Weißt du denn nicht, daß wir Frühling haben?«

Ich erschrak: der Frühling hatte wirklich begonnen mit seiner ganzen blinden und fühllosen Raserei. Das, was ich das Zimmer nannte, der Platz, an dem wir in den letzten Tagen Unterschlupf gefunden hatten, war ein Raum, von dem nur noch die Wände standen, dem aber die Decke fehlte, irgendein Raum eines zerstörten Hauses, das nur aus einem Erdgeschoß bestanden hatte, so daß wir über uns den violetten Nachmittagshimmel hatten. Wenn man den Himmel ansah, wußte man, daß unversehens mit der fortschreitenden Verwüstung der Mai gekommen war. Franka hatte von Hinausgehen gesprochen. Wir waren ja im Freien, nur daß diese Wände, an denen die Rosen des Brandes glühten, uns von der Straße trennten. Aber ich wußte, was sie meinte, und stand auf.

Sie war nach den ersten Schritten auf der Straße schon wieder stehengeblieben. »Der Mai! Vor vier Jahren war ich um diese Zeit mit meiner Mutter in London. Ein Mai ohne Krieg...«

»Du warst um diese Zeit in London ...« wiederholte ich verblüfft und erinnerte mich, daß ich zwei Jahre vor diesem Datum dort gewesen war, im letzten Friedensmai aber schon in Paris.

»Von London«, sagte Franka, »fuhren wir nach Paris. Es war noch viel schöner. Wir wollten den vierzehnten Juli erleben.«

»Da waren wir also zusammen in Paris«, sagte ich und lachte.

Sie sah mich überrascht von der Seite her an. Wir sprachen abwechselnd und unterbrachen uns mit einzelnen Worten und Ausrufen, als wolle eins das andere an bestimmte Vorgänge erinnern. Sie erklärte mir, aus welchem Grund ihre Mutter sie auf die Reise mitgenommen hatte; sie hatte sich auch beeilen müssen, um Ende Juli wieder in Warschau zu sein. Ich achtete nicht darauf. Franka hatte vom vierzehnten Juli gesprochen, und ich suchte mir vorzustellen, wie sie damals ausgesehen hatte, vor diesen vier Jahren, die kaum der Erwähnung wert waren.

Wie leicht, sagte ich mir, hätten wir einander begegnen können.

»Siebzehn Jahre alt warst du und ich vierundzwanzig«, hörte ich mich sagen, als sei in die beiden Zahlen eine Magie eingeschlossen, ja, als sei ich imstande, uns nur durch das laute Aussprechen der Worte »siebzehn« und »vierundzwanzig« auf einen Teppich zu versetzen, der mit uns in die Lüfte steigen würde.

Franka machte jedesmal eine Pause, wenn ich ein Wort einwarf, und sprach dann in einem Ton weiter, als habe sie diese Vergangenheit in heiterster Laune gerade erfunden, oder als hätten meine Worte sie ausgelöst.

Ich erblickte Paris, wie ich es an jenem letzten vierzehnten Juli erblickt hatte, ehe das ganze Getöse aus Feuerwerk, Autohupen, Stimmen und Musette-Kapellen im Knirschen gigantischer Schattenarmeen und im Lautsprechergekrächze der Heeresberichte untergegangen war. Während die Diplomaten West- und Mitteleuropas sich zum letztenmal die Hände drückten, ehe sie die Gewehre losgehen ließen, während die heiter-verächtliche Frivolität der späten Stunde sich wie eine große Blüte in der heißen Nacht entfaltete, bahnte ich mir einen Weg durch die Menge. Bald stand ich oben bei der Mère Catherine, wo auf den kleinen Tischen mit den rotkarierten Tüchern Petroleumlampen brannten und betrunkene Matrosen, sich an den Händen haltend, einen feierlichen Reigen um eine Straßenlaterne tanzten; bald ging ich über die Boulevards an Leuten vorbei, die auf den Dächern fahrender Taxis saßen; bald streifte ich zwischen Bastille und République umher.

Überall war ich auf der Suche nach Franka, die mir auch begegnete, aber nur, um gleich wieder in der Menge zu verschwinden, wenn wir Blicke getauscht, uns zugelächelt hatten. Ich sah sie deutlich, mit den braunen Augen unter dem blonden Haar, diesem leichten, fliegenden Haar, zu dem vielleicht blaue Augen viel besser gepaßt hätten. Sie trug ein helles, geblümtes Kleid, eins von jenen billigen enganliegenden Sommerkleidchen, die beinahe jedes Mädchen hübsch machen. Ich sah sie auftauchen, näher kommen, wieder entschwinden inmitten eines verworrenen Lärms von Akkordeons, Drehorgeln und Herzschlägen; wir lächelten und winkten uns zu mit Augen und Fingern.

Plötzlich stand sie vor mir. Es konnte auf der Place des Fêtes sein, wo zwischen den niedrigen Häusern um den Metroschacht herum die Lampionschnüre blinkten. Diesmal faßten wir uns an den Händen, bis der Platz mit den vielen Menschen, der den Atem angehalten hatte, um uns zu kreisen anfing wie ein Karussell auf dem Jahrmarkt, das seinen Lauf allmählich beschleunigt. Ich hatte Franka den Arm um die Schulter gelegt, ihr rückwärts geneigtes Gesicht mit den geschlossenen Augen zeigte wie ein Spiegel bald die Blässe des Mondes, bald die bunten Reflexe der Lampions. Wir wiegten uns im Stehen, als brauchten wir zum Tanzen einen Anlauf. Die Musik, die von einem großen, unsichtbaren Orchester ausging, hatte mit einem Walzervorspiel begonnen, das uns alle auf einen mächtigen rhythmischen Ausbruch vorbereitete. Und nun, vielleicht waren wir beide es, die das Zeichen gaben, glitten, flogen wir in den Tanz hinein wie der Stein von der Schleuder: über der ganzen Stadt erklang mit dem Rauschen vieler Saiten der Rosenkavalier-Walzer.

Meine alte lästige Unruhe war es, die uns den Tanz verdarb, als ob ich nicht einmal wenigstens hätte schweigen können, als ob ich nicht gewußt hätte, daß für Franka London vor Paris gelegen hatte.

»Meine Adresse in London? Portland Place«, sagte sie in mein Gesicht, ohne die Augen zu öffnen.

Ich nickte vor mich hin, denn ich hatte es nicht anders erwartet. Hatte ich doch selbst zu meiner Zeit in der Seymour Street gehaust, in einer stillen Straße des gleichen Viertels mit sauberen, abweisenden Häusern, einer Straße, von der man unmöglich annehmen konnte, daß sie neben einem großen Verkehrszentrum liegt. Ich hatte die Place des Fêtes ohne Bedauern und Widerspruch verlassen, um mich mit Franka in London zu vereinigen, wobei es nichts ausmachte, ob mit dem Begriff Vorher Tage oder Wochen oder Jahre gemeint waren und ob es für Franka die gleiche Frist bezeichnete wie für mich. Was konnte es für mich schon bedeuten, ob sie mit mir im gleichen Augenblick in London gewesen war. Nur das Siebzehn und Vierundzwanzig besaß Geltung und Zauber, dieser Abstand von sieben Jahren, den man allenfalls um eine Kleinigkeit nach unten oder oben hätte verschieben können, dessen Verhältnis aber nicht geändert werden durfte.

Ich sah mich auch schon sehr früh am Morgen, mit einem Blick auf die Uhr, eilig am Marble Arch vorbeigehen, weil ich mich zwischen sieben und acht mit Franka vor der Serpentine verabredet hatte. Freilich hatte ich so gut wie gar nichts gegessen, aber ich hatte genug Geld bei mir, um Franka zu einem Frühstück einladen zu können. Jetzt lief ich da jedenfalls hinunter in den Park, mit anständigen Flanellhosen und blanken Schuhen und ohne einen weißen Faden in meinem Haar, und ich sah, wie ich mir einen Liegestuhl nahm, sogar zwei – sie waren etwas teurer als die gewöhnlichen Gartenstühle –, und dann schlug ich die Morgenzeitung auf, über deren Rand ich aber immer den Weg entlangspähte.

Franka kam dann gar nicht. Vielleicht war sie schon unterwegs, vielleicht hatte sie mich einfach vergessen. Ich grämte mich nicht. Auf irgendeine Weise war ich ihrer ganz sicher. So träumte ich vor mich hin, mit den Geräuschen der Stadt im Rücken. Auf dem Reitweg vor mir erschienen ab und zu, aus dem leichten Bodennebel tauchend, Damen und Herren zu Pferde; sie grüßten höflich, wenn sie aneinander vorbeiritten. Eine Abteilung Bärenmützen kam in Sicht, auf dem Marsch in Richtung Hyde Park Corner.

In dem Nebel begann es zu zucken wie in einem Netz ein Schwarm von rötlichen Fischen. Ich hatte die Brandrosen vor Augen, ehe ich mich in der zerschossenen Straße wiederfand mit Franka, die nach meiner Hand gegriffen hatte. In der Nähe dröhnten drei Einschläge. Ich suchte verzweifelt im Himmel unseren Mai, während die schreckliche dörrende Hitze uns umklammerte, als seien wir Geschöpfe einer anderen Welt mit anderen Temperaturen. Franka legte den Kopf an meine Schulter.

»Was es doch alles gibt!« sagte sie. »Was es doch alles geben könnte! Ich würde zum Beispiel mit dir in deine Heimat fahren.«

Nicht, Franka! wollte ich sagen, du weißt nicht, was du tust. O Gott, dachte ich, ich habe keine Kraft mehr, ich will nicht. Ich fühlte mich leicht wie ein Vogel. Unaufhaltsam riß es mich der untergehenden Sonne nach. O Gott, dachte ich noch einmal, kann mir

Franka denn dabei folgen, in diesem unwiderstehlichen Sog, der uns schon wie zwei wirbelnde Blätter über die Ebenen da unten streute, die sich in Dunkelheit hüllten. Ich erkannte die Flüsse, die alle nach Norden zogen, fast immer zwischen flachen Ufern und lange zögernd, ehe sie das Meer fanden.

Hinter der Stille der Wiesen standen die Wälder ohne Bewegung. Die Achse eines verspäteten Wagens knarrte; dann rasselte eine Brunnenkette.

»Was ist das?« hörte ich Franka neben mir.

Ich schüttelte nur den Kopf. Warte, sagte ich mir, du darfst es nicht zu früh zu erklären suchen. Was ist das nur mit dieser Stille? Wir standen auf der Dorfstraße, dort, wo die letzten Häuser wie erschöpfte Läufer stehengeblieben waren. Schon zeigte sich der Mond unheimlich über den fedrigen Ähren des Hafers. Die Nacht ist gekommen, dachte ich, die Nacht hier mit ihren Brunnen und ruhelosen Wanderern. Hinter den Wäldern müssen die alten Städte liegen mit ihren schmiedeeisernen Gasthausschildern im Wind. Über dem leeren Marktplatz zählte eine Turmuhr die Stunden.

Ich stand über diese Stille gebeugt wie vor einem niedrigen Fenster, durch das man aus dem Dunkel her die Leute bei ihrer Lampe beobachten kann. Ich sah sie mit ihren süßen schläfrigen Gesichtern, ganz starr, eine Stickerei im Schoß oder ein Buch in der Hand. Nein, dachte ich wieder verzweifelt, nein, nein. Ich hatte kommen sehen, was jetzt kam, ich hatte von allem Anfang an darauf gewartet, ich hatte es schon gehört, ehe da irgendeiner mit seinen Fingerübungen begonnen hatte in einem Zimmer irgendeines Hauses. Es waren immer dieselben Takte aus einem Schubertschen Impromptu.

»Das ist die deutsche Nacht, Franka«, sagte ich.

Das Klavier klang immer noch aus einem Schwall von Musik, den der Wind heranschwemmte, aus dem man die grellen, blanken Trompeten Bachs heraushörte, die Bässe Beethovens, den Mittelsatz aus Mozarts Viertem Violinkonzert, eine Woge von Tönen, die nichts verschonte von dem, was ihr in den Weg kam. Nein, dachte ich. Ich war zurückgetreten und blickte an den niedrigen Häusern hoch, als erwarte ich von jemandem Hilfe.

Aber nur ein Fenster klappte. Da oben hatte sich ein Mädchen vor das gelbe Licht gestellt, das hinter ihr in die Nacht fiel. Sie hatte ihr Haar aufgemacht und beugte sich über die Blumenkästen, über denen ich das Hin und Her ihrer Hände erblickte. Und jetzt hörte ich, wie sie leise und abwesend sang:

>Halt du dein Treu
so stet als ich,
und wie du willst,
so findst du mich.«

Ich fürchtete mich. Ich hörte, wie der Sand unter meinen Sohlen knirschte, als ich mich hastig umdrehte. Ich fahr dahin, hörte ich das Mädchen hinter mir, ich fahr dahin, ich fahr dahin.

Vor mir flammte die Straße, und ich hatte nichts mehr als die Pistole und den nicht abgeschlossenen Brief, und Franka hielt ihre letzte Brandflasche in der Hand. Wir lehnten an einem Pfeiler. Ich sah auf ihr blondes Haar hinunter, das angesengt war und auf dem der Mörtel wie Schnee lag. Wir waren beieinander, standen jetzt nur noch angestrengt vor der Zukunft.

»Stell dir nur vor«, sagte sie ohne Ausdruck, »daß man ohne uns weiterleben wird.«

Ja, gewiß, dachte ich, da wird es Tanzlokale geben mit Papiergirlanden und Fähnchen und Bieruntersetzern, alle voll von jungen Leuten an einem Samstagabend. Die Kapelle begann einen Walzer; es war wirklich wieder der Rosenkavalier-Walzer, den wir an der Bastille hätten tanzen können. Ich bemerkte auch die leeren Stühle, die schon leer gewesen waren, ehe die Paare, die Hand in Hand zum Parkett gingen, sich erhoben hatten. Ich wußte, wie sehr Franka sich fürchtete.

»Überall!« sagte sie, und die Tränen liefen ihr aus den Augen, »überall werden wir fehlen!«

Und all diese leeren Stühle, fügte ich in Gedanken hinzu, die man für uns bereitgestellt hat! Es wird ja ganz leer sein ohne uns, denn die Tänzer werden immer Raum für die lassen, die nicht kommen.

Nein, dachte ich und spürte, wie mir leichter wurde, denn ich hatte unter den Tanzenden ein Mädchen gesehen, das Franka gar nicht ähnelte, außer daß es die gleichen Augen hatte. Gierig sah ich mich um, als müsse ich eine Bestätigung dafür suchen. An einem Ecktisch war eine Gruppe von jungen Leuten sitzen geblieben, einer erklärte etwas mit unhörbaren Worten, und die anderen lachten. Die Handbewegung, mit der der Sprechende einen Satz unterstrich, erkannte ich wieder – man hatte sie jeden Tag an Mlotek sehen können.

»Alles, was ich fürchte«, sagte Franka, »ist wohl nur das eine: Werden sie an uns denken?«

Es war kein Wunder, daß ich jetzt so sprach, als sei ich Mlotek.

»Sei nur ruhig«, sagte ich, »sie werden uns nicht im Stich lassen.« Ich stellte mir nochmals die Gruppe an ihrem Tisch vor. So ist es, sagte ich mir, sollen sie nur an einem ruhigeren Abend über unseren

Tod reden, das macht nichts, es soll gar nicht anders sein. Ich küßte Franka und sah, daß sie nun nicht mehr auf das Stück Leben neidisch war, das ihr entgehen würde.

Wir standen frei auf der Straße, als die deutsche Patrouille aus dem Feuer gerade auf uns zukam. Sie schossen sofort. Ich wollte vorwärts, ihnen entgegen, aber ein Querschläger war mir in die Knöchel gefahren und warf mich aufs Knie.

»Bleib, Franka!« rief ich. Ich sah sie mit der Brandflasche vorwärtsstürzen, leichtfüßig wie ein Kind beim Spiel, sie hörte mich nicht.

»Bleib!« schrie ich noch einmal.

Sie hatte die Deutschen noch nicht erreicht – die Patrouille und sie bewegten sich gegeneinander wie die Vortrupps zweier feindlicher Armeen auf dem Panorama einer antiken Schlacht –, als eine brennende Fassade hohl krachend, mit spritzenden Feuerstücken und langen Staubschleppen in die Straße stürzte und Franka meinen Blicken entzog. »Bleib!« rief ich sinnlos zum drittenmal. Ich wußte, daß meine Stimme sie nicht mehr erreichen konnte.

Mit dem Knie auf dem Boden spürte ich nur das scharfe Stechen der Funken, die mir ins Gesicht flogen. Mich verlangte nach einem Sesam-öffne-Dich, als ob es hinter der Waberlohe, die mich umgab, ein neues Land geben würde, in dem Franka schon zu Hause war, von dem sie Besitz ergriff, gefahrlos und ohne Angst.«

Wieviel Stunden vergangen waren, kann ich nicht sagen. Meine Uhr war stehengeblieben. Aber die Sonne war hoch am Himmel und füllte die steinerne Öde mit wachsender Wärme. Ich hob meinen Mantel auf und sah mich um. Alles war so wie am Abend zuvor, da ich meinen Gang in die tote Unbeweglichkeit unternommen hatte. Mit gleichmäßiger Besessenheit tobte die Stadt in der Ferne. Ich faßte nach dem zerknitterten Briefbündel in meiner Tasche.

Unverändert gleichgültig war ich der Frage gegenüber, ob das, was ich mittlerweile erfahren hatte, gerade in dem Brief enthalten war. Ich sah lediglich den Briefschreiber vor mir, wie er auf seinem zerschossenen Bein kniete, und Franka, die eine Flammen- und Steinwolke unsichtbar machte.

Während ich durch das Geröll kletterte, prüfte ich mich, ob es mich danach verlangte, in die Stadt zu kommen. Mit dem Heimischwerden in der Welt, sagte ich mir, ist es nicht so leicht. Zugleich war mir, als müsse ich aufbrechen, ohne Verzug, irgendwohin, um die suchen zu gehen, die feurige Türen hinter sich zugemacht hatten.

Petzoldt wachte wie immer zwischen ein und zwei Uhr morgens auf. Er mußte sich jedesmal von neuem in seiner Umgebung zurechtfinden, zum Bewußtsein dieser Umgebung kommen, die seit siebenunddreißig Monaten die gleiche war, Block 8 in Rainhausen. Das Wiedererkennen geschah stets auf die gleiche Weise; es vollzog sich schichtweise wie das Aufblättern einer Zwiebel, nur erschien hier die innerste Schicht zuerst: sein eigener Körper, auf der linken Seite liegend, mit über der Brust gekreuzten Händen, in einer Haltung, die erzwungen war von den Umständen und die der Schlaf festhielt. Jeder Schläfer in diesem von schwerem, kaltem Geruch erfüllten Dunkel hatte sich zwischen Lichterlöschen und Wecksignal in eine Mumie verwandelt. Petzoldt sagte sich manchmal, daß es immer noch besser war, zu zweit auf einem Strohsack zu liegen als zu viert wie die Neuankömmlinge, die wie Sardinen gelegt wurden: jedem fuhr der eigene Atem von den Füßen des Nebenmannes ins Gesicht zurück. Auch Petzoldt durfte die Stellung nicht wechseln im eigenen Interesse. Er wußte noch im Tiefschlaf so gut wie sein Nachbar, daß jede Bewegung Wärmeverlust bedeutete und einen zähen, quälenden Kampf um ein Stückchen Decke nach sich zog. Auch auf Block 8 lag man eng genug aneinander. Dennoch befand sich Petzoldt zwischen zwei imaginären Grenzlinien, die sein Wille noch im Schlaf zog und die hart waren wie Glas: er wollte um jeden Preis allein sein mit seinen Gedanken, mit den dumpfen Träumen, die hinter den Lidern brodelten, mit den Erinnerungen aus einer Vergangenheit, die immer unglaubhafter wurde.

Diesmal war er sicherlich nicht von selbst aufgewacht wie gewöhnlich; er hatte das helle, flache Knallen im Ohr, das schon wieder hinter den unsichtbaren Dächern der Blocks hervorkam. Wer schießt denn da um diese Zeit, dachte Petzoldt. Er hatte sich über seinen Körper hinweg in den Raum gefunden, in einen der Schlafräume des Blocks, in den Block selbst, von da in die Vorstellung, die er vom Lager hatte; er sah im Dunkel den Lagerplan in allen Einzelheiten vor sich. Irgendwas ist los bei den Quarantäneblocks, dachte er. Er bemerkte einen schwachen Lichtschimmer unter der Tür, die den Schlafraum von den Stuben des Blockältesten und des Blockschreibers trennte; er vernahm auch das gedämpfte Hin und Her von Füßen. Ja, sagte er sich, jetzt schon hellwach, das nennt man eine Abwechslung. Im Grunde genommen ärgerte er sich über die Störung. Er hatte sich schon an die Stunde gewöhnt, in der sein Schlaf sich von selbst unterbrach, in der er träumen und denken konnte und über die Kälte hinwegkam, die sich allmählich trotz aller Vorsorge unter die Decke schlich. Es war die einzige Stunde im Ablauf eines Tages, die ihm ganz gehörte. Ein Mann, der neun Stunden im Steinbruch steht in Sonne und Regen, der mit jeder Bewegung es nur darauf angelegt hat, sein Leben und das Leben seiner Kameraden zu verlängern, der auf dem Hof, beim Appell, beim Essen, beim Flicken nie allein ist – ein solcher Mann hat immer etwas, an das er niemanden heranlassen will. Es hat meist mit der Vergangenheit zu tun. Müller, an den er widerstrebend dachte, war vielleicht ein ganz guter Kerl. Man hätte es schlechter treffen können mit seinem Nachbarn. Dennoch war er unzugänglich, verbohrt; ein Sozialdemokrat, das ist es eben. Wie lange habe ich eigentlich mit Müller nicht mehr gesprochen, dachte Petzoldt. Vier, vielleicht sechs Wochen. Er käut auch immer dasselbe Zeug wieder, den Volksentscheid vom August, die RGO; man kann zu diesen Leuten mit Engelszungen reden. Er hätte kaum an Müller gedacht, wenn sie draußen nicht geschossen hätten.

Was ihn verwirrte, war die Entdeckung, daß auch Müller erwacht war. Man merkte das an der Veränderung des Atems, an einer leichten Spannung des Körpers, die sich dem Nachbarn unter der Decke mitteilte. Viele mußten wach liegen. Das Schießen hielt immer noch an. Die Lichtbündel der Scheinwerfer strichen an den Fenstern vorbei. Man hörte deutlich halblaute Rufe der SS, das Vorbeiknirschen der Stiefel, wenn nicht gerade Feuerstöße der Maschinenpistolen dazwischenhieben. Es muß bei den Quarantäneblocks sein, dachte Petzoldt. Im Schlafraum wurde geflüstert, manche sprachen laut wie aus dem Traum. Was ist das nur, dachte Petzoldt, was ist das nur.

Die Quarantäneblocks, mit den Ziffern 16 bis 20, lagen am südlichen Ende des Lagers Rainhausen und waren vom übrigen Lager durch Stacheldrahtzäune getrennt. Obwohl der Verkehr mit den Insassen der Blocks den übrigen Häftlingen verboten war, wußte man im Lager immer, was von diesem Teil von Rainhausen zu halten war, auch daß in Block 16 Experimente vorgenommen wurden; man erforschte dort eine Ernährungsweise, die Ostkost genannt wurde und bestimmt war, die Sklavenmassen der osteuropäischen Gebiete des künftigen Großreichs arbeitsfähig zu erhalten.

Eine Ausnahme bildete der Block 20. Dieser Block, der sich in der äußersten Südostecke des Lagers befand, infolgedessen nach zwei Seiten hin von der stacheldrahtbewehrten Lagermauer begrenzt und dazu noch von einem Wachtturm überhöht war, wurde nach einiger Zeit nach den beiden anderen Seiten zu mit einer Mauer sowohl vom Nachbarblock wie auch vom ganzen übrigen Lager abgeschlossen. In der inneren Längsmauer, die sich neben Block 19 befand, wurde eine eiserne Tür angebracht, die immer fest verschlossen war und zu der allein die SS Zugang hatte. Das Essen für Block 20 mußte von den Trägern an der Tür niedergesetzt werden; es wurde von der SS selbst in den Block gebracht. Die Insassen des Blocks bekam man nur in totem Zustand zu Gesicht. Jeden Morgen holte das Krematoriumskommando mit seinem Karren eine Anzahl Leichen, die nachts vor der eisernen Tür niedergelegt worden waren. Man hatte nicht mehr in Erfahrung bringen können, als daß die Häftlinge in Block 20 ausschließlich Offiziere und Kommissare der Roten Armee waren. Die vollständige Absperrung des Blocks konnte für die Insassen nichts Gutes meinen; es war von allem Anfang an offenbar, daß keiner mit dem Leben davonkommen sollte; das kollektive Todesurteil wurde mittels Typhus und Hunger vollstreckt. Jeder Häftling erhielt einen Liter Suppe pro Tag, jedoch kein Brot.

Wenige Wochen nach Weihnachten hatte das Parteiaktiv des Blocks beschlossen, einen Ausbruch vorzubereiten, und den Plan der Blockversammlung vorgelegt. Während der Besprechung, an der noch die Sterbenden durch Handaufheben teilzunehmen suchten, kam man schnell zu mancher Entscheidung. Der Leutnant Karganow, der am Kuban in deutsche Gefangenschaft geraten war, ein ehemaliger Werftingenieur aus Nikolajew, sagte mit einer Stimme, in die er alle ihm noch verbliebene Kraft legte: »Ich denke, daß Genosse Petrow die Aktion leiten muß.« Hier machte er eine kleine Pause, in der das allgemeine Schweigen eine starke, uneingeschränkte Zustimmung ausdrückte. Karganow fuhr fort: »Es muß aber jedem klar sein, daß ein Ausbruch nur Sinn hat, wenn wenigstens einige von uns Aussicht auf Entkommen haben. Ich will damit sagen, daß diejenigen, die den Ausbruch unternehmen werden, soweit gekräftigt sein müssen, als es unter den gegebenen Umständen möglich ist. Das bedeutet, daß nicht alle von uns an der Aktion direkt beteiligt sein können.« Er schwieg. »Natürlich«, sagte der Major Petrow, dessen Name eben gefallen war, Leiter des Parteiaktivs und früherer Agronom eines Kolchos bei Tula, »natürlich wird eine Anzahl von uns den Ausbruch decken müssen. Ich habe daran gedacht und werde dazu gleich Vorschläge machen.« Karganow nahm noch einmal das Wort. »Ich bin dafür, die zu bestimmen, die den Ausbruch wagen sollen, ihr eigenes Einverständnis natürlich vorausgesetzt. Die übrigen, angesichts der Tatsache, daß die anderen mehr Kraft brauchen, sollten beschließen, daß sie von nun an zugunsten jener auf die Hälfte der Tagesration verzichten werden, also auf einen halben Liter. Ich bin«, setzte er in beschleunigter Rede hinzu, »der erste, der sich dazu bereit erklärt. Versuchen Sie mich bitte nicht davon zu überzeugen, Genosse Major, daß ich länger als fünf Minuten laufen kann. Und ich bitte, gleich über meinen Antrag abstimmen zu lassen.«

»Gut!« sagte Petrow nach einer kleinen Weile, indem er die Augen von seinem Schoß erhob, »wer dafür ist, seinen Kameraden, die flüchten werden, mit einem halben Liter Suppe täglich zu helfen, möge die Hand heben.« Während er an den zweistöckigen Gestellen entlangging, um die Stimmen zu zählen – auf jedem Strohsack lagen hier immer vier Mann –, stellte er nur zwei Männer fest, die die Hand nicht erhoben hatten: sie waren vielleicht gerade gestorben, vielleicht vor ein paar Minuten schon. Petrow versuchte, ihnen die Augen zuzudrücken.

Petrow hatte von Anfang an seine Aufgabe darin erblickt, seinen Landsleuten das Gefühl des Abgeschnittenseins zu nehmen. Wäre es nach dem Willen des Kommandanturstabs gegangen, so hätten die Häftlinge von Block 20 nicht einmal mehr das Datum des Tages gewußt, nach dem sie sich gerade fragten. Sie sahen niemanden außer Angehörigen der Wachttruppe, die ab und zu den Block betraten, und den Posten auf dem benachbarten Turm, der, wenn es ihm einfiel, einen halben Ladestreifen durch das Dach jagte. Auch die Leute in den sogenannten freien Blocks wußten nicht viel, wenn sie sich auch auf Außenkommandos durch gelegentlich aufgefangene Radionachrichten und heimlich zugesteckte Zeitungen ein ungefähres Bild vom Ablauf der Ereignisse machen konnten. Doch hatte das Parteiaktiv von Block 20 in Erfahrung gebracht, daß die Rote Armee die Weichsel überschritten hatte und auf deutschem Gebiet kämpfte; doch wußte man von den Bewegungen slowenischer Partisanen an den Kärntener Pässen.

Die Sterbenden des Blocks, die nur noch die Hälfte ihrer Ration verzehrten, während ihre Gedärme sich vor Hunger verkrampften, schienen sich plötzlich an ihre Agonie zu klammern, als wüßten sie, daß der Sinn ihrer Existenz nur noch im Empfangen der Tagesration bestand, die mit ihrem Tode dem Block entzogen werden würde.

Vier Wochen nach der Blockversammlung, am Abend, der dem geplanten Ausbruch um wenige Stunden vorausging, trat Perow an Karganow heran, dessen weißes Gesicht jeden Blick eines Betrachtenden in einem Geflecht blauer Adern auffing.

»Wir müssen uns trennen, Wassilij Nikolajewitsch«, sagte Petrow und beugte sich über den Leutnant, der auf dem Rücken lag und mit unauslotbarem dunklem Blick zu ihm aufsah.

»Und wahrscheinlich für immer, Grigorij Grigorjewitsch«, erwiderte Karganow lächelnd. »Aber das macht nichts. Hauptsache, daß ihr alle durchkommt. Denken Sie an mich bei der Siegesparade auf dem Roten Platz.«

»Ich werde an Sie denken«, sagte Petrow gedämpft, den Mund fast am Ohr des Liegenden. »Wer immer von uns durchkommen sollte, wird melden, was Sie und die anderen für uns getan haben.«

»Nichts anderes«, widersprach Karganow, »als was Sie vorher für uns getan haben. Wir Kranken bekamen ja immer etwas von den Gesunden. Benachrichtigen Sie meine Frau, wenn Sie nach Moskau kommen. Sie arbeitet seit Beginn des Krieges dort in einem Institut. Notieren Sie die Adresse . . .«

Petrow schrieb hastig in seinem abgegriffenen Notizbuch, das er bisher vor jeder Durchsuchung hatte bewahren können. Er wandte sich wieder dem Leutnant zu.

»Wissen Sie, Genosse Karganow«, sagte er, plötzlich schwerfällig, den Blick auf die spitzen Schlüsselbeine des Leutnants gerichtet, die, von blauen Schatten erfüllt, aus dem offenen Hemd stiegen, »ich habe mich immer gewundert, daß Sie nicht in der Partei sind.«

»Ja, nicht wahr«, erwiderte Karganow, während er an Petrow vorbeilächelte. »Eigentlich wundere ich mich selber. Es blieb eben immer so . . . Ich bin, wie man so sagt, ein Kommunist ohne Parteibuch.« Er sah Petrow mit einem großen Blick in die Augen. »Ich hätte wahrhaftig einen Antrag gestellt. Jetzt hätte ich es wirklich getan.«

»Seien Sie ruhig, Wassilij Nikolajewitsch«, sagte Petrow, »ich weiß nicht, ob es geht. Aber warum sollte es nicht gehen? Ich werde für Sie den Antrag stellen, wenn ich zurück bin, ganz bestimmt.«

»Vielleicht geht es noch nachträglich«, sagte Karganow leise.

Petrow legte ihm die Hand auf die Schulter. »Erlauben Sie, daß ich Sie umarme.«

»Ich hätte Sie darum gebeten«, gab Karganow zurück. »Aber es ist nicht schön. Ich habe seit drei Tagen Dysenterie.«

Petrow hatte ihn plötzlich in einem fließenden bitteren Nebel aus den Augen verloren. Er umarmte nun mit aller Kraft einen Körper, der so grauenhaft leicht war, daß der Major einen Moment lang glaubte, das Gesetz der Schwerkraft habe sich geändert und er schwebe dahin, mit Karganow in den Armen.

Kurz nach ein Uhr morgens hatten gegen zweihundert Mann, die flüchten sollten, an der Tür des Blocks Aufstellung genommen. Die Kälte in der ungeheizten Baracke war erbarmungslos. Die Kranken, die imstande waren, von ihren Strohsäcken zu kriechen, schlichen barfüßig ihren Kameraden nach. Sie sammelten alle überzähligen Holzpantoffeln und machten daraus einen Haufen neben dem Eingang.

»Alles bereit?« fragte Petrow halblaut. In der Stille draußen hörte man den Posten auf dem Wachtturm, wie er einen Schlager pfiff. »Lebt wohl, Genossen!« sagte Petrow in die Dunkelheit, und als er die Tür aufstieß, sah man im ungewissen Licht der Winternacht seine hohe, magere Gestalt, um die der zerfetzte Uniformmantel hing.

Der Posten auf dem Wachtturm hörte das Geräusch vieler Schritte, und ehe er sich von seiner Überraschung erholen konnte, hatten ihn mehrere Holzpantoffeln, die aus dem Dunkel auf ihn zuflogen, im Gesicht und an der Schulter getroffen. Der Scheinwerfer, nach dessen Schalter er tastete, war sofort gebrauchsunfähig. Durch das Blut, das ihm in die Augen rann, erblickte er die Umrisse von Leuten, die, einer auf den Schultern von anderen, an der Mauer eine sogenannte Pyramide bildeten und Decken über den Draht warfen. Er konnte seine Schmeißer-Pistole fertigmachen und schoß, wenn ihn nicht die hölzernen Geschosse trafen, auf die Leute an der Mauer, auf die Schatten, die über das Feld huschten, auf die Querseiten des Blocks. Er hörte vielstimmiges Röcheln aus der Dunkelheit. Nun waren auch die anderen Wachttürme in Aktion getreten.

Petrow hatte einer Anzahl seiner Gefährten über die Mauer geholfen. Er hatte zwei Streifschüsse an der Hand und am Oberarm. Die Toten blieben in einem Haufen am Fuß der Mauer liegen. Auch vom Block her kam das dünne Schreien der Getroffenen, die ihre hölzerne Munition allmählich verschwendeten. Petrow erkannte in einem Vorbeistürmenden den Jungkommunisten Jurij Galin, dessen blondes Haar nach dem Scheren immer so schnell nachwuchs. Er sah ihn sofort erstarrt in der Pose eines Tänzers, alle Gelenke verdreht, den linken Fuß in der Luft dem Hinterkopf entgegengehoben, während von seinen Händen und der Wange, die fest am Draht lagen, Rauch aufstieg.

Auf dem Appellplatz, über dem der Dampf aus Hunderten von Mündern in der eisigen Morgenluft hing, sprachen die Leute von Block 8 lautlos miteinander, mit unbeweglichen Kiefern und Lippen. Petzold vernahm Mutmaßungen über die Zahl der Ausgebrochenen. Fünfhundert mindestens, hörte er, Unsinn, mehr als tausend, laßt euch doch nicht blöd machen, die meisten sind durch, schön verrückt sind die, tja, die Russen haben Schneid. Es gab keinen Zweifel mehr darüber, daß es sich um Block 20 handelte.

Die Kommandos formierten sich, jeder Mann den Blechnapf in der Linken. Petzold fixierte, während er vor Anstrengung ein Stechen in den Schläfen spürte, das große Tor, durch das Block auf Block zum Steinbruch marschierte. Er stellte sich das Gelände vor, das vom fernen Gebirge her in Hügeln zur Donau abfiel, wie mit den Augen des Ptolemäus, wie eine Drehscheibe, über die, mit Rainhausen als Mittelpunkt, von Nordosten bis Südosten eine Masse von Unkenntlichen, Unbekannten ausfächerte. Die Kapos stürzten an ihre Plätze. Die Blockkommandos waren schon im Marsch.

»Mützen! Ab!!«

Alle Gesichter wandten sich, ausdruckslos wie die Quadern der Mauer, der diensthabenden SS zu. Dennoch winkte ein Hauptsturmführer mit einer großen Bewegung der Hand ab.

»Halt!«

Am Tor war ein Wagen aufgetaucht, hoch beladen, von dem es

links und rechts dunkel in die Räderspuren tropfte. Petzoldt sah, so lange er konnte, zu den Leichen hin, nach den Köpfen mit halbgeöffneten Mündern, den zerschmetterten Brustkästen. Die Fuhre wurde von einem Dutzend graugekleideter Skelette gezogen, in die die Peitschen der Eskorte hineinknallten. Hinter dem Karren ging schwatzende SS, die sich angeschlossen hatte, um ihn zum Krematorium zu begleiten. Dann kamen wieder Graugekleidete, die, immer paarweise, einen Leichnam an einem Strick nachschleppten. Die Russen gingen mit halbgeschlossenen Augen, mit einem Blick, der sich in sich selber zurückbog. Ihre Füße waren bloß, mit schwarzem Schorf bedeckt. Petzoldt sah einen sehr großen hageren Mann, er bemerkte, wie der Kopf des Toten, den er schleifen mußte, von Pflasterstein zu Pflasterstein sprang. Der schöne Obertruppführer Riesler brach beim Anblick eines sehr jungen Russen in Rufe der Verwunderung aus: »Das ist ja der Grischa! Was machst du denn da, Grischa? Schön dumm bist du gewesen!« Er sprang auf den Jungen zu, der nicht sah noch hörte, der mit dem gleichen, hartnäckig nach innen gerichteten Blick vorwärts ging. Petzoldt bemerkte, daß Riesler in der Rechten, die er dem jungen Russen um die Schulter legte, seine Pistole hatte. Er sah, wie der Obertruppführer den Grischa, indem er unaufhörlich auf ihn einsprach, ohne dabei eine Antwort oder einen Blick zu erhalten, nach dem nächsten Block hinführte. Die Pistolenmündung lag gerade hinter Grischas Ohr. Sie verschwanden aus Petzoldts Blickfeld.

Der Hauptsturmführer stand zehn Schritt vor Petzoldts Kommando. »Los, los! Weiter! Laßt euch das zur Warnung dienen! Das waren bloß die ersten! Wir kriegen alle!«

Block 8 mußte rennen, um den Anschluß herzustellen. Petzoldt hatte die riesige Menschenschlange vor sich, die nach dem Steinbruch hinunterzog. Herrgott, dachte er, wie viele können es noch sein. Er erblickte im Geist wieder das von beweglichen Punkten belebte Kreissegment; die Punkte strebten, immer lichter, der Peripherie zu. Es werden doch ein paar übrigbleiben, dachte er, das kann doch gar nicht anders sein. Er wandte im Laufen den Kopf zur Seite, um hinauszublicken über die nackten Hänge und Hügel. Auf den Steinen lag Reif, und ein schwacher, kalter Wind stieß einen beharrlich von hinten. Russen, dachte Petzoldt, Russen. Er suchte sie sich vorzustellen, die schon tot waren, die gerade starben, im Eis des Baches, in dem sie sich verbergen mußten, die Kehle von einem Hund zerbissen, den man auf sie gehetzt hatte, in eine Schlucht hineinstrauchelnd. Er versuchte ihnen Namen zu geben: Iwanow, Stepanow, Borowski, Malygin. Irgendwo saß einer auf einer Polizeiwache, mit unbeweglichem Gesicht wie die Überlebenden vor zehn Minuten, die nur darum noch lebten, weil sie die Toten ins Lager bringen mußten; er saß auf der Wache und neben ihm telefonierte ein Gendarm gerade mit der Kommandantur. Ein anderer stemmte sich mit den Schultern gegen eine Scheunenwand, fast bis zu den Hüften in einem Haufen Heu, aus dem er eben aufgestöbert worden war, vor sich einen sechzehnjährigen Burschen im Braunhemd, der mit Angst und Wut an die Belohnung dachte und die Augen zukniff, ehe er dem Iwan da die Heugabel durch die Brust rannte. Durch die Telegrafendrähte, die wie Spinnweben an den Bergen hingen, jagten Meldungen nach allen Richtungen hin. Aber immer noch liefen welche, oder sie lagen unter einer Schütte Stroh, um sich bis zur Dunkelheit auszuruhen. Petzoldt sah sie auf das riesige ferne Land zulaufen, dessen Armeen, in Rauch gehüllt, nach Rainhausen griffen. Vielleicht hätten sie doch warten sollen, dachte Petzoldt, die Nazis machen es nicht mehr lange, und sie hätten das Ende noch gesehen. Nein, sagte er sich, sie wollten ihre Leute nicht im Stich lassen, sie denken ans Leben, nicht ans Sterben; sterben heißt im Stich lassen; sie wollen ihren Leuten so sehr helfen, daß sogar das Draufgehen erlaubt ist. Aus Verzweiflung, fügte er in Gedanken hinzu, haben sie es nicht getan.

Petzoldts Kommando arbeitete im Zentrum pausenlos wirbelnder eisiger Zugluft auf dem Grund des Steinbruchs, gegenüber den hundertsechsundachtzig Stufen, die schroff nach oben führten und die jeder Mann der Trägerkommandos, mit einem Fünfzigkilostein auf der Trage, im Schnellschritt zu bewältigen hatte. Kurz nach der Mittagspause machte Müller Petzoldt auf etwas aufmerksam. Dem war es gerade durch den Kopf gegangen, daß er mit Müller seit diesem Morgen wieder gesprochen hatte. Jetzt sah Petzoldt auf und erblickte den Kommandoführer, der langsam auf die Treppe zuging und bei sich den großen, hageren Mann im zerfetzten Mantel hatte, der Petzoldt am Morgen aufgefallen war. Sie blieben am Fuß der Treppe stehen, der Kommandoführer sagte etwas, und der Russe begann die Treppe zu ersteigen. Jedermann war an der Arbeit, wenn der Kommandoführer in die Nähe kam, nun aber leer, mit Scheinbewegungen. Petzoldt, das ganze Kommando hatten den Blick auf den Russen geheftet, der einmal stehenblieb, sich umdrehte und ihnen mit der Hand einen Gruß hinunterwinkte. Er wurde immer kleiner, während sie an ihren Loren hantierten. Nun stand er oben, ging auf den nächsten Posten zu und sprach zu ihm, indem er auf seinen Nacken deutete. Man sah die Bewegung gegen den Himmel, den der Wind mit Dunst füllte. Der Russe entfernte sich langsam, er verschwand nach dem Draht zu, der Posten hatte seine Maschinenpistole vom Hals genommen. Petzoldts Kommando wußte genau, wann der zum Tode Verurteilte die verbotene Zone erreicht hatte: genau im Augenblick, da der Posten die Waffe hochriß und das dürre Knacken der Schüsse in die Schlucht drang.

Sie hatten eine Viertelstunde gearbeitet, ohne sich anzusehen. Wieder war es Müller, der Petzoldt anstieß. Er starrte mit ungläubiger Miene nach oben. Der Russe stieg die Treppe hinab, sehr eilig, die Arme um den Leib gelegt, als mache ihm die Kälte zu schaffen. Obwohl er den Oberkörper nach vorn beugte – das war vielleicht das Unglaublichste –, stürzte er nicht. Sein Gesicht hatte das Aussehen grüner Bronze. Von oben beobachtete ihn mit nervösen Bewegungen der Posten, der nach der Treppe zu nicht schießen durfte. Auf einmal fiel ein dünner, kalter Regen.

Petzoldt spürte, wie ihn der Regen durchdrang. Seine Hände, die um den Schaufelstiel geschlossen lagen, waren blau vor Kälte. Der Russe hatte den Grund des Steinbruchs erreicht und ging wie im Schlaf, mühsam, als müsse er bei jedem Schritt die Sohlen vom Boden reißen, auf eine kleine Feldschmiede zu, die zwischen den Geleisen stand und vor der er langsam in die Knie brach, als habe er die ganze Zeit nur nach dem winzigen Wärmeherd gesucht, der kleine Flammen aus der Kohle flackern ließ.

Petzoldt war mit den anderen zu dem Mann hinübergelaufen. Der Russe hatte sich auf den Rücken gelegt, blickte gerade in den Himmel, ein Schauer nach dem anderen durchlief ihn. Petzoldt sah, daß er nicht sterben wollte. Sein zerfetzter Mantel war zur Seite geglitten, und die blauen, kaum blutenden Ausschußöffnungen wurden sichtbar. Der Kommandoführer war herangekommen und hob den Fuß, als wolle er den Russen in die Seite stoßen. Er knurrte ein paar Worte und begann, die Hand in der Hüfte, die Gruppe zu umkreisen. Petzoldt achtete nicht auf ihn. Er begriff mit einem Schlag, daß der Russe vor dem Tod flüchtete, nicht, weil er ihn fürchtete, sondern weil er noch etwas zu tun hatte. Die anderen, die noch laufen, dachte Petzoldt, lassen ihn nicht sterben, und die anderen noch, die auf seine Botschaft warten. Er hatte jetzt Vorstellungen im Kopf, wie sie ihn manchmal in der frühen Stunde zwischen ein und zwei Uhr besuchten. Unvermittelt dachte er an den Roten Platz, den er von Bildern her kannte, irgendwelche alten Zeitungsausschnitte kamen ihm in den Sinn, er dachte an ein Birkenwäldchen neben einem zerfahrenen Feldweg. Deshalb, sagte er sich, sind sie über die Mauer gestiegen; deshalb hat man sie auch nach Block 20 gelegt. In seinen Ohren hatte er mitten im umherjagenden Wind, der sich auf der Suche nach einem Ausweg an den Wänden des Steinbruchs stieß, ein lautes Stimmengewirr. Er hätte selber auf dem Roten Platz sein können, festgekeilt in der Menge, in einem riesigen Beet von Schultern und Köpfen, aus dem rotes Tuch und Blumenbündel wuchsen. Alles sah hin nach der niedrigen, stumpfen Pyramide, auf der ein paar Menschen standen und winkten.

»Karganow«, sagte plötzlich der Russe, den Petzoldt die ganze Zeit für bewußtlos gehalten hatte. Er beugte sich schnell über den Liegenden. Er hatte nicht verstanden, was der Russe sagte; daß er nur einen Namen genannt hatte, kam ihm nicht in den Sinn.

»Karganow«, sagte der große Mann im zerfetzten Uniformmantel noch einmal. Sein Gesicht fiel jetzt schnell ein, als sei darunter eine Stütze eingebrochen.

»Was willst du, Genosse?« sagte Petzoldt ihm ins Ohr. »Sag es noch einmal!« Er sah sich nach dem Kommandoführer um, der in die Luft starrte.

»Noch einmal, Towarisch!« sagte Petzoldt. Er sah, daß der Mann im Mantel tot war.

Der Regen war stärker geworden. Petzoldt wußte nicht, was er tun sollte, obwohl er schon wieder an der Lore arbeitete. Ihm fiel ein, daß man jetzt mit dem Kursus beginnen könnte. Einer von den neuen Franzosen hatte ein Exemplar der Parteigeschichte in Perlschrift ins Lager gebracht. In Gedanken zählte er die Teilnehmer ab. Man müßte Müller hinzuziehen. Petzoldt fühlte den Tod des Unbekannten wie eine jener Lasten, die man auf sich nehmen muß, wenn man einem Urwald entrinnen will: sie bedeuten Nahrung und damit Überleben.

Ein Motiv dieser Erzählung geht auf einen französischen Bericht zurück (Paul Tillard, Mauthausen – Editions Sociales, Paris 1945)

Am 17. Juni 1953, kurz vor Mittag, betraten zwei Männer die Zelle einer gewissen Hedwig Weber in der Saalstedter Strafanstalt und machten, als die Weber auf die Frage nach dem Grunde ihrer Haft erwidert hatte, sie habe fünfzehn Jahre abzusitzen wegen Verbrechens gegen die Menschlichkeit, ihr mit den Worten: »Solche wie Sie suchen wir gerade!« die Mitteilung, sie sei frei.

Spät am Vorabend hatte die Prostituierte und Kindesmörderin Rallmann, die in der darüberliegenden Zelle saß, sie mit dem verabredeten Zeichen ans Fenster geholt. Die Weber hatte sich am Fenster hochgezogen und ein Flüstern gehört, in der Stadt werde gestreikt. Sie wollte zurückfragen, aber die Rallmann war schon weggesprungen. Frühmorgens, während der Freistunde, war zum erstenmal etwas zu ihnen herübergedrungen wie Singen und Rufen. Die Weber hatte faul, unwillig gedacht, was die wohl wieder einmal feierten, sie hatte dann in Gedanken nach dem Datum gesucht, das ihr nicht einfallen wollte, und wozu auch, die erfanden ja immer neue Feiertage. Während sie jetzt den Männern gegenüberstand, schien ihr, als sei die Freistunde heute kürzer gewesen als sonst. Sie hatte dann ein, zwei Stunden später erneut vielstimmigen Lärm gehört, viel näher als sonst, schärfer, bestimmter, aber ohne deutliche Worte. Die Weber hatte vor ein paar Jahren einmal wegen Diebstahls vier Monate im Gefängnis gesessen. Jetzt hatte im Strichkalender an der Wand die achtundzwanzigste Woche begonnen. Sie saß lange genug, um gegen die Geräusche der Haft abgestumpft zu sein. Der Flügel der Strafanstalt, in dem die Frauen untergebracht waren, lag ein gutes Stück von der Straße weg. Das, was gelegentlich von draußen hereindrang, wurde von ihr nicht immer genau erkannt, es war auch nicht wichtig an sich, es wurde nur zum Anlaß, in einen Gedanken, eine Vorstellung hineinzuspringen, wie man auf eine fahrende Bahn springt: man brauchte sich nicht weiter zu rühren, man war drin, alles kam von selbst auf einen zu. Sie träumte dann wild, gierig vor sich hin, aber doch ohne Ziel, ohne Glauben. Auch heute früh hatte sich daran gar nichts geändert, nicht einmal, als die Rallmann sie wieder ans Fenster geholt hatte: sie sehe Rauch. Die Weber konnte keinen Rauch sehen. Was denn, es war leichter Südwind und heiß, die Sonne drückte den Rauch von der Pumpenfabrik herunter. Der Rauch war in ihr selbst, ein Nebel breitete und breitete sich in ihr aus, sie hörte ein Hasten in den Gängen und dumpfe Schläge von unten zwischen dem Lärm der Menge. Dann kam von weit her ein Schrei, den die Weber kalt registrierte: es war ein unmenschlicher Schrei, wie ihn nur ein Mensch ausstoßen kann.

In den Zellen war es bisher still geblieben. Jetzt begann dort ein Sprechen, laut, hastig, mit schrillem Lachen; es kam näher mit Schritten und dem Schließen von Türen. Dann klirrten Riegel, und die Weber sah die beiden Männer. Der sich nach dem Grund ihrer Strafe erkundigt hatte, war jung, hübsch, groß; an dem anderen, Älteren, fiel ihr nur der Blick auf, der dem ihren, als sie antwortete, ganz schnell begegnet war. Der Blick streifte sonst immer um Haaresbreite an einem vorbei, aber auf Leute mit diesem Blick war Verlaß. Die beiden standen in der Tür; sie trugen Baskenmützen und Sonnenbrillen, und hinter ihnen sah man Häftlinge den Gang hinunterlaufen. Sie erkannte die Inge Grützner aus dem oberen Stockwerk, die ihr über die Köpfe der beiden Männer weg lustig zuwinkte und auch schon verschwunden war. In der Weber lief eine rasende Folge von Glaubenwollen und Nichtglaubenkönnen ab. Dieser Nebel, das, was sich in ihr breitmachte und blähte, war eine wilde, verworrene Sucht zu schreien, zu toben, etwas in Trümmer zu schlagen. Die Männer sagten, in Berlin und überall sonst seien große Dinge im Gang, die Regierung sei gestürzt, die Kommune gehe stiften, die Amis seien schon im Anrollen.

»Und der Russe?«

»Der Russe will doch keinen Krieg haben wegen Ulbricht«, sagte der Hübsche und betrachtete pfeifend die Wände, als sei da wer weiß was zu sehen. »Der geht auf die Weichsel zurück.«

»Leute wie Sie«, sagte der Ältere, »können wir brauchen. Sie müssen in den Saalstedter Führungsstab. Ich kann jetzt schon sehen, was alles sich uns an den Hals schmeißen wird. Da braucht man Leute mit Erfahrung und Überzeugung.«

Die Weber fragte aus ihrem Nebel heraus: »Sagt ihr auch die Wahrheit? Bin ich wirklich frei?« Die beiden lachten.

Die Weber hörte den Lärm in den Gängen und auf der Straße, ihr war, als höre sie plötzlich eine halbvergessene Musik, das Gellen der Pfeifen über dem Knattern der Trommeln, das den folgenden Marsch einleitete, und diese Musik eingebettet in tobendes Heil-Gebrüll, das sich von Straße zu Straße fortpflanzt, und in diesem Moment war sie aus dem Nebel heraus. Sie sah deutlich und gleichgültig auf die sieben Monate in dieser Zelle zurück, in der sie fünfzehn Jahre hatte verbringen sollen, und auf die sieben Jahre vor diesen sieben Monaten, voller Angst, Verstellung, Hoffnungslosigkeit, voll unausdrückbarem Haß auf alles, was sie unter sich geahnt hatte und nun über sich sah, auf diese neuen Leute in den Verwaltungen und ihre Zeitungen und Fahnen und Wettbewerbe und Spruchbänder. Diese ganze Zeit war ein langer Alptraum gewesen mit unbegrenzten, unbegrenzbaren Drohungen, vor denen man nicht fliehen konnte, weil etwas in einem nicht an die Möglichkeit einer Flucht, einer Änderung glaubte. Alte Verbindungen hatte sie nicht gesucht. Sie hörte nur regelmäßig bei einer Bekannten, die nicht wußte, wer sie war, am Radio die Suchmeldungen der Kampfgruppe. Sie hatte ein, zwei Namen gehört, die sie von früher kannte. Eines Tages hörte sie ihren eigenen Namen: »Gesucht wird die Angestellte Hedwig Weber, zuletzt gesehen im März 1945 in Fürstenberg.« Sie hätte sich fast verraten. Es war auch klug, daß sie »Fürstenberg« sagten, das gleich neben Ravensbrück liegt.

Sie hatte ein paarmal in Fabriken angefangen, es aber immer schnell satt bekommen mit den Leuten und auch mit der Arbeit. Die falschen Papiere, die auf den Namen Helga Schmidt lauteten, zwangen sie in eine aus tausend Einzelheiten bestehende fremde Vergangenheit, von der sie nichts wußte. Sie hatte Geschichten mit Männern gehabt, damit die Zeit schneller verging. In Magdeburg hatte sie jemand kennengelernt, der sie an den Oberscharführer Worringer erinnerte, mit dem sie in Ravensbrück ein Verhältnis gehabt hatte. Als sie nach dem Diebstahl einer Rolle Kupferdraht zu vier Monaten verurteilt worden war, hatte sie sich zum erstenmal beruhigt – die Strafgefangene Schmidt konnte man nicht mehr beobachten, man konnte ihr keine Fragen stellen, sie brauchte nicht mehr zu befürchten, auf der Straße erkannt zu werden. Sie hatte danach von ihrem Vater aus Hannover einen Brief bekommen – dort kümmerte sich kein Mensch um einen, im Gegenteil, seine frühere Tätigkeit im Reichssicherheitshauptamt sei für die Justizverwaltung eigentlich eine Empfehlung gewesen, er könne nicht klagen, aber sie solle lieber noch nicht kommen, er habe noch Schwierigkeiten mit einer Neubauwohnung. Sie hatte dieses Leben bald wieder so über, mit den blauen Hemden und dem ganzen Betrieb von Unterschriftenlisten und Kultur und Fakultäten und Ferienheimen und den Volkspolizisten auf ihren Lastwagen und mit dem Gelaufe nach einem Stück Wäsche, das einfach nicht aufzutreiben war, und vor allem hatte sie das Gehen auf der Straße und das Sitzen im Café satt, wo sie immer darauf achten mußte, nicht aufzufallen und das Gesicht möglichst im Profil zu zeigen – sie hatte das alles so über, daß sie ernsthaft daran dachte, einfach nach Hannover zu fahren, obwohl sie fürchtete, dort eher gesucht zu werden als hier, wo sicher niemand mehr sie vermutete. Aber damals war geschehen, was sie tausendmal ins Auge gefaßt und erwogen und gerade aus diesem Grunde schließlich für unmöglich gehalten hatte: ein ehemaliger Häftling hatte sie hier in Saalstedt auf der Straße erkannt, als sie einen Laden verließ, sie war festgenommen und zu fünfzehn Jahren Zuchthaus verurteilt worden.

In diesem Augenblick jetzt sagte sich die Weber, daß Alpträume nicht ewig dauern und daß, was oben war, wieder oben sein wird. Es hatte einfach so kommen müssen. Sie mußte lächeln, weil ihre Hand unwillkürlich, vielleicht schon eine ganze Weile, eine ihr seit langem vertraute bestimmte Bewegung vollführte: sie schlug mit einer unsichtbaren Gerte gegen einen unsichtbaren Stiefelschaft.

»Auf den Blümlein können Sie sich verlassen. Der weiß, was gespielt wird«, sagte der Hübsche, »der war noch gestern in Zehlendorf. Der hört das Gras wachsen. Daher der Name.« Er lachte wieder.

»Mir scheint, wir können uns überhaupt alle aufeinander verlassen«, sagte der Mann, der Blümlein hieß, bescheiden. »Sie müssen vor allem was anderes auf den Leib bekommen. So fallen Sie zu sehr auf. Na, das können Sie sich bei der HO aussuchen. Kostet heute nichts.« Er ließ der Weber an der Tür den Vortritt.

Auf dem ersten Treppenabsatz lag die fröhliche blonde Wachtmeisterin Helmke, mit zertrampeltem Gesicht, aber noch atmend.

»Das war bestimmt eine der größten Quälerinnen«, sagte der Hübsche im Vorbeigehen.

Die Weber war nie gequält worden. Niemand war gequält worden in Saalstedt. Das war etwas, was die Weber nie hatte verstehen können, und gerade darum sagte sie jetzt: »Na, und ob ...« Dabei bemerkte sie, daß Blümlein einen kurzen Blick zu ihr hinüberschoß. Der Mann konnte lachen, ohne sein Gesicht zu verziehen. Der Blick besagte: Wir beide verstehen uns schon ... Die Weber verspürte etwas wie Geborgenheit. Das Zuchthaus war nun beinahe leer. Irgendwo hatte jemand einen Radioapparat so laut wie möglich aufgedreht.

»Man hätte Lust, den ganzen Tag am Kasten zu sitzen«, sagte Blümlein, »der Rias bringt eine Sondermeldung nach der anderen.«

Die Weber erinnerte sich, wie sie die Einnahme von Paris gefeiert hatten und die von Smolensk und von Simferopol und wie die Nester alle hießen. Man darf gar nicht daran denken, dachte sie.

Es trieb sie, irgend jemand Nachricht zu geben von dem, was mit ihr geschehen war. Niemand fiel ihr ein; Worringer hätte es eigentlich sein können, aber er war weg wie eine Erscheinung; einmal hatte es geheißen, er sei in Argentinien. Sie dachte an ihren Vater in Hannover.

»Wartet doch mal eine Minute. Ich möchte einen Brief schreiben.« Sie traten zu dritt in eine Art Wachstube, deren Tür weit offenstand. Eine Schreibmaschine lag neben einem umgeworfenen Stuhl ohne Lehne. Durch die leeren Fensterrahmen, in denen noch zackige Splitter steckten, kam ein heißer Wind. Die Weber angelte sich von einem Stoß Papier ein Blatt herunter. Sie fand auch einen Bleistift in einer Schublade. Halb auf dem Tisch sitzend, schrieb sie rasch:

»Lieber Vater, es ist soweit. Der Osten mußte ja mal frei werden. Bald ziehen wir wieder unsere geliebte SS-Uniform an. Dann wird auch die Stunde kommen, da ich meinen Dienst in der politischen Abteilung oder bei unserer Gestapo versehen kann. Gute Freunde haben sich meiner angenommen, bis endgültig unsere Fahne weht. Das wird nicht mehr lange dauern. Deine Hedi.«

Sie suchte nach einem Briefumschlag, konnte aber keinen finden. Das kann man immer noch erledigen, dachte sie und schob den Brief in die Tasche.

Auf der Straße wurde sie vom Licht geblendet. Sie hatte nicht gedacht, daß die Straße so leer sein würde. Vor dem Zuchthaus lungerten noch ein paar Leute herum und sahen ihr nach. Der Lärm war abgelaufen wie Wasser nach einem Sturzregen. Alles war heiß und leer, und sie schwamm wie in einem Element in dieser Leere und in dem heißen Wind, der mit früh gefallenen verbrannten Blättern spielte. An der Ecke der Merseburger Straße hatte ein Trupp einen Bierwagen angehalten. Zwei Männer luden die Kästen ab, andere teilten Flaschen aus an Umstehende und Passanten. Ein Alter in Weste und kragenlosem Hemd nahm die schweißnasse Mütze ab und sah die Weber mit angestrengtem, müdem Blick an: »Kannst ruhig mithalten. Der Ami zahlt alles.«

Durch die Straße fuhr langsam ein kleiner Lautsprecherwagen und rief die Einwohner von Saalstedt für sechs Uhr zu einer Freiheitskundgebung auf dem Marktplatz zusammen. Die Weber sah in einem Vorgarten einen Mann, der ein Taschentuch auf dem Kopf trug, in einem winzigen Beet wühlen. Sie sah auch, daß jemand das Fenster schloß, als der Lautsprecherwagen vorbeifuhr. Sie überraschte sich wieder dabei, wie ihre Hand die unsichtbare Gerte pfeifen ließ. Sie wünschte plötzlich, die Leute in den Häusern und Vorgärten und überall sonst vor sich zu haben, den Blick in ihre Gesichter zu zwängen wie auf dem Appellplatz von Ravensbrück. Als sie in die Feldstraße einbogen, stapelte sich vor einem Haus mit eingeschlagenen Scheiben ein Haufen Papier, das sich in einer unsichtbaren Flamme krümmte und schwärzte. Zwei, drei Leute kümmerten sich um das Feuer, das große schwarze Flocken an den Häuserwänden hochtrieb. Aus dem zweiten Stock fiel durch flatternde Gardinen ein verspäteter Aktendeckel knallend auf die Straße. Die Buchhandlung im Erdgeschoß stand offen mit durcheinandergewirbelten Auslagen. Der Hübsche griff sich das oberste Buch von dem Stoß, den ein Bursche in buntem Hemd gerade auf die Straße trug, und entzifferte die Aufschrift: »Tscheschoff . . . Noch so ein Iwan. Ab dafür.« Sie sahen eine Weile zu, wie die Flamme in dem Band blätterte.

Der Führungsstab befand sich im dritten Stock eines Mietshauses. Man ließ die Weber ein paar Minuten in einem leeren Zimmer warten, dann rief Blümlein sie hinüber, wo die übrigen saßen. Sie kannte keinen von diesen sieben oder acht Männern. Man fragte sie nach Ravensbrück und allem möglichen anderen. Blümlein und ein großer Mann mit kahler Stirn und schweren Lidern schienen die Respektspersonen zu sein; sie konnte sich beide gut in Uniform vorstellen. Später verlangte sie etwas zu essen und zog sich dann im Badezimmer um. Während sie beim Waschen war, dröhnte und rasselte etwas die Straße herunter. Sie stieß das Fenster auf und folgte mit dem Blick der kleinen Kolonne sowjetischer Panzer, während es ihr im Hals trocken wurde. Von hier oben ging der Blick über die Dächer weg, er faßte sogar noch ein Stück des Flusses, weil die Stadt zum

Markt und zum Fluß hin abfiel. Es waren jetzt mehr Menschen in den Straßen, man konnte Spaziergänger erkennen und Frauen mit Kinderwagen, als sei Sonntag, es gab auch eine Menge Betrunkener, deren Gegröl dünn und fern heraufdrang, und durch alle Geräusche knirschten die Panzer, mit ihren Kommandanten in den offenen Türmen, gleichmütig und hartnäckig die Straße hinab und verschwanden mit kreischenden Ketten um die Ecke.

Die Weber kehrte rasch ins Zimmer zurück. Es kamen und gingen Leute, manche aufgeräumt, manche kopfhängerisch und flackernd. Einer berichtete, die Pumpenfabrik sei nicht zum Streik zu bringen, die Arbeiter hätten einen Trupp mit Knüppeln vom Fabrikhof getrieben.

»Man muß mit dem roten Pack rechnen«, sagte der Mann mit der kahlen Stirn zur Weber. Er zog sie in eine Ecke und fuhr fort: »Nur die Nerven behalten, Parteigenossin ...« Er sprach halblaut und lächelte. »Merken Sie sich eins: Wir haben auch hier mit allen möglichen Leuten zu rechnen, denen wir nicht fein genug sind oder die uns an die Wand drücken wollen. Wir sind nicht ganz unter uns, verstehen Sie? Auch jetzt heißt es: Legal an die Macht. Noch sind wir nicht soweit. Wir sind nicht das einzige Eisen, das der Ami im Feuer hat. Man muß noch auf das liberale Kroppzeug gewisse Rücksichten nehmen.«

Blümlein stellte sich dazu: »Na, Chef, kleiner NS-Schulungsbrief?«

Der Kahlstirnige sprach weiter: »Ich sage Ihnen das, weil Sie heute abend auf der Kundgebung als Vertreterin der politischen Gefangenen sprechen sollen. Also: immer gut auf die Tube gedrückt, aber auf die richtige ...« Die Weber fragte nach den Panzern, wie es mit dem Abzug der Russen sei. »Kommt Zeit, kommt Rat. Die Volkspolizei haben wir weggefegt, die hat sich verkrochen. Die hat ja nicht mal geschossen. Der Russe wird auch noch klein werden.« Mit solchen Männern an der Spitze, dachte die Weber, müssen wir es schaffen. Eine Sekunde lang dachte sie sich eine ganze unendliche Zukunft, erfüllt von Aufmärschen, Sondermeldungen, brüllenden, jubelnden Lautsprechern; sie stellte sich eine Menge verschiedenfarbiger, adretter Uniformen vor, die eine zivile Masse neidisch und respektvoll musterte; aus den Giebelfenstern schleiften die langen Fahnen bis fast in die Straßen hinunter; sie sah sich selbst, ganz in Weiß, und Worringer, ganz in Schwarz, aus dem Standesamt treten, vor dem sein Trupp Spalier stand. Eine blinde, wilde Wut wischte das Zimmer fort, die Gespräche, die Geräusche. Sie sah sich wieder an der Arbeit, einer genau eingeteilten, auf lange Sicht berechneten, vernünftigen, nützlichen Arbeit: Ermittlungen, Verhöre, später Ravensbrück, das hatte alles seine Ordnung, seinen Sinn gehabt. Nur habt ihr uns noch nicht gekannt, dachte sie, aber das nächste Mal werdet ihr uns kennenlernen. Das andere ist nur ein Vorspiel gewesen.

Sie gingen in Gruppen zu zweit und zu dritt zum Markt. Leute lagen in den Fenstern und sahen auf die Menge hinab, die zur Kundgebung zog. Die Menge ging schlendernd, schwatzend; sie blieb gelegentlich vor den Anschlägen stehen, auf denen der Militärkommandant die Verhängung des Belagerungszustandes verkündete. Die Weber hörte vor einem geplünderten Laden, den eine Gruppe schweigend betrachtete, im Vorbeigehen einen breitschultrigen Mann sagen: »Das kostet nur unser Geld. Lumpenpack . . .«

Eine Stimme erwiderte schnell und spitz: »Wo gehobelt wird, fallen Späne.«

Der Mann wandte sich drohend um, aber die Weber konnte seine Antwort nicht mehr hören. Am Eingang zum Markt stießen sie auf die ersten Panzer. Ein kleiner Soldat mit rasiertem Kopf lehnte an der Fassade und drehte sich eine Zigarette. Eine Frau, die vor der Weber ging, spie ihm theatralisch vor die Füße. Der kleine Soldat sah ihr verwundert ins Gesicht und tippte ein paarmal vorsichtig mit dem Finger an die Schläfe. Jemand lachte verlegen.

Man hatte die Rednertribüne an der Rückseite der Marienkirche errichtet und hinter die Tribüne ein weißes Spruchband gehängt, auf dem »Freiheit!« stand. Die Weber hatte nur die Tribüne und das Spruchband im Auge, sie bemerkte kaum die Panzer, die auf allen vier Seiten um den Markt standen; sie kümmerte sich auch nicht um die Menge, die in lockeren Strudeln durcheinanderquirlte. Die Russen hatten die Kundgebung zugelassen. Gut, das würden sie noch bereuen. In ihrem Kopf war ein Gewoge von Glockengeläut und Kommandos auf dem Appellplatz, eine eisige Raserei, in der sie sich an die Stichworte zu klammern suchte, die ihr der Kahlstirnige eingeschärft hatte. Sie hörte Blümlein die Kundgebung eröffnen, einem Redner das Wort erteilen, sie hörte nach einer Weile: »Es spricht zu Ihnen ein Opfer des kommunistischen Terrors, die ehemalige politische Gefangene Helga Schmidt.«

Sie begriff erst nach Sekunden, daß sie gemeint war. Es war vielleicht ganz gut, daß man auf diesen Namen zurückgekommen war. Dann vernahm sie eine alte halbvergessene Stimme, ihre eigene: »Volksgenossen . . .« Vielleicht wäre es besser gewesen, mit einer anderen Anrede zu beginnen. Aber nun machte sie keinen Fehler mehr.

Es war alles so leicht, als habe sie die ganze Zeit nichts anderes getan als gerade das. Sie sagte, daß die lange Not der Nachkriegs- zeit, der totalitäre Terror die Bevölkerung Mitteldeutschlands ge- läutert habe. Dieses Volk wisse wahrhaft, was Freiheit und Men- schenwürde bedeute, besonders seine politischen Gefangenen; in den Kerkern und im von Elend und Hunger geprägten Alltag des Re- gimes sei die unverbrüchliche Verbundenheit zum Abendland er- wachsen, die dem Westen die Befreiung der achtzehn Millionen nach Recht und Freiheit Schmachtenden zur Pflicht gemacht habe, jene Befreiung, die jetzt gerade Wirklichkeit werde.

Die Menge lief vor ihrem Blick zu veränderlichen farbigen Flek- ken zusammen, zwischen denen Streifen des staubigen Pflasters sicht- bar wurden. Das werdet ihr uns auch noch büßen, dachte sie, daß wir euch so nehmen müssen. Sie hatte die Empfindung, daß jemand sie beobachte, auf besondere Weise. Sie hakte sich in einem Gesicht fest, dem alten bartstoppeligen Gesicht eines kleinen Mannes in schäbigem Anzug, der mit blassen, ängstlichen Augen zu ihr hinauf- sah. Er hatte ein-, zweimal geklatscht, ein-, zweimal den Kopf ge- schüttelt. Es wurde öfters applaudiert, einmal hier, einmal dort; es war ein zögernder, verwirrter Beifall, der manchmal an der falschen Stelle kam. Sie sprach jetzt zu dem schäbigen alten Mann, als sei er der einzige Zuhörer. Wer bist denn du, dachte sie, jetzt klatschst du, aber wenn es hart auf hart geht, haust du in den Sack. Wer seid ihr denn überhaupt. Verräter und Defätisten wart ihr alle mehr oder weniger. Ihr habt unseren Krieg verloren, weil es euch um euern Fraß ging und um eure vier Wände statt um den Führer und das neue Europa. Und als Schluß war, haben wir euch angewidert, und ihr habt euch denen mit dem roten Winkel und den Bolschewisten an den Hals geschmissen. Ihr seid Mörtel, im besten Fall, wenn es um den Bau von Großdeutschland geht, und ihr wart ein Drecks- mörtel beim letztenmal. Jetzt gebt ihr uns den kleinen Finger, ihr Idioten, aber wir nehmen die Hand dazu und alles übrige, und dann drehen wir euch durch den Wolf. Sie sagte laut: »Die Stunde der Abrechnung naht. Die Gnadenfrist der roten Unterdrücker läuft ab. Nur diese Panzer schützen sie noch. Haltet euch bereit: und dann leuchtet ihnen heim mit Kugel und Strick!«

Sie trat einen Schritt zurück. Die Menge brach auseinander. Der alte Mann war fort, ohne sich umzusehen. Gruppen steuerten auf die Nebenstraßen zu. Dicht neben sich hörte sie eine tiefe Stimme das Niederländische Dankgebet singen. Weiter hinten hatten ein paar Leute das Horst-Wessel-Lied angestimmt, und zugleich entstand ein Tumult, der in das Lied einbrach. Man sah einige Männer, die auf die Singenden einschlugen. »Welche von der Pumpenfabrik!« rief jemand. Aber gerade jetzt begann der Platz zu brüllen und zu beben: die Panzerleute hatten ihre Motoren angeworfen und ließen sie auf Touren laufen, sie lehnten an den riesigen Maschinen und lachten. Die Panzer standen an ihrem Platz, nur ihre Motoren donnerten. Die Weber war von der Tribüne gestiegen. Vor ihr gingen die Menschen auseinander, und sie begriff, daß die Kundgebung beendet war. Sie suchte mit den Blicken den Kahlstirnigen, Blümlein, den Hübschen, irgend jemand, den sie kannte. Sie machte ein paar Schritte in Richtung Feldstraße. Da stand sie zwischen zwei jungen Leuten in Trenchcoats, von denen einer sich zu ihrem Ohr beugte, um durch das Motorengebrüll zu sagen: »Hedwig Weber? Bitte folgen Sie uns!« Sie machte keinen Versuch, davonzulaufen oder um Hilfe zu rufen. Niemand hätte sie gehört, niemand achtete auf sie. Es war alles so schnell, so rasend schnell gegangen, daß es nicht wahr sein konnte. Es konnte nicht das Ende sein, es war nicht das Ende. Und sie dachte: Vielleicht laß ich euch noch heute abend baumeln.

Drei Tage später stand sie vor Gericht. In der Nacht vor der Verhandlung hatte sie einen Traum gehabt: Ein ungeheures Glockengeläut war in den Lüften, ein Tosen und Schreien ging durch die Straßen, tausendfacher, unwiderstehlicher Marschschritt hallte vor den Fenstern, ein feldgrauer und khakifarbener Heerwurm durchzog die Stadt. Da ging die Tür ihrer Zelle auf, und ihr Vater erschien in der schwarzen Uniform, mit dem Totenkopf an der Mütze, und sagte: »Hedi, der Führer erwartet dich unten.« Vor Gericht leugnete sie nicht, denn es gab nichts zu leugnen. Sie war zwei Jahre hindurch Lagerführerin in Ravensbrück gewesen. Sie hatte vorher bei der Gestapo gearbeitet. Man fragte sie, wie viele Häftlinge auf ihre eigene Anweisung hin ermordet worden seien. Sie antwortete, nicht mehr als achtzig oder neunzig. Ja, sie habe auch selber Häftlinge mißhandelt, mit Fußtritten und Peitschenhieben, und habe die Bluthunde auf sie gehetzt. Alles das hatte sie schon einmal gestehen müssen, sieben Monate zuvor, als sie zu fünfzehn Jahren Zuchthaus verurteilt worden war. Sie begriff, aus welchem Grunde man sie alles wiederholen ließ. Der Saal war bis auf den letzten Platz gefüllt, und im Publikum mußten sich viele befinden, die ihre Rede auf dem Markt angehört hatten. Man verlas das Protokoll dieser Rede, man verlas auch den Brief, den man bei ihr gefunden hatte. Bis zum Beginn der Verhandlung hatte sie eine immer schwächer und schwächer werdende Hoffnung bewahrt, daß der Prozeß nicht stattfinden, daß diese Rote-System-Regierung doch noch über den Haufen geworfen würde. Vielleicht kamen doch noch die Amerikaner, die längst gemerkt hatten, daß sie den Krieg gemeinsam mit Hitler hätten führen müssen, und holten sie heraus. Wenn sie sich setzen konnte und der Verteidiger oder der Staatsanwalt oder irgendwelche Zeugen das Wort hatten, ließ sie sich in einem Strom von Vorstellungen und unhörbaren Verwünschungen treiben. Das Geschwätz da vorn interessierte sie nicht. Die Feiglinge von Amis, dachte sie, fressen wir, wenn wir die Russen und Franzosen und das übrige Gesindel gefressen haben. Sie werden mich zu zwanzig Jahren oder zu lebenslänglich verurteilen, dachte sie, aber nicht einmal ein Viertel davon werde ich absitzen. Dann sah sie wieder den Appellplatz vor sich und eine gesichtslose Masse in gestreiften Lumpen bis zum Horizont. Und jeden Sommer geht's dann in die Ferien, dachte sie und sah sich mit Worringer in einer Landschaft mit Meer und Bergen und Palmen, wie sie es auf Bildern von der Riviera gesehen hatte, und zugleich erinnerte sie sich an einen Kameraden, der ihr erzählt hatte, wie sie in der Gegend von Avignon eine ganze Landstraße mit Franzosen behängt hatten, einen an jeden Baum rechts und links. Dann war sie in Gedanken wieder in Ravensbrück, wie sie die Hunde rief und Häftlinge in die Latrinen trieb: »Faß, Thilo! Faß, Teut!«

Die Beratung des Gerichts dauerte nur wenige Minuten. Als man sie in den Saal zurückbrachte, bemerkte sie unter den Zuhörern den kleinen schäbigen Mann, der ihr auf dem Markt aufgefallen war. Sein Gesicht war ihr zugekehrt; sie las darin nichts als Ekel und Haß. Sie dachte, als das Gericht erschien, ganz schnell: Lebenslänglich, lebenslänglich, lebenslänglich. Man hatte sie aufstehen lassen. Sie war zum Tode verurteilt. Durch ein Brausen hörte sie einzelne Worte: das Urteil sei endgültig und sofort vollstreckbar. Sie wollte nicht schreien und umfallen. Zum ersten und letzten Male in ihrem Leben suchte sie in sich vergeblich die unbekannte Kraft, die sie an ihren eigenen Opfern toll gemacht hatte. Da war eine deutsche Studentin gewesen, die sich stumm zu Tode prügeln ließ; eine Russin hatte vorher noch »Hitler kaputt!« gerufen; vier Französinnen waren, die »Marseillaise« singend, zum Erschießen in den Bunker gegangen. Eine Stimme in ihr jammerte um ihr Leben. Da war nur diese Stimme in ihr und eine blutige wüste Leere, als zwei Volkspolizisten sie abführten.

Ich lernte Hermann R. im Sommer des Jahres 1933 kennen. Der Mann, der uns zusammengebracht hatte, war gleich gegangen. Es war noch ganz hell draußen, durch das offene Fenster kam ein Wind. Wir hatten uns, jeder mit seinem Bierglas, an einen Tisch unter dem Radioapparat mit seiner Marschmusik gesetzt. In der kleinen Friedenauer Kneipe gab es zu dieser frühen Abendstunde keine weiteren Gäste. Träge spülte der Wirt hinter der Theke seine Gläser. Zwischen ihm und unserem Gespräch erhob sich die dröhnende Wand des Hohenfriedberger. Unbekannte Leute, irgendwo, hatten Hermann R. zu mir geschickt und zu der illegalen Gruppe, die ich leitete. Er war der neue Instrukteur.

Wir trafen uns von da an öfter, eigentlich jede Woche. Manchmal verschwand Hermann für einige Zeit. Ich vermutete ihn auf schwierigen, kühnen Unternehmungen. Ungeduldig wartete ich auf die Postkarte mit dem vereinbarten Text, aus dem ich herauslesen konnte, wann und wo er mich sprechen wollte – am Zoo, in der Potsdamer Straße oder am Alexanderplatz. Ein-, zweimal erwähnte er im Gespräch Amsterdam, Paris, Städte, die ich damals nicht kannte und deren Namen mir phantastisch ins Ohr klangen. Ich stellte, wie es bei uns üblich war, niemals Fragen, die seine Person, seine Tätigkeit, seine Reisen betrafen. War mir irgendein Ereignis, eine Situation nicht klar, so überlegte er einen Augenblick lang. Während er seinen schönen dunkelhaarigen Kopf zur Seite neigte, schien sein

Blick zerstreut zu werden, aber nur, weil er sich auf etwas Wunderbares, Entlegenes konzentrierte, das er allein zu sehen vermochte. Er trug seine Erklärungen mit leiser, eilender, dann wieder zögernder Stimme vor, Erklärungen, die etwas Unfehlbares und Schlüssiges hatten, weil sie eine Menge überraschender, mir unbekannter Tatsachen zu einer Beweiskette verbanden. Ich liebte und bewunderte Hermann R., der nur ein paar Jahre älter und dabei soviel reifer, kühler und wissender war als ich.

Meist sahen wir uns nur wenige Minuten. Die Konspiration hat ihre Regeln, und Hermann hatte selten Zeit. »Also, mach's gut ...«, sagte er, kniff seine dunklen Augen spaßhaft zusammen und war schon auf seinem Rad auf und davon. Manchmal dauerte unsere Begegnung nur einen Augenblick, nämlich dann, wenn Hermann mir Material für meine Gruppe brachte, ein paar Flugblätter oder auf ganz dünnes Papier gedruckte Zeitungen oder andere Schriften, die als Reclam-Hefte getarnt waren. Einmal war ein neues, im Ausland erschienenes Buch von Heinrich Mann dabei. Wir trafen uns dann, auf die Minute genau, in einem Schöneberger Park oder auf einer Bank im Tiergarten. Jeder von uns hatte sein Rad und eine Mappe bei sich. Die meine war leer. Wir wechselten unauffällig die Mappen und gingen auseinander.

Manchmal hatte Hermann Zeit. Dann machten wir unendliche Spaziergänge durch das nächtliche Berlin, die Räder neben uns herschiebend, von Steglitz bis zum Kurfürstendamm und von da wieder die Charlottenburger Chaussee entlang bis zum Lustgarten und noch weiter in den Berliner Norden hinauf. Wir redeten und redeten. Es störte mich nicht, daß ich von Hermann nichts wußte, nichts von seiner Vergangenheit, nicht, wo er wohnte, daß ich nicht einmal wußte, ob der Name, mit dem ich ihn anredete, sein wirklicher Name war. Am meisten sprachen wir natürlich über Politik, von den Kriegsvorbereitungen der Nazis, den Februarkämpfen in Paris und Wien, den Verhaftungen, von der unvermeidlich kommenden Revolution. Wir diskutierten über Bücher, Konzerte, Ausstellungen, Boxkämpfe.

Manchmal redeten wir auch über Mädchen. Hermann kannte meine Freundin, die in meiner Gruppe arbeitete. Ich wußte nicht, ob er an jemand hing; er sprach von Mädchen ohne Scheu, aber auch ohne prahlerische Andeutungen, die junge Leute manchmal lieben und die mich immer abstießen. Zwei- oder dreimal erwähnte er eine jüngere Schwester in einem Ton naiver Bewunderung. »Das ist ein Mädel!« sagte er und zog die Brauen hoch. Einmal fügte er, mit einem scherzhaften Seitenblick auf mich, hinzu: »Eigentlich würdet ihr gut zueinander passen . . .« Ich war verlegen, denn seine Stimme hatte ernst geklungen. »Seht ihr euch eigentlich ähnlich?« fragte ich, nur um etwas zu sagen. »Ich weiß nicht, ich glaube, ja . . .«, antwortete er. Aber da wechselten wir schon das Thema.

Wir waren junge Leute, die ihre Zeit ernster sahen als die meisten ihrer Altersgenossen, die diese Zeit verändern wollten und liebten und die nicht wußten, was auf sie zukam: Verwirrung, schreiende Schmerzen, Enttäuschung und Tod. Wir kämpften, so gut wir konnten, aber wir wußten noch lange nicht, mit wem wir es aufgenommen hatten.

Ich erfuhr von Hermanns Verhaftung im Spätherbst 1935, ein halbes Jahr, bevor ich ins Ausland ging. Keiner wußte etwas von den Umständen der Verhaftung. Offenbar ein Spitzel. Man wußte nicht genau, wo Hermann saß; wahrscheinlich in der Prinz-Albrecht-Straße. Es gab übrigens in unserem Kreis keine weiteren Verhaftungen. Hermann hatte keine Namen genannt, soviel war sicher. Wir hatten es nicht anders erwartet.

In den folgenden Jahren hörte ich manchmal im Traum seine abwechselnd hastende und zögernde Stimme, sah ihn manchmal vor mir in irgendwelchen Ländern, irgendwelchen Städten, unter Fliegerbomben, in der Baracke eines Lagers. Sein Gesicht wurde immer undeutlicher, es war aber für mich immer als das seine kenntlich. Es war spitzbübisch, nachdenklich, oder einfach zerquält und tot.

Kurze Zeit nach dem Ende des Krieges und meiner Rückkehr besuchte ich im zerschlagenen Berlin eine Ausstellung von Dokumenten und Bildern aus dem deutschen Widerstandskampf. An einer Wand sah ich plötzlich Hermann R.s Gesicht. Es tauchte gleichzeitig aus dem Nebel der vergrößerten Photographie und aus dem meines eigenen Gedächtnisses. Eine kurze Notiz unter dem Bild besagte, daß Hermann R. 1940 im Steinbruch von Buchenwald erschossen worden war. Schon damals stand für mich fest, daß ich über ihn etwas schreiben, dieses Lächeln auf der verwischten Photographie davor bewahren würde, ganz zu vergehen. Wie viele von denen, die ihn gekannt hatten, waren noch übrig ... Wie viele von den Übriggebliebenen dachten noch seiner ... Ich hatte ihn gekannt, wenn auch nur eine kurze Zeit lang; es war meine Aufgabe, davon zu berichten. Wie das geschehen sollte, war mir nicht klar. Die Sache drängte nicht, blieb aber im Hintergrund deutlich sichtbar stehen und brachte sich von Zeit zu Zeit in Erinnerung. Ich hatte, während ich nach dem Schicksal anderer Freunde forschte, mich auch nach Hermann erkundigt, mit wenig Glück übrigens. Was mir von aus dem Lager Geretteten zugetragen wurde – es waren zwei oder drei, die sich seiner entsannen –, blieb schattenhaft.

Der Fall begann dringlicher zu werden, als ich ein paar Jahre später ein kleines Buch über Leute meiner Generation schreiben wollte, die gegen Hitler gekämpft hatten und untergegangen waren. Ich hatte mir damals den Plutarch vorgenommen, las zum erstenmal wieder seit meiner Schulzeit Livius und Sueton. Mir stand etwas vor Augen, das der Prosa dieser Historiker nacheifern sollte; sie hatten um der Größe des Gegenstandes willen auf falsches Pathos und unziemliche Weitschweifigkeit verzichtet. Ich stellte eine Liste von Namen auf, unter denen sich auch der Hermanns befand.

Ich wollte herausfinden, ob noch einige seiner Angehörigen erreichbar seien. Meine Nachforschungen ergaben, daß seine Mutter noch während des Krieges in Berlin gestorben war; seine Schwester, jene Schwester, von der er mir zuweilen so rühmend und verheißungsvoll gesprochen hatte, befand sich im Ausland; sie war erst vor zwei Jahren als Frau eines britischen Offiziers aus Berlin nach London verzogen. Sie war jetzt eine Mrs. Young; ihre Adresse hatte ich erhalten.

Ich erläuterte mein Anliegen in einem ziemlich ausführlichen Brief. Das Bild, so schrieb ich, das ich von Hermann zu geben beabsichtige, müsse Relief erhalten; ich benötige manches, was Hermanns Kindheit und Jugend, den ganzen Abschnitt seines Lebens beträfe, der vor unserem Zusammentreffen gelegen hatte. Ich bäte darum, Einsicht nehmen zu dürfen in Briefe und Dokumente, falls solche erhalten geblieben seien. Mein Name, so hoffe ich, sei ihr nicht unbekannt dank der Freundschaft, die mir ihr Bruder entgegengebracht hatte. »Diese Freundschaft«, schloß ich, »rechtfertigt sicherlich die Erwartung, daß Sie meinen Plan unterstützen werden.«

Die Antwort blieb nicht lange aus. Mein Name, hieß es da, sei der Briefschreiberin hier und da begegnet, sie entsinne sich noch gut der Wärme, mit der ihr Bruder von mir gesprochen hatte, jedoch gebe sie die vorhandenen Andenken ungern aus den Händen, das Anfertigen von Kopien sei beschwerlich, kurz, sie hielte es für das beste, wenn man einmal in London über die Angelegenheit reden würde, zumal für sie in absehbarer Zeit eine Reise nach Berlin nicht in Betracht käme. Unüberhörbar klang aus dem Brief Bedenklichkeit. Ich werde es nicht leicht haben, dachte ich.

Es ergab sich, daß ich ein Vierteljahr darauf aus verschiedenen Gründen nach London fahren mußte. Ich kündigte meinen Besuch Mrs. Young rechtzeitig an. Seit den letzten Vorkriegsjahren war ich nicht mehr in dieser Stadt gewesen, an die mich manches band, die mir von mehreren Besuchen her wohl bekannt, aber doch unvertraut war, eine räumlich entfernte Verwandte, die man als Kind scheu und beklommen liebt.

Ich fuhr vom Bahnhof in ein kleines Hotel in Kensington. Die Sache, die der eigentliche Anlaß meiner Reise gewesen war, hatte ich bald hinter mich gebracht. Am nächsten Morgen rief ich Mrs. Young an.

»Ich bin es selbst«, sagte eine Stimme. »Sie wünschen?« Ich schwieg verblüfft, und die Stimme fuhr fort: »Verzeihen Sie, natürlich, ich weiß, wer Sie sind, was Sie wünschen. Ich habe oft über Ihren Brief nachgedacht.«

»Vielleicht könnten wir . . .«, sagte ich, aber die Stimme unterbrach mich.

»Hermann hat mir oft von Ihnen erzählt«, sagte sie langsam. »Oder vielmehr, gar nicht so oft, denn ich sah ihn nur noch selten, meine Mutter und ich, wir sahen ihn nur noch selten und wußten gar nicht recht, was er eigentlich trieb. Ihren Namen nannte er übrigens nie, aber er sprach von einem bestimmten Freund, und als Sie schrieben, begriff ich, daß Sie dieser Freund waren.«

»Ja«, sagte ich, »ich war dieser Freund.«

Ihre Stimme überhastete sich manchmal, manchmal zögerte sie. Nach einer Weile merkte ich, daß ich jedesmal, wenn sie sprach, den Atem anhielt, um dieser Stimme nachzulauschen, um eine andere Stimme in ihr zu finden, die natürlich tiefer und sicherer gewesen war und einmal gesagt hatte: »Eigentlich würdet ihr gut zueinander passen . . .«

»Ich möchte«, sagte ich, »sehr gern mit Ihnen über Hermann reden.«

»Mein Gott«, sagte sie, »wie lange das her ist. Hermann, du lieber Gott. Mein großer Bruder, der sich über uns auch nicht gerade den Kopf zerbrach. Er wollte lieber die Welt verändern. Und dann geschah das Unglück, das man ja hatte voraussehen können.«

»Er hat«, sagte ich, »auch an Sie gedacht. Gerade an Sie hat er gedacht. Er . . .«

»Ich weiß, was Sie meinen«, sagte die Stimme. »Man hat ja seither eine Menge Dinge erfahren, die man damals nicht wußte.«

»Vielleicht könnten wir uns sehen, Mrs. Young«, sagte ich jetzt. »Ich wäre froh, wenn ich einmal zu Ihnen kommen dürfte.«

Im Hörer rauschte es. »Das geht jetzt leider nicht«, sagte die Stimme nach einer Weile. »Ich bin den ganzen Tag beschäftigt.«

»Vielleicht paßt es Ihnen morgen besser«, sagte ich. »Oder übermorgen.«

»Aber Sie sind ja hartnäckig, mein Lieber«, sagte die Stimme mit spöttischer Verwunderung. Ich fühlte, daß ich erbebte, denn es war Hermanns Stimme, die eben vernehmbar gewesen war, aber auch die Stimme einer Frau, seiner Schwester, die ihm vielleicht ähnlich sah, die er vor mir gepriesen, vor seinem inneren Auge neben mir erblickt hatte. »Warum diese Eile? Warum überhaupt all diese Dinge wieder ans Tageslicht bringen? Die Toten soll man ruhen lassen. Wir haben damals alle genug durchgemacht.«

»Ich komme zu Ihnen, wann Sie wollen«, sagte ich erbittert, »morgen oder übermorgen oder noch später. Mein Visum ist für zwei Wochen gültig.«

»Ich sehe, daß man Sie nicht so leicht los wird.« Die Stimme versuchte heiter zu klingen, aber ich hörte nur den Ärger in ihr. »Hören Sie zu. Bei mir zu Hause geht es nicht. Treffen wir uns lieber in der Stadt. Heute abend um acht.« Sie nannte mir ein Restaurant in Soho, das ich kannte.

»Ich werde um acht dort sein«, sagte ich. »Sie werden mich finden. Auf meinem Tisch wird die ›Financial Times‹ liegen. Ich vermute, die Leute werden in dieses Lokal nicht ausgerechnet mit der ›Financial Times‹ kommen.«

Sie lachte kurz und hängte ab.

Ich vertrieb mir die Zeit, so gut es ging, ließ mich von meinem Freund D. in den Saville-Club einladen, ging langsam durch Albany, um wieder einmal zu sehen, wer dort wann gewohnt hatte, las im Hyde Park eine Menge Zeitungen und fand mich zehn Minuten vor acht in dem Restaurant ein, das ziemlich voll war. Dem Kellner sagte ich, daß ich eine Dame erwarte. Ich trank einen Campari und behielt die Tür im Auge. Es war beinahe halb neun, als der Kellner an meinen Tisch trat und sagte, er irre sich wohl nicht, ich müsse es gewiß sein, den eine Dame am Telefon erwarte, bitte, hier entlang, dort drüben sei die Kabine.

»Es ist mir wirklich unangenehm«, sagte die Stimme. »Aber ich fürchte, ich werde nicht kommen können.«

»Ich warte gern eine Weile«, antwortete ich.

»Ich habe es mir überlegt«, sagte sie. »Ich möchte nicht kommen. Ich ertrage Aufregungen nicht. Überhaupt, es ist so lange her, was soll das Ganze ...«

»Ich schulde es ihm«, sagte ich, »verstehen Sie das nicht?«

»Ich verstehe Sie durchaus«, sagte die Stimme. »Aber ich zweifle, ob Sie mich verstehen. Mein Leben hat sich geändert, es ist überhaupt jetzt alles anders, ich bin froh, daß es so ist. Wenn Sie über Hermann schreiben und Ihr Buch erscheint da drüben, könnte mir das sogar noch Unannehmlichkeiten einbringen.« Die Stimme hatte jetzt überhaupt keine Ähnlichkeit mehr mit irgendeiner anderen. Sie kam aus einer eisigen Ferne. Sie brach plötzlich ab.

»Ich glaube«, sagte ich, »Sie machen sich ganz unnötige Sorgen. Wer soll Sie denn mit einem gewissen Hermann R. in Verbindung bringen, wenn Sie es nun einmal so nicht haben wollen?«

»Es gibt eine Menge Leute«, sagte die Stimme, »die sich mit Vorliebe um fremde Angelegenheiten kümmern. Wissen Sie das nicht? Hier wissen ziemlich viele, daß ich Deutsche bin, daß ich aus Berlin komme, wie ich als Mädchen hieß.«

In mir wuchs ein taubes, totes Gefühl. »Das kann nicht Ihr Ernst sein«, sagte ich. »Ich bin Hermanns wegen nach London gekommen, nicht nur seinetwegen, gewiß, aber vor allem seinetwegen.«

»Es tut mir wirklich leid«, sagte die Stimme. »Es tut mir aufrichtig leid. Ich habe Sympathie für Sie, obwohl Sie einer von den Leuten sind, die ständig vergangene Dinge aufrühren und die Welt nicht in Ruhe lassen.«

»Welche Welt meinen Sie?« fragte ich. »Vielleicht wäre es in der Welt ein wenig ruhiger und vernünftiger zugegangen, wenn Leute wie Hermann etwas zu sagen gehabt hätten. Aber man hat ihn umgebracht.«

»Ich will nicht mit Ihnen streiten«, sagte die Stimme. »Ich will Ihnen auch nichts ausreden. Aber auf mich können Sie nicht rechnen.«

»Warten Sie«, sagte ich, »warten Sie. Denken Sie einmal nach ...«

»Es ist mein letztes Wort«, sagte die Stimme. »Übrigens, noch eins ... Eigentlich möchte ich es Ihnen gar nicht sagen. Aber vielleicht ist es besser, wenn Sie es wissen: Als er verhaftet war, hat Hermann nicht mehr daran geglaubt.«

»Woran hat er nicht mehr geglaubt?« fragte ich und fühlte eine Kälte in mir.

»Er hat nicht mehr daran geglaubt«, sagte die Stimme. »An seine Ideen, an Ihre Ideen. Er hat eben an das Ganze nicht mehr geglaubt. Er glaubte nicht mehr, daß es sich gelohnt hatte. Ich habe ihn in der Haft noch einmal gesehen, ehe sie ihn nach Buchenwald brachten. Er hat es mir selber gesagt.«

»Sie lügen«, sagte ich. »Jetzt haben Sie ihn eben zum zweitenmal umgebracht. Aber das soll Ihnen nicht gelingen.«

»Werden Sie nicht pathetisch«, sagte die Stimme. »Gute Nacht!«

Es klickte in der Leitung, ein Summen schwoll an, tausend undeutliche Stimmen wisperten.

Als ich die Tür der Telefonkabine öffnete, stolperte ich. Ich kam bis zu meinem Tisch und setzte mich. In meinem Kopf waren tausend wirre Gedanken oder auch kein einziger. Ich bestellte noch einen Campari. Als der Kellner ihn brachte, sagte er: »Ich glaube, die Dame möchte Sie noch einmal sprechen.« Ich stürzte zurück in die Telefonkabine.

»Ich möchte wirklich nicht, daß wir uns auf so schroffe Weise trennen«, sagte die Stimme. »Sie sind ein Idealist und können nicht begreifen, daß normale Leute ihr Leben so einzurichten suchen, wie es die Zeit verlangt. Seien Sie mir nicht böse . . .«

»Ich sagte vorhin«, erwiderte ich, »Sie hätten ihn zum zweitenmal umgebracht. Ich habe wohl etwas übertrieben. Aber Sie haben ihn damals angezeigt.«

Wieder wisperten die Stimmen. Eine stumpfe, dumpfe Ruhe breitete sich zwischen uns. Dann sagte Mrs. Young: »Ja.« Eine Pause trat ein. »Was wissen Sie denn«, sagte sie, »gar nichts wissen Sie mit Ihrem blödsinnigen Idealismus. Ich war sechs Jahre jünger als Hermann, aber alt genug, um begreifen zu können, was er trieb und wohin er es trieb. Ich wollte nicht seinen Tod, wo denken Sie hin, er war doch mein Bruder. Er sollte nur einen Denkzettel kriegen und lernen, daß man auf seine Familie Rücksicht zu nehmen hat. Man sprach doch damals von Schutzhaft, die Gefangenen sollten in sich gehen, hieß es, sich in eine neue Gemeinschaft einfügen. Ich wollte nicht seinetwegen vom Studium ausgeschlossen werden, ich wollte mir nicht mein Leben verderben lassen. Meine Mutter hat bis zu ihrem Tode nichts davon gewußt. Und er hat auch nichts geahnt . . .«

Ich nahm langsam den Hörer vom Ohr, ließ ihn an der Leitungsschnur hängen und ging leise aus der Kabine. Dann zahlte ich und verließ das Lokal.

Ich ging wie in einem Schlaf durch die Straßen. Manchmal erwachte in mir ein Gedanke: Vielleicht hatte Hermann mich in Verdacht gehabt. Ich erwachte einmal hier, einmal dort. Ich erkannte in meiner halben Bewußtlosigkeit eine Straße, einen Platz.

Aus Lyon's Corner House drang der Jazz. Große Automobile lagen dunkel vor den Türen von Park Lane. An den Espresso-Cafés weiter oben standen junge Leute, lachten und sangen. Eine Stimme im Halbdunkel sagte: »Vergessen Sie uns nicht, Sir!« Ich beugte mich vor und sah einen Mann, der unbeweglich dastand und an mir vorbeisah. Er trug ein Schild vor der Brust. Ich trat noch näher und konnte jetzt die Inschrift lesen: PEOPLE LIVING IN A WORLD OF DARKNESS DESPERATELY NEED YOUR HELP. In kleineren Buchstaben stand darunter: The Royal School for the Blind, Leatherhead, Surrey. Ich suchte in meinen Taschen nach ein paar Schillingen.

Über der Stadt lag eine Glocke von Staub, Licht und Geräuschen. Im Nachthimmel brannte der Widerschein ferner Straßen. Aus den Lüften drang Düsengeheul. Ich fühlte, daß jetzt sehr weit weg irgendwo sich ein leiser, ziehender Schmerz auf den Weg machte, um zu mir zu stoßen. Er hatte eine lange Strecke vor sich und viel Zeit. Aber ich war ruhig. Er würde mich schon erreichen.

1

Ein starkes, fremdes Geräusch ist in der Luft. Ich sehe mich, winzig
auf dem kleinen kreisrunden Platz mit seinen Villen, den Kopf im
Nacken (so deutlich hat dieser Platz von allen Seiten her sich um
mich gelegt, daß ich ihn nach Jahrzehnten augenblicklich wieder-
erkenne), und eine Stimme neben mir, über mir fragt: »Siehst du
den Aeroplan?« Ich sehe ihn deutlich, er fliegt tief über den Baumwipfeln; deutlich sehe ich auch die geschweiften Eisernen Kreuze unter seinen Tragflächen. Es ist noch Krieg.

2

Schnee fällt dicht und dichter zwischen den Gründerzeitfassaden
auf Straße und Vorgärten. Ich sehe, wie er auf dem eisernen Zierrat
der Zäune wächst. Je höher die kleinen Schneekappen werden, desto
besser ist es, desto stiller wird die Welt, desto näher ist der Schlaf.
Auch sind Passanten, die einzeln, dunkel, undeutlichen Schritts vor-
beiziehen, immer seltener zu erblicken. Der Schneefall wird stärker,
er wird ungeheuer. Süß fühle ich das Fieber nahen, lausche auf die
stetigen, beruhigenden Geräusche des Hauses, das um mich wächst,
so wie der Schnee um das Haus wächst. Später treibt mein Bett auf
dem Strom des Fiebers. Ich schlafe, erwache, weiß, daß der Schnee
weiter fällt, hinter der Wand reden Stimmen Unverständliches.
Es soll nicht enden. Das Fieber nicht, und nicht der Schnee. Nicht

die belebte Stille. Nicht die Stimmen, die da sind, und deren Worte man nicht verstehen muß. In meiner Bewußtlosigkeit spüre ich die vertrauten Gegenstände im Zimmer: den weißen, mit schwarzen Leisten eingelegten Schrank, in dem meine Kleider hängen; das kleine Bild an der Wand, auf dem ein junger Mann mit gepudertem Haar eine silberne Rose in den Händen hält.

In all den Jahren, die folgen, tritt diese Lautlosigkeit eines Zimmers, dieses Murmeln hinter Wänden, treten Fieber und Schnee im Dahindämmern, in Erschöpfung und Schlaf vor mich hin. Mehr war vom Leben nicht zu erwarten gewesen. Alles andere war Täuschung. Es bleibt nur dieses Glück.

3

Ich trete in das Zimmer meiner schönen Mutter. Von hier aus blickt man über Gärten weg auf den tiefer gelegenen Hauptteil der Stadt, die finster und verrußt ist und unzählige Fabrikschornsteine gegen einen hügeligen Horizont stellt. Aber keiner dieser Schornsteine gerät ins Fensterviereck, sondern nur ein näher gelegener runder Wasserturm. »Wo bist du gewesen?« höre ich mich fragen. Ich sehe meine Mutter, die vor ihrem dreiteiligen Spiegel sitzt, gar nicht an; mein Blick kommt von dem Wasserturm nicht los. Dann höre ich die sanfte Stimme antworten. »Nirgendwo«, sagt sie. Ich denke über das rätselhafte Wort nach, ich stürze hinein, durchbreche es, es schließt sich über mir wie ein Gewässer. Sofort weiß ich, daß »Nirgendwo« nichts anderes ist als ein runder Turm unter einem niederen grauen Himmel vor einem hügeligen Horizont.

4

Später kehre ich, zwölf-, dreizehnjährig in diese Stadt zurück. Ich lebe im Haus meiner Großmutter, das an einer langen, stillen, nach einem ehemaligen Bürgermeister benannten Straße liegt. Diese Straße bildet den größten Teil meines Schulwegs; sie wird in Abständen rechtwinklig von anderen, steilen Straßen durchschnitten, die von der Stadt her auf den Berg führen.

Die Straße erblicke ich nur in einem grüngoldenen Sommerlicht, das nie wechselt. Sie ist erfüllt vom dichten Laubwerk ihrer Bäume, die über Vorgärten schatten, über der Bäckerei, die einem Abgeordneten des Reichstags gehört. Träge Vogellaute erfüllen die Luft, die Glocke an der Tür des Bäckerladens schlägt manchmal an. Wolken zerrinnen über den Dächern.

Hier oben wohnen die Inhaber der Textil- und Maschinenfabriken, ihre Direktoren, Handwerksmeister, Ärzte, Rechtsanwälte. Die Straße liegt still, kaum befahren, wenig begangen, durchwogt von dem gleichförmigen Licht. Sie verliert sich hundert, zweihundert Meter links vom Haus in Gärten und Wiesen, noch ein Stück weiter in hügeliges Gelände. Zwischen den Gärten spiele ich nachmittags mit ein paar Jungen Schlagball, wenn ich nicht zum Lauftraining auf den Sportplatz gehe. Manchmal zieht eine Kette von Mädchen vorbei; sie singen leise und lachen sinnlos. Manchmal unterbrechen wir das Spiel: der Kunstflieger Fieseler, der sich am Sonntag beim Flugfest zeigen wird, dreht zwischen den zerinnenden Wolken ein paar Rollen.

Die unerträglichen, unendlichen Sonntage sind voller Angst. Ich fülle viele Hefte mit Gedichten und kleinen Erzählungen. Ich lese, nach einem Plan, in rasender Eile: die antiken Dichter, die mich in der Schule langweilen, die Elisabethaner, Hölderlin, Novalis, des Knaben Wunderhorn, Büchner, die Russen und Franzosen des 19. Jahrhunderts. Die Bücher schützen mich vor dem Leben, das ich fürchte, vor einer Zukunft, die mich unausdeutbar anblickt. Aber: ich boxe, reite, treibe Leichtathletik, fahre Rad. Bei den städtischen Juniorenmeisterschaften schwimme ich die hundert Meter Freistil, werde Vierter.

Aus den Zeitungen erfahre ich, daß in Amerika zwei italienische Anarchisten namens Sacco und Vanzetti zum Tode verurteilt wurden. Sie sind für Gerechtigkeit, darum bezichtigt man sie eines Verbrechens, das sie nicht begangen haben. In allen Ländern kämpft man um ihr Leben. Meine Hoffnung wächst: man wird sie freilassen. Eine Zeitung liegt auf dem Tisch: Sacco und Vanzetti wurden gestern auf dem elektrischen Stuhl hingerichtet. Mit Entsetzen spüre ich, daß ich lautlos weine. Um wen? Um zwei Italiener? Um mich? Voller Furcht lese ich einen unsichtbaren Satz, der sich in mir bildet: Das wirst du dir schon noch abgewöhnen.

5

Auf dem Weg zur Schule, zehn Minuten, nachdem ich das Haus verlassen habe, überquere ich einen dreieckigen Platz, um den alte, hohe Bäume stehen. Links neben mir liegt die Post, schräg vor mir die Synagoge, im gleichen plumpen Stil erbaut wie die meisten Kirchen der Stadt, ein Stück weiter die Villa, die den Eltern meines Schulfreundes Scholwin gehört. Lautlosigkeit. Mitten auf dem Platz steht eine Litfaßsäule. Ich lese ein Plakat, schwarze Frakturschrift auf rotem Grund: Adolf Hitler spricht. Unten in der Ecke lautet ein Vermerk: Juden haben keinen Zutritt. Ich grüble, warum wohl Juden keinen Zutritt haben. Im Geiste sehe ich Tausende von Leuten vor mir, in Säle drängend, in denen Adolf Hitler sprechen wird; es sind Juden. Andere werden keinen Platz mehr finden.

Um die gleiche Zeit begegnet mir in unserer Straße ein junger Mann in einer braunen Uniform, die Hakenkreuzbinde am Arm. Er wohnt ein Stück weiter, er begegnet mir von nun an täglich, stets trägt er seine Uniform. Noch nie habe ich seinesgleichen erblickt, vielleicht ist er in der ganzen Stadt der einzige, der in diesem Aufzug herumläuft. Er beachtet mich nicht, er beachtet niemand. Immer geht er festen, klingenden Schrittes. Er ist nicht in Eile, doch hat er ein Ziel vor sich.

Nur nachmittags schlendert er manchmal die Straße herauf. Er hält vor dem Haus gegenüber an und pfeift die ersten Takte von »Am Brunnen vor dem Tore«. Dann tritt ein junges Mädchen aus der Tür und lehnt sich an einen Pfeiler der Vorgartenumfriedung. Sie reden lange miteinander, ohne daß eins den Blick vom andern läßt.

6

Diesmal vergehen etwa zwanzig Jahre, bis ich wieder in die Stadt komme, die kaum mehr existiert. Denn ein Krieg ist über sie weggegangen, als er fast schon zu Ende war, gegen tausend Flugzeuge hatten zwanzig Minuten lang über sie einen Bombenteppich gebreitet. Man hat die Trümmer beiseite geschafft. Jetzt besteht die Stadt aus Leere, in der sich hier und da Gruppen von Häusern aufrichten. Ich finde mich nicht mehr zurecht in dieser Stadt, in der ich geboren bin, ich hatte sie niemals gut gekannt, ich flüchte aus ihr, von der ich noch ein paar Straßennamen kenne, die ich nicht mehr finden kann, nicht die Namen und nicht die Straßen.

Die Straße oben auf dem Berg, in der ich vor zwanzig Jahren wohnte, ist zum größten Teil zerstört. Immer noch begegne ich so wenigen Passanten wie in meiner Erinnerung. Vom Haus meiner Großmutter finde ich nur umherliegendes Geröll und wundere mich, daß so wenig von einem so großen Haus geblieben ist. Man weiß, daß Erwachsene alles klein wiederfinden, was in ihrem Gedächtnis groß erschienen war. Dennoch ist es unbegreiflich, daß die Straße so schmal ist. Einige Bäume von damals sind da. Aber das Licht auf ihnen ist verschwunden. Aus einem Fenster sieht mich ein Mann an; er tritt ins Zimmer zurück, als ich seinen Blick erwidere. Auch der dreieckige Platz ist kleiner. Die Scholwinsche Villa ist ausgebrannt. Ich frage mich, was den Platz so verändert hat, und finde den Grund erst nach geraumer Zeit: von der Synagoge ist nichts mehr vorhanden, nicht der geringste Rest, wo sie gestanden hat, breitet sich ein unbegreiflich sauber gemähter Rasen. Da kann nie etwas anderes gewesen sein.

7

Es vergehen noch einmal fünfzehn Jahre. Meine Schule, das ehemalige humanistische Gymnasium, jetzt Friedrich-Engels-Oberschule, feiert ihr neunzigjähriges Bestehen; man hat mir eine Einladung geschickt. In der alten Aula werden Reden gehalten, jemand sagt ein Gedicht auf, ein Chor singt, Lehrer, Schüler, ehemalige Abiturienten. Ich kenne niemand.

Später nimmt sich ein junger Lehrer meiner an. Auch er ist ein ehemaliger Schüler des Staatsgymnasiums. Er nennt die Namen seiner Lehrer, einer oder zwei klingen bekannt, sie sind noch meine Lehrer gewesen. Im Haus hat sich nichts geändert. Da ist die Eingangshalle, in der wir bei schlechtem Wetter die Pause verbrachten, da der Schalter, hinter dem der Hausmeister Milch verkaufte. Der Hausmeister, sagt der junge Lehrer, wurde SS-Mann, er brachte viele Leute ins Elend, 1945 wurde er verhaftet. Man hat ihn nicht mehr gesehen.

Unverändert liegt der Schulhof, den unverändert eine hohe Mauer vom Gefängnis trennt. Über die Mauer blickt jetzt ein Wachtturm. Keine gute Nachbarschaft, sage ich. Das sei wohl wahr, sagt der junge Lehrer. Immer noch der Duft der Linden, der Geruch von feuchtem Sand, Urin, Fahrrädern.

Man hat eine kleine Ausstellung vorbereitet, Schülerarbeiten, Fotos, auch solche, die den Bombenteppich überdauerten. Plötzlich suche ich hastig nach einem bekannten Gesicht, nach Namen, die ich vergaß, nach mir. Da bin ich schon, da glaube ich zu sein, ein Junge unter dreißig Jungen, aber ich bin es gar nicht, es ist mein Bruder, dieser winzige Kerl in seinem Matrosenanzug, zwei Klassen unter mir, Sextaner, der später so groß und breitschultrig war und mit seiner kleinen schnellen, schrecklichen Flugmaschine aus dem umkämpften Himmel stürzte.

Ich gehe fort. Ich kenne hier niemand. Auf das Gitter am Straßenrand gestützt, schaue ich nach meiner unbekannten, unheimlichen Geburtsstadt aus. Die Freier sind fort, und mit ihnen Penelope. Die Stadt ist nicht mehr leer. Man hat hier sehr viel gebaut, Hunderte von modernen Häusern, wie man sie jetzt in allen Ländern findet, schöne Häuser eigentlich; sie sind sauber, bunt, breitfenstrig, untereinander austauschbar. Ich kenne ihre Bewohner nicht und kann mich nicht in den Straßen zurechtfinden, die diese Häuser bilden.

Ich sehe die breite Kassberg-Auffahrt, über die sich vor vielen Jahren Straßenbahnen heraufquälten. Sicher liegen auch jetzt dort Schienen, fahren auch jetzt wieder Bahnen; ich weiß es nicht genau. Wie vor Jahren höre ich auf das Schrillen der Räder in den Schienen, auf das unaufhörliche kreischende Gellen in den Kehren, in mir selbst.

1

Ich habe einen langen Weg vor mir von der Tür, deren Klinke ich kaum erreichen kann, durch das ungeheuer weite, ungeheuer hohe Zimmer hin bis zum Balkon, vor dem Querpfeifen gellen, Trommeln rasseln; ich will nicht zu spät kommen, laufend, springend, stolpernd vor Eile überwinde ich die enorme Distanz. Ein Zauberlicht ist um mich her, die Bäume mit von Sonne getigertem Laub greifen mit riesigen züngelnden Ästen nach den Fenstern, sehr leises Vogelgezwitscher ist so nahe, daß es aus den Ecken des Zimmers zu dringen scheint, ich spüre ein Gleiten und Schwingen, ein betäubender Schwall unbekannter Düfte dringt zu mir empor, da ist die Drehung einer Hüfte, das Erzittern von Federn über einem breitrandigen Hut, kurze, entzückte Ausrufe werden hörbar, Händeklatschen, denn die Musik schweigt. Ich kann nun den stumpfen Widerschein des Lichts auf den Stahlhelmen erkennen; was da dicht unter mir steht, kann eine Kompanie sein, die Soldaten haben eine Wendung gemacht, sie stehen unbeweglich, mit dem Rücken zu mir, und im Haus gegenüber hat sich ein Fenster geöffnet, Offiziere grüßen starr hinauf zu einem Mann in Uniform, den ich durch Laubmassen und Lichtflecke hindurch auf gleicher Höhe undeutlich erblicke, ihn oder vielmehr ein Stück Stoff und ein Heben der Hand. Dies sei, sagt eine Stimme leise von oben, der Mann, der unsere im Feld unbesiegten Heere geführt hat.

Das Haus, von dem aus ich zu General Ludendorff hinübersehe, ist das letzte auf der rechten Seite der langen mächtigen Straße, die an dem am weitesten nördlich gelegenen Punkt des Hauses einen spitzen Winkel mit der Keithstraße bildet. Nach links und nach rechts geht, den Kanal entlang, das stille, von alten Bäumen und Buschwerk bestandene Lützowufer ab, an dem man spazierengehen oder träumen oder etwas verbergen kann. Wenn man von unserem Hause aus nach der anderen Seite die Straße hinabblickt, in die Richtung der Gedächtniskirche, von der her jeden Abend ein wildes, vielstimmiges Geläut dröhnt, weiß man, daß an der nächsten Ecke die Wichmannstraße liegt, dann die Nürnberger, dann die Kurfürstenstraße. Da unten liegt auch das Eden-Hotel, zweihundert, vielleicht dreihundert Meter entfernt. Das alles weiß man übrigens noch gar nicht, man erfährt es erst später, man lernt die Namen auswendig, ohne jeden Grund.

2

Die Frühlings- oder Sommerszenerie, über der Querpfeifen und Trommeln lärmen, ist gar nicht gemeint. Ein Krieg war gewesen, ich hatte schon die »Wacht am Rhein« singen können, mein Vater war zurückgekehrt. Ich hörte ihn Scarlatti-Sonaten spielen, nachts, wenn ich für Sekunden zwischen Schlaf und Wachen lag. Wie gut war die Nacht meiner Kindheit, durch die nichts drang als diese Musik. Auch die Taggeräusche sind um mich bemüht, sie bedeuten Sorge um mich, Pflege, Trost. Kaum habe ich zu leben begonnen, versucht man bereits, mir diese Last abzunehmen. Die Zimmer sind lautlos und voller Licht; was brennt da draußen; es müssen blühende Kastanien sein. Vor mir öffnen sich, eine nach der anderen, fast ohne Geräusch, die breiten gläsernen Schiebetüren. Das Aubusson-Zimmer mit den beiden Gainsboroughs. Von allem, was war, lebt das also, man weiß nicht warum und zu welchem Zweck. Aber da war doch etwas anderes gewesen. Vor diesem unbegreiflichen, unveränderlichen späten Frühjahr oder frühen Sommer ein Winter mit Kälte, durchdringend feuchter Leere, mit seinen langen Monaten, einem Januar zum Beispiel. Wie lang auch die Nächte sind, die vom fünfzehnten auf den sechzehnten etwa. Ein Krieg war vorbei, gewiß, aber hier in der Budapester Straße, die damals noch zum Kurfürstendamm gehörte und darum so hieß, war er nie verloren worden. Was immer auch im Land geschah, oder in dieser Stadt, ihren nördlichen und östlichen Vorstädten mit ihren Versammlungen, Debatten, Ausschüssen, Streiks, Maschinengewehrsalven, drang nicht hierher, auch wenn es sich manchmal nur ein paar Kilometer weiter abspielte. So gut mich meine Nächsten in diesem Hause behüteten, so gut schützten unbekannte, unsichtbare Mächte Haus und Straße. Es hätte aber sein können, daß gerade in jener Nacht, da mein Vater wieder Scarlatti spielt und ich tief in der Höhle des Schlafes liege, in der Straße eine gewisse Bewegung entsteht. Eigentlich ist es gar nichts und kaum der Rede wert. Passanten gibt es ja beinahe keine zu dieser späten Stunde; aber so spät ist es nun auch wieder nicht, nicht später als halb elf, kurz vor elf, für Erwachsene zählt das kaum. Eine kleine Gruppe sammelt sich zwei-, dreihundert Meter weiter unten, läuft auseinander, sammelt sich von neuem, Türen schlagen, zwei Autos setzen sich, übrigens mit erheblichem Abstand voneinander, in Bewegung. Aus dem zweiten ertönt ein schwacher Knall, da ist es aber immer noch ein ganzes Stück entfernt, man kann es bei uns unmöglich gehört haben, schon gar nicht, wenn Klavier gespielt wird. Die beiden Autos fahren ziemlich langsam vorbei, das eine geradeaus über die Brücke in den Tiergarten hinein; das andere biegt nach links ab um die Ecke, an der der General Ludendorff wohnt. Es fährt den Kanal entlang. Dort ist es sehr dunkel.

3

Es muß ein Lärmen gewesen sein, die Trunkenheit des Sieges und die andere, alltägliche, das Hin- und Herblitzen von Schreien: »Rosa! Rosa!« – »Da ist der rote Hund!« – »Von denen kommt uns keiner lebendig weg!« – »Die Sau muß schwimmen!«, nur zwei-, dreihundert Meter von der Stelle entfernt, wo ich, ein kleines Kind, in tiefem Schlaf lag. Das, was immer dazu bestimmt gewesen war, an Maschinen zu stehen, Straßen zu kehren, Wagen zu lenken, Waffen zu führen für andere, hatte sich ein paar Tage lang hochgereckt; man hatte davor gezittert; hatte eine unausdenkbare Zukunft vor sich gesehen, die Canaille am Ruder, oben, was unten gewesen war. Alles war nun wieder in Ordnung, aber für die schändliche Angst, die man ausgestanden hatte, sollten die da zahlen. *Aber dies ist eure Stunde, und die Macht der Finsternis.*

Zwei Tage nach dieser Stunde klingt eine Stimme aus einem Automaten: »Man hat die schrecklichen Ereignisse, die wir in Berlin in den letzten Tagen durchlebten, einen Bruderkrieg genannt. Ich kann die Berechtigung dieses Ausdrucks nur teilweise anerkennen. Verbrecher und Plünderer sind nicht meine Brüder.« Der Automat ist der ehemalige kaiserliche Staatssekretär und jetzige Volksbeauftragte Scheidemann. Verbrecher sind jene, die auf Jahrhunderte von Gewalt mit acht Tagen Gewalt antworten, Plünderer aber die, welche von einzelnen geraubtes Eigentum den vielen Beraubten zurückgeben wollen. Aus dem Automaten dröhnt es: »Ich bedaure den Tod der beiden aufrichtig. Sie haben Tag für Tag das Volk zu den Waffen gerufen und zum gewaltsamen Sturz der Regierung aufgefordert. Sie sind nun selbst Opfer ihrer eigenen blutigen Terrortaktik geworden.« Ein Gebrüll übertönt die leisen Worte, die aus Zuchthäusern kommen. »Der Krieg«, hatte der Mann geschrieben, »der Krieg und die vielen Mängel der Welt plagen und bekümmern Dich. Aber aus *der* Nacht gibt's Rettung, nur eine Rettung freilich: den Entschluß, die Beseitigung dieser Übel sich zum Lebenszweck zu setzen. Nur *das* Leben ist unmöglich, das alles laufen lassen wollte, wie es läuft. Nur das ist möglich, das sich selbst zu opfern bereit ist, zu opfern für die Allgemeinheit. Mein Leben war bisher, trotz allem, glücklich ...« Die leise Stimme sagt: »Ich möchte helfen unter Opferung von tausend eigenen Leben, mithelfen an dem Einzigen, was der russischen Revolution und der Welt helfen kann. Verdammte Ohnmacht. Ich stoße an die Wände.« Die Frau flüstert: »Ich habe manchmal das Gefühl, ich bin kein richtiger Mensch, sondern irgendein Vogel oder ein anderes Tier in Menschengestalt, innerlich fühle ich mich in so einem Stückchen Garten oder im Feld viel mehr in meiner Heimat als auf einem Parteitag. Ihnen kann ich ja wohl das alles sagen: Sie werden nicht gleich Verrat am Sozialismus wittern. Sie wissen, ich werde trotzdem hoffentlich auf dem Posten sterben: in einer Straßenschlacht oder im Zuchthaus ...«

Dort unten an der Straße hat man sie eingeliefert, in das große Hotel, wo der Stab der Gardekavallerieschützendivision liegt. Sie waren schon seit Tagen auf der Flucht gewesen. Auch an der Litfaßsäule in der Nähe unseres Hauses hing das große Plakat »Tötet sie!«, der Automat dröhnte: »Sozialdemokraten waren sie längst nicht mehr, denn den Sozialdemokraten sind die Gesetze der Demokratie heilig, gegen die sich jene auflehnten. Wir sind ein geschlagenes Volk und kämpfen mit moralischen Waffen.« Die heiligen Gesetze und die moralischen Waffen werden gleich mit durchschlagendem Erfolg zur Anwendung gebracht werden. Die unter die Mörder fielen, werden erst gefragt, wer sie seien. Der Hauptmann Pabst sagt später vor Gericht: »Ich fragte: ›Sind Sie Frau Rosa Luxemburg?‹ Darauf sagte sie: ›Entscheiden Sie bitte selber.‹ Da sagte ich: ›Nach dem Bilde müßten Sie es sein.‹ Darauf entgegnete sie: ›Wenn Sie es sagen.‹« *Er antwortete ihm und sprach: Du sagst's.* Nichts mehr kann sie retten. In diesen Minuten wird nicht nur über zwei, es wird über viele Leben entschieden, über ein ganzes Land. Viel später stellt sich die Qual einer fixen Idee ein: Was wäre geschehen, was alles wäre vermieden worden, wenn man das da hätte aufhalten können. Der Gedanke an die ausgelöschten, an die vergeblich gelebten, an die verkrüppelten Leben.

Nicht die Anstrengung der Natur, die sie hervorgebracht, nicht die Größe einer Idee, nicht das Zusammentreffen glücklicher Umstände, das so viel innere Schönheit zeugte, kann sie retten, nicht die »Akkumulation des Kapitals« noch die Schriften gegen den Krieg, nicht die geflüsterten Worte aus den Zuchthäusern, nicht die Kenntnis Bachs (»Ihr sollt die Matthäuspassion hören. Die Noten hatte ich im Militärarrest. Studiere sie vorher. Nicht ganz leicht zu verstehen – Kontrapunkt und Fuge. Gleich der erste Satz: achtstimmiger Chor nebst Cantus firmus; durchblickt man das Zaubergewebe, ist man ganz berauscht«), nicht die Schwärmerei für Hugo Wolf (»Ach, Sonitschka ...«), nicht die Liebe zu Mensch und Tier, zu Versen und Blumen. Sie müssen sterben.

4

Aus der Vernehmung von Angeklagten:
»Ich habe noch verschiedene Fragen bezüglich des Kolbenschlags. Für wie schwer haben Sie die Verletzung gehalten?«
»Für sehr leicht. Denn er beugte sich vorn herüber, faßte mit der Hand drauf und sagte: ›Es blutet ja.‹«
»Er soll gesagt haben: ›Ich bin geschlagen.‹«
»Ich weiß es nicht.«
. . . . . .
»Ich bitte den Angeklagten zu fragen, weshalb er geschossen hat.«
»Weil der Führer geschossen hat. Weil es selbstverständlich war.«
. . . . . .
»Wohin haben Sie gezielt?«
»Ich habe gezielt, um zu treffen, Büchsenlicht war nicht mehr. Ich habe drauf gehalten.«
»Wie weit war er da von Ihnen entfernt, als Sie schossen?«
»Ich würde bis zur vorderen Kante des runden Tisches nehmen.«
»Auf wieviel Meter würden Sie das schätzen?«
»Das würde ich auf fünf Meter schätzen.«

5

Als die Frau aus dem Hotel geführt wird, versetzt ihr, auf Anordnung von Hauptmann Pabst, der Posten stehende Jäger Runge drei furchtbare Kolbenhiebe über den Kopf. Man schleift sie ins Auto. Sie hat keinen Laut von sich gegeben. Als der Wagen anfährt, springt jemand auf, schießt die Bewußtlose in die Schläfe, springt wieder ab, geht ins Hotel zurück. Einen Schuh der Frau findet der Soldat Becker auf dem Trottoir und behält ihn als Trophäe. *Auf daß erfüllet würde die Schrift.*

6

Die Mörder wurden nie bestraft. Einer erhielt einige Wochen Hausarrest. Ein anderer bekam zwei Jahre Gefängnis. Unter dem Tisch schob man ihm einen Paß zu. Er fuhr für kurze Zeit nach Holland und wurde nach einigen Monaten amnestiert. Solange die Mörder in Untersuchungshaft saßen, standen ihre Zellentüren Tag und Nacht offen. Sie konsumierten Damen und Champagner. Gelegentlich trafen sich Untersuchungsrichter und Häftlinge nachts vor der Kolibri-Bar.

Eine Zeitung berichtet über den Prozeß: »Kurz nach neun Uhr erscheinen die Angeklagten. Sie werden nicht auf dem üblichen Weg zur Anklagebank gebracht, sondern durchschreiten vom Richterzimmer aus den Saal. Sie kommen lachend und strahlend daher, die Brust mit Orden geschmückt...«

Dabei ist es geblieben. Dies ist unser Leben geworden. Sie waren die Angeklagten, aber sie kamen aus dem Richterzimmer. Sie schritten, und wir lagen am Boden. Sie lachten, und wir hatten den Mund zu halten. Sie trugen Orden davon, und wir nur unsichtbare Wunden. Ein halbes Jahrhundert ist verrauscht, und immer noch fragt es in uns weiter.

Nachts, im Traum, trete ich vor das Haus, in dem ich als Kind war und von dem nichts geblieben ist. Ein Befehl hat mich hinuntergerufen. Ich bin natürlich viel älter, bin aber zugleich noch das Kind von damals. Es soll Januar sein, aber die Luft ist weich und regnerisch, und Wirbel von Dunst fliehen über den nassen Asphalt. Unerträglich hell leuchten die Kerzen der Kastanien. Kein Mensch, kein Laut. Wenn ich an die Bordschwelle trete, fahren unten vor dem Eden-Hotel zwei hochgebaute Wagen lautlos an, nicht einmal ein Rauschen der benagelten Reifen ist hörbar. Sie gleiten an mir vorbei, einer hinter dem anderen, hinter den beiden Chauffeuren des ersten, ganz in Finsternis gekleidet, sehe ich den Mann mit seinem Schnurrbart. Er hat seinen Kneifer verloren, den er nun nicht braucht: er hält die Augen geschlossen. Von seinen Lippen, die sich lautlos bewegen, kann ich die Worte ablesen: Es blutet ja. Der Wagen fährt langsam über die Brücke und verschwindet. Der zweite nähert sich, ich erblicke die Frau, wie leicht sie doch in ihrer Ecke lehnt, kalkweiß, auch sie mit geschlossenen Augen, das dichte, lockere Haar fällt herab, verdeckt nur halb das Loch an der Schläfe, einen Blutfaden, sie gibt mir ein kleines Zeichen mit der Hand. Der Nebel wird plötzlich stärker, während sich der Wagen nach links wendet, dem Lützowufer zu. Er hat nur noch etwa zweihundert Meter zu fahren.

Zu den Erzählungen

Reise eines Malers in Paris. Geschrieben 1946 in Garmisch. Elemente der Erzählung gehen auf Halluzinationen des Malers Hans Reichel (1892–1958) zurück, von denen er dem Autor berichtete. – Erstdruck 1947 in Wiesbaden.

Der Leutnant Yorck von Wartenburg. Geschrieben im Herbst 1944 in Zürich. Die Erzählung, wahrscheinlich der erste Versuch, den Ereignissen des 20. Juli 1944 eine literarische Gestalt zu geben, entstand in Anlehnung an die Novelle von Ambrose Bierce »An Occurence at Owl Creek Bridge«. Dem Autor ebenso wie allen anderen Zeitgenossen blieben die Einzelheiten des versuchten Aufstands lange verborgen. Eine Darstellung, zu der es den Verfasser drängte, mußte notwendigerweise den Charakter des Phantastischen, Traumhaften annehmen. Die Verbindung der Ereignisse mit dem Komitee Freies Deutschland, dem der Autor angehörte, ist unhistorisch, sie entspringt einem Wunschtraum. Der gemeinte Held der Erzählung ist der Oberst von Stauffenberg; er erhielt aus naheliegenden Gründen den Namen Yorck von Wartenburg. Ein Leutnant Peter Yorck von Wartenburg gehörte aber der Verschwörung an und wurde hingerichtet. – Erstdruck 1945 in Singen.

Die Zeit der Einsamkeit. Geschrieben 1948 in Berlin.

Arkadien. Geschrieben 1949 in Berlin. – Darstellung einer Episode aus den Kämpfen der F.T.P. (Franc-Tireurs et Partisan) im Departement Cantal.

Die Zeit der Gemeinsamkeit. Geschrieben 1949 in Warschau und Berlin. Die berichteten Details des Aufstands gehen auf schriftliche und mündliche Zeugnisse von Teilnehmern der Kämpfe zurück. Vergleiche auch den sogenannten »Stroop-Bericht« (Neuwied, 1960), der dem Verfasser bereits 1949 zugänglich gemacht wurde.

Der Weg der Bolschewiki. Geschrieben 1950 in Berlin. Beruht auf dem Bericht des französischen Häftlings Paul Tillard über das Lager Mauthausen. Den Ausbruch sowjetischer Offiziere aus dem Lager überlebte nur eine Handvoll. Die meisten Flüchtlinge wurden nicht von der SS, sondern von der Bevölkerung massakriert. Keinem einzigen wurde geholfen.

Die Kommandeuse. Geschrieben 1953 in Berlin, Erstdruck 1954. Als Vorlage dienten Gerichtsakten. Namen wurden verändert. Die Erzählung stieß in West und Ost auf heftigen Widerspruch. Ein berühmter Schriftsteller der Bundesrepublik teilte dem Autor mit, »das Schlimmste an dieser schlimmen Erzählung« liege in dem Umstand, daß sie »gut geschrieben« sei.
Der Widerspruch im Westen äußerte sich vor allem im Zorn über die Verfälschung eines Freiheitskampfes. Der im Osten protestierte gegen den Versuch, das Psychogramm einer Faschistin zu entwerfen, womit der Konterrevolution Vorschub geleistet wurde. Die Kritiker in West und Ost ahnten nicht, wie sehr ihre Positionen einander glichen.

In einer dunklen Welt. Geschrieben 1964 in Berlin, Erstdruck 1965.

Kassberg. Geschrieben 1965 in Berlin auf einen Vorschlag von Klaus Wagenbach hin für die Anthologie »Atlas«.

Corneliusbrücke. Geschrieben Anfang 1968 in Berlin, nachdem Studenten der Technischen Universität in Berlin (West) den Autor zu einer Lesung eingeladen hatten, die am 13. Februar 1968 stattfand, während im benachbarten Hörsaal Rudi Dutschke über die Vorbereitung der Vietnam-Demonstration sprach.
Der Autor schildert einen Vorgang im Januar 1919 in unmittelbarer Nähe seines Elternhauses, den er miterlebte ohne ihn doch erleben zu können: der Autor ist ein Kind von noch nicht vier Jahren. Im Jahre 1968, ein halbes Jahrhundert später, wurde er von der Ahnung bedrängt, daß einmal mehr die Liebe zum Guten und zur Menschlichkeit niedergetreten werden würde.

Erläuterungen

Seite 17: *Hotchkiß-Gewehr* französisches Maschinengewehr

Seite 19: *Caproni, Savoia* italienische Bomber

Seite 48: *Bendlerstraße* jetzt Stauffenbergstraße, Berlin. Dort befand sich das Oberkommando der deutschen Wehrmacht

Seite 50: *EK I, Ritterkreuz* deutsche Kriegsauszeichnungen. Das Eiserne Kreuz entstand als preußische Kriegsauszeichnung im Jahre 1813. Das Ritterkreuz wurde von Hitler eingeführt

Seite 52: *Seydlitz* General von Seydlitz wurde nach der deutschen Niederlage von Stalingrad gefangengenommen und später Präsident des Komitees Freies Deutschland, in dem deutsche Kriegsgefangene und Emigranten in der Sowjetunion organisiert waren

Seite 53: am 14. August 1798 verzichtete der französische Adel auf seine Privilegien

Seite 64: *Boches* nationalistische französische Bezeichnung für Deutsche

Seite 64: *Bellote* französisches Kartenspiel

Seite 77: *Gandesa* kleine Stadt in Aragonien, westlich des Ebro. Die Offensive der spanischen Republikaner führte sie bis an den Stadtrand von Gandesa

Seite 79: *Pétain* französischer Marschall, Sieger von Verdun im 1. Weltkrieg. Chef der französischen Marionettenregierung in Vichy 1940–1944

Seite 79: *Doppelaxt* französisches faschistisches Abzeichen während der deutschen Besetzung 1940–1944

Seite 101: *Dünkirchen* französische Hafenstadt. Bei Dünkirchen wurden die verbündeten französischen und englischen Armeen von den Deutschen geschlagen

Seite 120: *Schofar* Widderhorn, das in der Synagoge am höchsten jüdischen Fest, dem Versöhnungstag, geblasen wird und die Posaune des Jüngsten Gerichts verkörpert

Seite 128: *Hatikwah* zionistische Hymne, jetzt Nationalhymne von Israel

Seite 141: *Hagadah* Erzählung vom Auszug aus Ägypten, die jedes Jahr im Familienkreis am Abend des jüdischen Passah-Festes vorgelesen wird

Seite 141: *Mazzoth* (populärer Matze) jüdisches ungesäuertes Brot zum Passah-Fest

Seite 145: *Pilsudski* Marschall Pilsudski war von zentraler Bedeutung bei der Gründung des polnischen Staates von 1918, später Begründer einer extremen rechten Bewegung, die antikommunistisch und antisemitisch war

Seite 146: *Stuka* deutsche Sturzkampfbomber im 2. Weltkrieg

Seite 158: *Volksentscheid vom August* im August 1931 beging die KPD den schwerwiegenden Fehler, einen Volksentscheid gegen die sozialdemokratische polnische Regierung herbeizuführen, der aber scheiterte

Seite 158: *RGO* Rote Gewerkschafts-Organisation, Organisation von kommunistischen Arbeitern, die aus den allgemeinen Gewerkschaften ausgeschlossen worden waren

Seite 197: *General Ludendorff* gemeinsam mit Hindenburg Oberbefehlshaber der deutschen Armeen im I. Weltkrieg

STEPHAN HERMLIN, geboren 1915 in Chemnitz (Karl-Marx-Stadt), aufgewachsen in Berlin. 1931 Eintritt in den kommunistischen Jugendverband; 1933-1936 Widerstandsarbeit; 1936 Emigration nach Ägypten, Palästina, England, Spanien, Frankreich, Schweiz. 1945 Rückkehr nach Deutschland (Frankfurt am Main). Lebt seit 1947 in Ostberlin.

Zwölf Balladen von den großen Städten. Zürich, 1945
Der Leutnant Yorck von Wartenburg. Erzählung. Singen, 1946
Die Straßen der Furcht. Gedichte. Singen, o. J. [1946]
Reise eines Malers in Paris. Erzählung. Wiesbaden, 1947; Leipzig, 1966
Zweiundzwanzig Balladen. Berlin, 1947
Ansichten [zusammen mit Hans Mayer]. Aufsätze. Wiesbaden, 1947
Die Zeit der Gemeinsamkeit. Vier Erzählungen. Ostberlin, 1949
Die Zeit der Einsamkeit. Erzählung. Leipzig, 1951
Mansfelder Oratorium. Text für ein Oratorium von Ernst Hermann Meyer. Leipzig, 1950
Die erste Reihe. Ostberlin 1951
Der Flug der Taube. Gedichte. Ostberlin, 1952
Die Sache des Friedens. Aufsätze und Berichte. Ostberlin, 1953
Ferne Nähe. Reisebericht. Ostberlin, 1954
Dichtungen. Ostberlin, 1956
Nachdichtungen. Ostberlin, 1957
Begegnungen. Aufsätze und Berichte. Ostberlin, 1960
Gedichte und Prosa. Westberlin, 1965
Balladen. Leipzig, 1965
Städte. Gedichte. Eßlingen, 1966
Erzählungen. Ostberlin, 1966
Die Zeit der Gemeinsamkeit / In einer dunklen Welt. Zwei Erzählungen. Westberlin, 1966
Scardanelli. Ein Hörspiel. Westberlin 1970; Leipzig, 1971
Lektüre. Ostberlin und Frankfurt, 1973
Der Leutnant Yorck von Wartenburg. Leipzig, 1954; Frankfurt, 1974
Deutsches Lesebuch. Von Luther bis Liebknecht. München, 1976
Gesammelte Gedichte. München, 1979
Aufsätze, Reportagen, Reden-Interviews. München, 1980

Stephan Hermlin   Abendlicht

Quartheft 101. 128 Seiten. DM 12.80

»Obwohl ›Abendlicht‹ eine klare parteiliche Position erklärt, bleiben konkret erinnerte Einzelvorgänge und Personen fast immer unbewertet, werden also dem Urteil des
Lesers anheimgestellt. Selbst Tote – Opfer oder Scheusale –
werden noch vor Mitleid, Bewunderung oder Feindschaft
bewahrt, und es wird eine Menschlichkeit direkt demon-
striert, welche den antifaschistischen Kampf, der selber nur
aus den Auslassungen erschließbar ist, noch einmal adelt.
Selten habe ich einen literarischen Text gelesen, in welchem
die handwerkliche Sorgfalt so eins war mit dem Respekt
vor dem Menschen.
Eine solche Ästhetik des versteckten Zeigens, der verschwie-
genen Mitteilung, der Stille erscheint mir subversiv in einer
Zeit, in welcher die Wiederentdeckung der Subjektivität
inzwischen zur pornographischen Indiskretion verkommen
ist.
In diesem Buch und mit den hier nur angedeuteten Mitteln
ist es erst möglich, die historischen Ereignisse – also den
beginnenden und den tobenden Faschismus – in jenem
privaten Kontext auftreten zu lassen, der ihn tatsächlich
täglich verdeckte.
In einem verzweifelten Versuch, die Feindschaft zwischen
Leiden und Artikulation zu überwinden, ist dies für mich
eines der großen Beispiele unserer Literatur.«

Reinhard Lettau in ›Der Spiegel‹

Verlag Klaus Wagenbach Berlin